D0120205

KLAPROZENROOD

Anne-Marie Hooyberghs

Klaprozenrood

Westfriesland

www.uitgeverijwestfriesland.nl
ISBN 978 90 205 1010 2
E-ISBN 978 90 205 3096 4
NUR 344

Omslagontwerp: Bas Mazur
© 2012 Uitgeverij Westfriesland, Utrecht

HOOFDSTUK 1

'Paulien... Paulien!' Een gefluisterde, maar dwingende stem klonk als een echo door de kloostergang. Paulien keek op en zag een van de kloosterzusters met vlugge stappen naar haar toe komen. Haar zwarte habijt ruiste en klonk haast oorverdovend in de zee van stilte. De vleugelkap van de non werd door haar haast naar achteren gedrukt zodat ze deze met één hand moest tegenhouden. Paulien veegde haar handen af aan haar schort en stond op. Ze besefte dat er iets bijzonders aan de hand moest zijn, want in de kloostergangen mocht nu eenmaal niet gepraat worden. Het feit dat zuster Veronika dat wel deed, deed haar het ergste vermoeden. Angstig wachtte Paulien tot de zuster voor haar stond.

'Je moet nu meteen naar moeder-overste,' zei de jonge zuster zo zacht als ze kon.

Het meisje schrok. Ze wees verward naar haar emmer en haar schrobborstel. 'Ik... ik moet deze gang nog af krijgen voor het middag is, zuster Veronika,' haperde ze totaal van haar stuk.

De non schudde haar hoofd. 'Nu meteen!' zei ze beslist. 'Kom, geef mij je schort maar. Ik zal het hier wel verder doen.' Ze hielp haar even om haar schort uit te doen en gaf haar daarna een lichte duw in de rug zodat ze gedwongen werd om verder te gaan.

Maar Paulien was er helemaal niet gerust over. 'Waarom moet ik naar moeder-overste? Ik heb toch niets misdaan?' fluisterde ze in paniek. Ze kende de jonge non goed genoeg om te weten dat ze haar deze vragen kon stellen. Zij was een van de weinige zusters met wie ze dat kon en durfde.

Zuster Veronika keek even over haar schouder om te zien of ze wel degelijk alleen waren. 'Ik denk dat het alleen maar goed nieuws is,' fluisterde ze vlug. 'Vooruit. Ga nu maar. Je weet dat moeder-overste niet graag wacht.'

Paulien ging, maar niet van harte. Ze doorliep in gedachten de vorige dagen en pijnigde haar hersenen wat ze misschien verkeerd had gedaan, wat ze kon verwachten. Maar ze kon echt niets bedenken. Ze had alleen maar haar best gedaan en al haar opdrachten zo goed mogelijk uitgevoerd.

Met een onbehaaglijk gevoel ging ze door de immense, sombere gangen van het klooster. Af en toe kwam ze enkele zusters tegen die hun hoofden nog wat dieper bogen terwijl ze haar devoot en in absolute stilte voorbijgingen.

Bij het vertrek van moeder-overste bleef het meisje even aarzelend voor de deur staan. Ze stak nog vlug een donkerharige lok onder haar hoofddoek en streek een denkbeeldige plooi uit haar rok. Daarna haalde ze diep adem en klopte ze aan. 'Binnen!' hoorde ze een hoge, schelle stem zeggen. Paulien opende de deur, maar zodra ze haar hoofd naar binnen stak, zag ze dat het oude, verweerde gezicht van moeder-overste begon te stralen. De oude vrouw stond op van achter haar bureau en kwam haar tegemoet.

'Kom binnen, Paulien,' zei ze met een glimlach die het meisje helemaal niet van haar gewoon was. 'Kom toch verder, meisje. Blijf daar zo niet staan.' Moeder-overste greep haar arm en trok haar mee de kamer in. Nu pas zag Paulien dat er nog iemand in de kamer was. In een fauteuil voor het bureau zat een man. Hij was kalend, met een krans donker haar van oor tot oor, kleine, donkere ogen, een dubbele kin en een corpulente omvang. Hij wachtte tot het meisje voor hem stond en keek haar daarna taxerend aan. Wat hij zag beviel hem niet. Een schriel, mager ding, haast een kind nog. Hij had een jonge vrouw verwacht, met rondingen op plaatsen waar rondingen hoorden te zitten. Maar ze zag er tenminste netjes uit en ze had een fris en mooi gezicht.

'Zo, jij bent dus Paulien Pauwels,' doorbrak hij uiteindelijk de zenuwslopende stilte. 'Ik heb van moeder-overste gehoord dat jij een voorbeeldige leerling geweest bent en dat je nu voor hen hier in het klooster werkt om in je onderhoud te voorzien?' Hij wachtte even tot hij zag dat ze zacht knikte. 'En ook dat je gehoorzaam bent en gewillig in de omgang?'

Paulien keek even vanuit haar ooghoeken naar moeder-overste. Had zij dat echt over haar gezegd? Dat was ze niet gewoon. Meestal werd ze als koppig en weerspannig bestempeld, ook al deed ze haar best om onderdanig te zijn. Gelukkig verwachtte hij ditmaal niet dat ze knikte.

'Wel, dat klinkt veelbelovend,' ging hij gewoon verder. 'Wat zou je ervan vinden om met me mee te gaan, Paulien?'

Eindelijk keek Paulien hem aan. 'Met u meegaan?' waagde ze het om te vragen.

Hij knikte. 'Naar mijn huis. Dan kom je bij ons wonen. Bij mij en mijn vrouw en mijn dochter.'

Het meisje stond perplex. Ze begreep het niet. Ze keek even naar moeder-overste. Wou ze haar uitbesteden? Wilde ze niet langer dat ze hier in het klooster bleef?

'Wat... wat moet ik daar dan doen?' vroeg ze onbeholpen en haperend.

De corpulente man lachte even zodat zijn dubbele kin trilde. 'Ik zie dat je helemaal van slag bent,' zei hij. 'Eigenlijk verwacht ik niets van je, meisje. Alleen dat je mijn dochter wat gezelschap houdt, dat is alles. Ik wil je een kans geven op een betere toekomst door je bij mij in huis te nemen. Ik ben namelijk je oom, zie je. Je moeder was mijn zus.'

'Mijn... mijn oom?' Paulien keek de man voor haar nu verbaasd aan. Maar direct daarna werden haar ogen hard. 'Moeder heeft het over u gehad. Ze heeft me verteld dat haar familie haar heeft verbannen omdat zij van mijn vader hield. Ze had zo gehoopt dat u haar tenminste zou begrijpen. Maar we hebben nooit iemand van haar familie gezien of gesproken. Ook u niet.'

Hij sloeg even schuldbewust zijn ogen neer.

'Juist, ja. Dat was inderdaad zo. Je moeder wou niet naar de wijze raad van vader luisteren en daardoor is ze onterfd en mocht ze het ouderlijk huis niet meer in. Ook ik mocht haar niet meer zien, begrijp je. Maar mijn ouders zijn ondertussen gestorven en toen ik hoorde dat mijn zus, jouw moeder dus, door een ziekte geveld was, wou ik het goedmaken door ten minste toch een van haar kinderen te helpen.'

'Eén van haar kinderen? En Nell dan en Mattijs?'

De man begon rood aan te lopen. Dit schriele meisje was helemaal niet zo onderdanig als hij verwacht had. Waar haalde ze het recht vandaan om hem zo te antwoorden? Als zijn dochter er niet zo op gestaan had om dit meisje bij haar te hebben, dan liet hij haar hier met plezier achter.

Maar moeder-overste zette haar in zijn plaats terecht. 'Een beetje dankbaarheid zou beter op zijn plaats zijn, Paulien!' zei ze scherp. 'En respect! Notaris Van Hees is helemaal naar hier gekomen om je te helpen. De gedachte aan je broer en je zus is dan ook misplaatst. Nell heeft het hier goed en je broer mag blij zijn dat de paters hem verzorgen en te eten geven.'

De gezette man stond op. Het feit dat Paulien weer met gebogen hoofd voor hem stond, maakte hem milder. 'Voor je zus en je broer heb ik geen plaats, kind. Maar ik weet zeker dat je het bij ons naar je zin zult hebben. Claudia is van jouw leeftijd en ik ben ervan overtuigd dat je goed met haar zult kunnen opschieten. Maar ik ben niet te beroerd om je nog enkele dagen bedenktijd te geven. Volgens moeder-overste denk je erover om in het klooster te gaan. In dat geval wil ik je roeping natuurlijk niet tegenwerken. Ik ben de volgende drie dagen nog voor zaken in Antwerpen. Ik zal daarna nog eens langskomen. Ik hoop dat je dan een besluit genomen hebt.'

Hij knikte even als groet en richtte zich daarna tot moeder-overste. 'Ik moet gaan, zuster. Zoals afgesproken zal de donatie aan jullie orde binnen afzienbare tijd geregeld worden.'

'Maar natuurlijk, mijnheer Van Hees, daar twijfel ik geen seconde aan.'

Moeder-overste nam een bel van haar bureau en liet deze even klingelen. Bijna direct verscheen er een zuster aan de deur. 'Zuster Magdalena, wil jij mijnheer Van Hees even vergezellen tot aan de buitendeur?' Ze wachtte niet op een antwoord. In plaats daarvan drukte ze de hand van de corpulente man. 'Tot ziens, mijnheer Van Hees. En nogmaals bedankt voor uw gulle bijdrage. We zullen het goed kunnen gebruiken.'

De notaris knikte, keek nog even in Pauliens richting en volgde zuster Magdalena naar de uitgang.

Zodra hij verdwenen was, richtte moeder-overste zich tot het ontredderde meisje dat nog altijd met gebogen hoofd voor haar bureau stond.

'Dat noem ik nu eens echt ongepast gedrag, Paulien,' wees ze haar terecht. Haar stem klonk niet langer vriendelijk, maar schel en scherp. 'Behalve het feit dat jij je oom zo arrogant te woord stond, was je vreselijk ondankbaar door hem erop te wijzen dat hij ook voor je zus en je broer hoort te zorgen. Zo'n onbeschaamdheid heb ik nog nooit meegemaakt.' Ze keek Paulien met een stekende blik aan. Maar toen ze zag dat het meisje niet reageerde, werd haar blik iets zachter. 'Nou ja. Misschien zie je het meer zitten om voor altijd bij ons te blijven?' vroeg ze hoopvol. 'Dan kun je bij je zusje blijven tot we haar uitbesteden en dan kun je voor de andere weeskinderen blijven zorgen. Maar dan moet je wel aan je gedrag werken. Wat meer bescheidenheid is hier zeker op zijn plaats. Je bent zestien, klaar om de stap te zetten, om je voor te bereiden op het kloosterleven. Als dat je wens is, dan kan ik natuurlijk begrijpen waarom jij je ooms aanbod zou weigeren.'

Het meisje keek even op. Ze begreep maar al te goed dat moeder-overste haar graag in het klooster wilde houden. Dan zou ze weer een ziel gered hebben van de zonden die buiten het klooster zo veelvuldig en opvallend voorhanden waren. Maar God had andere plannen met haar. Dat wist ze en dat voelde ze ook.

'Het klooster biedt me een veiligheid en een geborgenheid die ik erg op prijs stel, moeder-overste,' zei ze dan ook voorzichtig. 'Maar ik heb mijn moeder de belofte gedaan dat ik alles zou doen om mijn zus en broer bij elkaar te houden, om hun een thuis te geven, om voor hen te zorgen tot ze hun eigen weg kunnen gaan. Dat kan ik niet als ik toetreed.'

De blik van de non werd weer harder. 'Je hebt je moeder een belofte gedaan die je niet kunt inwilligen, kind. En hier blijven zonder toe te treden is ook geen optie. We kunnen je niet blijven onderhouden zonder dat je er iets voor in de plaats biedt! We hebben zo al genoeg monden te voeden. Je zult dus je keuze moeten maken en als ik jou was dan zou ik daar maar eens goed over nadenken. Ga nu naar de kapel en bid dat God je mag vergeven voor je zonden en dat Hij ervoor zorgt dat je de juiste keuze zult maken.' De oude non nam weer plaats achter haar bureau. Een teken dat het gesprek voorbij was.

Vertwijfeld ging Paulien naar de kapel, waar ze helemaal naar voren liep en voor een van de harde stoelen neerknielde. In de zijbeuk – bij het beeld van Maria – zag ze een paar oudere nonnen voor een stoel geknield zitten. Ze prevelden zacht enkele gebeden. Ze keek op naar het Christusbeeld dat boven haar hing. Kunt u me helpen, God? vroeg ze in stilte. Wat kan ik doen om mijn belofte aan moeder te houden? Maar toen keek ze schuldbewust naar haar gevouwen handen. Ze had net tegen moeder-overste gezegd dat ze haar leven niet aan God kon wijden. Misschien wou God haar dan ook niet helpen?

Het gedempte geluid van voetstappen en het ruisen van stof onderbraken haar gedachten. Ze keek even over haar schouder en zag zuster Veronika naar haar toe komen. De non hield bij haar rij stil, boog even door haar knieën, maakte een kruisteken en ging naast Paulien zitten. Vanonder haar wimpers keek ze even naar de nonnen bij het beeld. Ze zaten gelukkig met hun rug naar hen toe en hun geprevel zou het gefluister camoufleren.

'Zuster Magdalena wist me te vertellen dat ik je in de kapel kon vinden,' begon ze zacht fluisterend terwijl ze zich even naar Paulien toeboog. 'Hoe was het? Wie was de man die naar je vroeg en wat wou hij van je?'

Paulien keek even schuin op. 'Hij is mijn oom, zuster Veronika. Een zekere notaris Van Hees. En hij wil dat ik bij hem kom wonen.'

'Een oom? Ik dacht dat je helemaal geen familie meer had?'

'Dat dacht ik ook, zuster, maar blijkbaar heb ik me vergist.'

'Nou, dat is in ieder geval goed nieuws. Het gebeurt niet dikwijls dat een van onze oudere meisjes een nieuw thuis krijgt. En dan nog in de familiekring. Ik ben blij voor jou, Paulien.'

Paulien boog haar hoofd. 'Ik... ik denk niet dat ik met hem meega,' fluisterde ze zacht zonder op te kijken.

'Niet?' Zuster Veronika keek verbaasd neer op het gebogen meisjeshoofd naast haar. 'Waarom niet?'

Paulien haalde vertwijfeld haar schouders op. 'Mijn oom wil dat alleen ík met hem meega. Maar hoe zit het dan met Nell en Mattijs? Ik kan hen toch niet achterlaten?' fluisterde ze radeloos.

'Hier blijven biedt ook geen oplossing. Nell wordt dertien. Na dit schooljaar kan ze nog één jaar lessen volgen hier in het weeshuis, maar daarna wordt zij uitbesteed en verlies je haar uit het oog. Bovendien weet ik dat jij hier niet ongestoord kunt blijven werken zonder dat je op een dag verplicht moet toetreden tot onze orde.'

Paulien knikte. 'Dat weet ik.'

Het bleef even stil terwijl het leek alsof ze beiden vol overgave zaten te bidden.

'Zou je dat echt willen?' fluisterde zuster Veronika ten slotte zacht zonder haar hoofd te bewegen. 'Zou je hier voor altijd opgesloten willen zijn?'

Paulien schudde zacht haar hoofd. De tranen stonden in haar ogen. 'Nee, dat is niet wat ik wil, maar ik wil Nell en Mattijs niet verliezen. Zij zijn alles wat ik nog heb. Zij zijn mijn enige familie.'

'Nee, niet de enige! Je hebt net vernomen dat je nog een oom hebt. Je kunt hier weg, Paulien. Je kunt een ander pad inslaan. Een pad dat je kansen biedt. Ik had geen andere keuze dan hier te blijven. Ik kon nergens anders naartoe, begrijp je. Ik weet dat er ergens broers en zussen van me bestaan die ik niet eens ken. We waren nog zo jong toen we in verschillende weeshuizen terechtkwamen. Nu voel ik me hier goed. Mijn leven is rustig en onbezorgd en ik zou het niet anders meer willen. Maar ik weet één ding: jij bent niet gemaakt om je leven tussen deze muren te slijten. Jij zou je hier alleen maar ongelukkig voelen. Ga met je oom mee. Grijp deze kans, meisje. Als je het verstandig aanpakt, dan heb je daar meer gelegenheid om met je zus en broer herenigd te worden dan hier.'

Na deze woorden stond zuster Veronika op. Ze maakte weer een kruisteken en verliet stil en devoot de kapel.

Paulien bleef alleen achter met een hart dat bloedde en een geweten waarmee ze niet in het reine kon komen.

'Ik heb gehoord dat jij naar moeder-overste bent gestuurd,' fluisterde Nell vlug toen ze in het bed naast haar zus kroop. De meisjes strekten onder de deken een arm uit naar elkaar toe. De bedden stonden gelukkig niet zo ver van elkaar zodat de afstand overbrugd kon worden. Het laatste zonlicht, dat door de kieren van de gordijnen naar binnen scheen, was net voldoende om elkaar te kunnen zien. Met hun vingers in elkaar verstrengeld keken ze elkaar aan. 'Heb je straf gekregen? Heeft ze je met de lat geslagen?'

Paulien begreep maar al te goed dat Nell vreselijk in angst had gezeten. Iedereen wist ondertussen al dat zij bij moeder-overste was geroepen. Ondanks het respecteren van de stilte, die haast overal in het klooster heerste, ging nieuws als een lopend vuurtje rond. Tijdens het avondeten hadden ze elkaar ook al gezien, maar omdat er een totaal spreekverbod heerste tijdens de maaltijden, was het voor Nell onmogelijk om haar zus daarover te ondervragen. Daarna hadden ze ieder weer hun eigen taken zodat ze elkaar uit het oog verloren. Maar in de slaapzaal konden ze het riskeren. Zodra ze onder de ogen en oren van zuster Elisabeth uit waren, waagden ze hun kans. Aan het gefluister dat hier en daar in de grote slaapzaal opsteeg, was duidelijk te merken dat meer meisjes een grote behoefte voelden om met elkaar te praten. Af en toe steeg er een gegiechel op dat direct gedempt werd met een sssttt!, uit angst dat zuster Elisabeth het zou horen.

'Nee,' zei Paulien al even zacht. 'Er zat een man op me te wachten. Hij blijkt de broer van onze moeder te zijn.'

Nell keek haar met grote ogen aan. 'Een broer van moeder?'

'Blijkbaar wel, zus. We hebben hem nooit gezien wegens de gebeurtenissen die zich vroeger hebben afgespeeld. Moeder sprak niet graag over haar familie, dat weet je wel.'

Nell knikte begrijpend. Zij kende het verhaal van haar ouders. Paulien had het haar verteld toen haar moeder nog maar pas overleden was. Het moest verschrikkelijk zijn wanneer je verstoten werd omdat je trouwde met de man van wie je hield, ging het door haar heen. Hun oom was toen wel ter sprake gekomen, maar net als hun grootouders hadden ze hem nooit gezien. Ze wisten niet hoe hij eruitzag, ze wisten niet eens of hij nog wel leefde.

'Wat kwam hij dan doen?' vroeg ze.

Paulien aarzelde even. 'Hij kwam vragen of ik met hem mee wou gaan,' zei ze ten slotte naar waarheid.

'Jij? Heeft hij het ook over Mattijs en mij gehad?'

Paulien schudde enkel het hoofd. Het bleef even stil tussen de meisjes. Ze nam haar zusje even aandachtig op. Ze was bijna dertien, maar klein voor haar leeftijd. Ze had net zulk donker haar als zij, maar het was steil en ze droeg het nu in twee vlechten aan weerszijden van haar smalle gezichtje. Haar grote, donkere ogen stonden ernstig. Ze zou het verschrikkelijk vinden als ze Nell moest achterlaten.

'Wat heb je gezegd?' vroeg Nell ten slotte.

'Niets. Hij komt over drie dagen terug. Dan pas moet ik beslissen.'

Nell keek haar een ogenblik bedachtzaam aan. 'En wat ga je dan tegen hem zeggen?'

Paulien haalde haar schouders op. 'Ik kan niet met hem meegaan, Nell. Die zogenaamde oom van ons woont in Tongerlo, een dorp heel ver van hier. Hoe moet het dan met Mattijs en jou? De gedachte dat ik jullie niet meer kan zien breekt mijn hart. Ik kan niet zonder jullie.'

Nell knikte. Dat begreep ze maar al te goed. Ook zij had dat gevoel. Weer bleef het even stil tussen hen.

'Mathilde zegt dat jij erover denkt om in het klooster te gaan. Is dat waar?' vroeg ze terwijl ze naar hun verstrengelde vingers keek.

Paulien draaide haar gezicht even weg. 'Als ik hier wil blijven, dan moet ik wel, Nell. Misschien... misschien is dat wel de beste oplossing.'

'Nee, dat is het niet!' zei Nell plots scherp. 'Ik wil niet dat je een non wordt.'

Paulien drukte haar vinger op haar lippen om haar zusje tot stilte te manen. Ze keek even over haar schouder naar de deur. Maar Nell liet zich niet afleiden.

'Ik wil dat je trouwt,' ging ze zachter verder, 'en dat wij dan bij jou kunnen wonen. Ik wil dat we hier weg kunnen en een thuishaven hebben. Een echt thuis. Dan kunnen we voor altijd bij elkaar zijn. Jij en Mattijs en ik. Dat heb je me altijd beloofd, Paulien. Dat je ons hier zo vlug mogelijk uit haalt.'

Paulien sloot even haar ogen. 'We kunnen nu eenmaal niet altijd onze zin krijgen.'

'Als je met deze oom meegaat, dan lukt het misschien wel, Paulien.'

'Maar ondertussen zitten jullie hier toch maar mooi alleen. Mattijs is nog zo jong. Hij ziet ons alleen maar op zondag, wanneer we de kans krijgen om hem te bezoeken. Hij kijkt er zo naar uit, net als ik. En ik wil jou hier ook niet alleen achterlaten.'

'Ik zal het ook verschrikkelijk vinden wanneer je er niet meer zult zijn. Maar je vergeet dat ik volgend jaar veertien word. Dan zal ik uitbesteed worden en wie weet hoe ver we dan van elkaar verwijderd worden. Dan maakt het niet uit of jij in het klooster zit of niet.'

Paulien zweeg even. Wat Nell zei was waar. 'En Mattijs dan? Ik kan het niet over mijn hart verkrijgen om hem aan zijn lot over te laten,' probeerde ze nog.

'Ik ben er ook nog, zus. Zolang ik nog hier ben, kan ik hem zo veel mogelijk blijven bezoeken. Hij begrijpt heus wel dat je hem een tijdje niet kunt zien. Maar ik weet zeker dat die zogenaamde oom van ons jou zal toestaan om ons te bezoeken. Als hij onmenselijk was, dan was hij jou ook niet komen opzoeken, denk je ook niet?'

Paulien glimlachte. 'Hoe ben jij zo wijs geworden, Nell? Jij behoort nog een kind te zijn, zonder zorgen en zonder lasten.'
Nell wendde haar blik even af. 'Als onze ouders nog leefden, dan hoefden we dit allemaal niet mee te maken.'
Het bleef weer even stil tussen de twee zussen, elk met hun eigen gedachten en herinneringen aan vervlogen tijden. Paulien dacht aan haar vader die bij een bombardement getroffen werd in het begin van de oorlog. Ze had hem niet meer gezien. Ze had geen afscheid kunnen nemen van zijn gehavende lichaam. Dat woog zwaar en dat drukte nog altijd op haar. De jaren die volgden waren nog intenser. Jaren vol angst, verdriet, armoede en ellende. De oorlog drukte extra zwaar op hen nu hun vader er niet meer was. Hun moeder deed alles wat ze kon om haar drie kinderen op te voeden, maar het was voor haar verschrikkelijk moeilijk om het hoofd boven water te houden.
Paulien dacht terug aan de dag dat ze zich allemaal klaarmaakten om de trein te nemen. Het was winter en vreselijk koud. Er waren volop bombardementen en ze herinnerde zich nog dat ze vreselijk bang was dat de trein getroffen zou worden. Maar ze kon haar moeder niet overhalen om thuis te blijven. Ze moesten gaan, had ze gezegd. Ze móésten naar haar ouders om hun hulp te vragen zodat ze niet zouden omkomen van honger en ontbering. Dat was de eerste maal dat Paulien haar over haar familie hoorde spreken. Ze had er nooit bij stilgestaan dat zij nog familie hadden! Haar vader was enig kind en hij had zijn ouders al vroeg verloren. Hij had nog wel een paar oude tantes die ze af en toe te zien kregen, maar dat was ondertussen al zo lang geleden dat ze niet eens wisten of ze nog wel leefden. De kinderen Pauwels waren het dus gewoon om zo goed als alleen in het leven te staan. Paulien was dan ook erg verbaasd toen ze vernam dat ze nog familie van moederskant bezat.
De treinreis verliep angstig en zenuwslopend. Het geluid van overvliegende vliegtuigen deed hen telkens weer in elkaar krimpen alsof ze daardoor aan het noodlot konden ontsnappen. Een ijzige wind blies door de kieren en maakte dat Paulien, die bij het raam zat, haast bevroren was. Maar ze bereikten heelhuids het station van Turnhout. Van daaruit gingen ze verder met de tram naar Westerlo om daarna lopend naar Tongerlo te gaan, een klein aanpalend dorp dat midden tussen berijpte velden en

14

kale bossen lag. Paulien herinnerde zich nog hoe gemoedelijk ze het daar vond. Het leek wel alsof de oorlog geen vat had op deze plaats. Alle huizen stonden nog overeind. Dat was heel anders in de stad waar zij woonden en waar ze constant moesten schuilen wanneer weer een aantal bommen boven hun hoofden werden losgelaten.

Toen ze uiteindelijk voor een in victoriaanse stijl opgetrokken huis stonden, leek haar moeder te aarzelen. In plaats van aan te kloppen, waren ze verdergegaan naar de kerk die een eindje verder zichtbaar was. Daar waren ze binnengegaan, zodat ze enigszins beschut waren voor de kou. Ze had Paulien gezegd op de andere kinderen te letten en te wachten tot ze terugkwam. Daarna was ze alleen naar het huis toe gegaan. Maar toen haar moeder niet veel later terugkwam, leek ze stukken ouder geworden. De groeven in haar gezicht leken dieper dan anders en haar ogen waren rood en opgezwollen. Paulien was toen iets jonger dan Nell nu, maar de droefheid die uit haar moeders ogen straalde, raakte haar zo diep, dat ze geen woord over haar lippen kreeg. Zwijgend en gebukt onder een loodzware last ging haar moeder met hen terug naar het station. Het was op de terugweg dat haar moeder haar met tranen in de ogen vertelde dat haar familie haar verstoten had omdat ze – tegen de wil van haar ouders in – met hun vader getrouwd was. Zij wilden niets meer met haar te maken hebben. Ook nu niet. Zelfs niet toen zij hen smeekte om dan ten minste haar kinderen te helpen. Deze afwijzing had haar moeder geknakt, daar was Paulien van overtuigd. Een paar maanden later was ze ziek geworden. Ziek van de ontberingen, maar vooral ziek van hartenpijn. Een halfjaar later bezweek ze aan deze slopende ziekte.

Paulien sloot haar ogen bij die herinnering. Ze had het er nog altijd moeilijk mee. Haar moeder had er zo bleek uitgezien. Zo broos en breekbaar. Maar de dood had een glimlach op haar gezicht gelegd alsof ze vrede vond, alsof ze eindelijk het geluk gevonden had. Paulien voelde haar keel dichtknijpen. Dat was nu achttien maanden, drie weken en vijf dagen geleden, maar het was nog altijd pijnlijk om daaraan terug te denken.

Ze opende haar ogen en zag dat Nell naar haar keek. Er liepen tranen over haar gezichtje.

'Wat is er, Nell?' vroeg ze bezorgd.

'Ik mis hen, Paulien,' snikte ze zacht. 'Ik mis vader en moeder. Het was zo gezellig, zeker toen vader nog leefde. Hij kon zulke mooie verhalen vertellen als we samen met hem in zijn atelier zaten. En hij maakte lappenpoppen voor ons, weet je nog? En moeder zong luid mee met de gekke liedjes die hij verzon. We lagen soms over de grond te rollen van het lachen.'

Paulien glimlachte door haar verdriet heen. 'En de heerlijke geur wanneer moeder koekjes had gebakken. Haar warme stem waarmee ze zo mooi kon zingen. Het leek wel alsof ze altijd zong toen vader nog leefde. Ze hielden echt heel veel van elkaar.'

Nell keek haar zus door haar tranen heen smekend aan. 'Ga met onze oom mee, Paulien. En haal ons hieruit, zo vlug je kunt. Ik wil weer die gezelligheid van toen voelen. Ik wil weer een warm thuis hebben, eindelijk ongestoord kunnen praten zonder altijd maar weer over je schouders te kijken of op je vingers getikt te worden. Ik wil Mattijs kunnen knuffelen en plagen... O, er is zo veel wat ik wil... Ik weet dat het niet erg netjes van me is. Ik mag niet klagen. Ik heb nog een zus en een broer. Vele anderen hier hebben niemand. Zij zijn helemaal alleen. Maar ik kan het niet helpen. Ik voel me hier zo ellendig.'

Paulien kneep even bemoedigend in Nells vingers, maar toen ze zag dat haar zusje harder begon te huilen, sloeg ze de deken weg en kroop ze stil en zo onopvallend mogelijk in Nells bed. Daar trok ze haar zusje troostend tegen zich aan. Nell snikte zacht en stil, haar smalle gezichtje tegen Pauliens schouder gedrukt om het geluid te dempen. Ze klemde zich aan haar zus vast, smachtend naar een beetje warmte, naar een beetje genegenheid, naar een beetje tastbare liefde, naar alles wat ze hier zo erg miste.

Paulien streek over haar haren terwijl ze haar troostend heen en weer wiegde. Als zuster Elisabeth haar in het bed van haar zus zou aantreffen, dan zwaaide er wat. Daar was ze zich goed van bewust. Lichamelijk contact was nu eenmaal uit den boze en deze grove zonde zou ongetwijfeld een zware lijfstraf met zich meebrengen. Paulien nam dat risico er graag bij, maar het sterkte haar wel in haar besluit. Het was geen oplossing om in het klooster te blijven. De gedachte dat ze nooit een man kon omhelzen, dat ze nooit een gezin kon stichten, nooit liefde zou voelen en de warmte van kinderen om haar heen... Het zou haar langzaam maar zeker vernietigen, dat wist ze zeker. Maar ze was ook bang om met haar oom mee te gaan. Ze wist niet eens wie hij was en wat hij met haar van plan was. Hij had een dochter, zei hij. Een zekere Claudia. Dat maakte Paulien wel nieuwsgierig. En bovendien kon hij niet echt slecht zijn. Dan was hij toch gewoon niet komen opdagen, toch? Nell had gelijk, drong het tot haar door. Het was haar enige kans om hen weer bij elkaar te krijgen. Als ze erg haar best deed en zorgde dat ze haar oom en tante niet teleurstelde, dan kon ze hen misschien wel zo ver krijgen om ook Nell en Mattijs in huis te nemen.

Ze drukte een kus op het hoofd van haar zusje en wist nu wat haar te doen stond.

HOOFDSTUK 2

De trein denderde met een monotoon geluid over de rails. Paulien staarde door het raam naar buiten waar het groene landschap traag voorbijgleed. Af en toe werd ze door elkaar geschud wanneer de trein een wissel nam. Haar gedachten waren echter niet bij wat ze zag. Ze dacht alleen maar aan haar broer en zus die ze had achtergelaten, ingeruild voor het onbekende waar ze naartoe reed. O, het was allemaal zo vlug gegaan. Ze had niet eens de tijd gehad om er bij stil te staan, maar nu ze in de trein zat, besefte ze pas goed wat ze had gedaan.

Ze blikte terug naar een paar uur geleden. Langer was het niet en toch leek het alsof ze een heel leven achter zich had gelaten. Ze voelde het koude water nog van één van de grote spoelbakken waaruit haar handen de ondergedompelde lakens haalden en uitwrongen. Een zwaar en belastend karwei. Ze was dan ook blij geweest toen zuster Magdalena haar was komen halen.

Paulien was ervan overtuigd geweest dat ze voor een ander werk werd meegenomen. Ze dacht niet eens aan haar oom. Hij had immers gezegd dat hij pas vrijdag terug zou komen? Dat was morgen pas. Maar tot haar verbazing sloeg zuster Magdalena de richting in naar het vertrek van moeder-overste. Paulien wist dat het geen zin had om haar te vragen wat er aan de hand was. Zuster Magdalena nam de stilte in de orde sterk ter harte en wisselde nooit een woord waar het niet mocht, zelfs niet zacht fluisterend. Paulien was dan ook verstandig genoeg om te zwijgen. Met kloppend hart was ze de zuster naar de kamer van moeder-overste gevolgd.

'Zo, meisje. Heb je al eens nagedacht waar je roeping ligt?' had moeder-overste haar gevraagd.

Paulien had zacht geknikt. 'Ik... ik wil met mijn oom mee, moeder-overste.'

Moeder-overste had haar een ogenblik stilzwijgend aangekeken. 'Misschien is dat maar goed ook, Paulien. Ik vrees dat jij niet geschikt bent als kloosterzuster. Daarvoor ben jij niet bescheiden genoeg. Goed, als dat je keuze is, dan mag jij je nu klaarmaken om te vertrekken. Hier heb je wat geld, net voldoende om de trein te nemen naar het station van Herentals.'

Paulien was ontzet. 'Ik dacht dat ik met mijn oom mee zou gaan. Hij zou toch terugkomen om me op te halen?'

'Die plannen zijn gewijzigd, Paulien. Jouw oom is een drukbezette man en hij heeft me laten weten dat hij niet in staat is om je op te halen. Hij wil dat je alleen vertrekt en hij zal ervoor zorgen dat iemand je aan het station in Herentals zal opwachten. Ga nu maar met zuster Magdalena mee. Zij zal je een degelijke rok en bloes geven zodat je netjes bij je oom kunt verschijnen. Het ga je goed, Paulien, en ik hoop dat jij je oom niet zult teleurstellen. Denk eraan dat veel meisjes deze prachtige kans niet krijgen.'

Het getingel van de bel weerklonk al voordat moeder-overste haar zin beëindigd had, zodat Paulien weer gedwongen werd om de zwijgzame non te volgen. Stil gingen ze door een kloostergang tot ze ten slotte bij een deur bleven staan. Zuster Magdalena had een sleutel ergens onder haar habijt vandaan gehaald en ging naar binnen. Deze kleine kamer was gevuld met planken waarop allerhande kledingstukken lagen. Ze waren opgevouwen en opgestapeld volgens leeftijd. De zuster nam een okerkleurige rok en een witte bloes van een plank en gaf deze kledingstukken aan Paulien. 'Je mag je omkleden, Paulien,' onderbrak ze eindelijk de stilte. Het meisje voldeed stilzwijgend aan haar verzoek terwijl de zuster wat ondergoed in een pakketje samenbond. Ten slotte gaf ze het meisje nog een hagelnieuwe hoofddoek waarmee ze haar donkere, golvende haar kon bedekken. Vergeleken met haar dagelijkse grauwe en versleten kledij, was dit voor Paulien een openbaring. Het was lang geleden, in de tijd dat haar vader nog leefde, dat ze zich zo mooi had gevoeld. Ze streek trots een denkbeeldige plooi uit haar rok en straalde.

'Dank je, zuster Magdalena,' zei ze dan ook gemeend.

Er kwam een flauwe glimlach om de mond van de zuster. 'Graag gedaan, Paulien,' zei ze zacht. 'Ik hoop dat je gelukkig zult worden. Kom, ik zal je naar het station begeleiden.'

Pauliens hart begon als een razende te kloppen. 'Ik kan nog niet weg, zuster Magdalena,' had ze in haar wanhoop uitgeroepen. 'Ik moet nog afscheid nemen van Nell. Zij weet niet eens dat ik vandaag al wegga!'

De zuster reageerde niet op haar woorden. Ze drukte alleen het pakketje in Pauliens armen en gebaarde haar om haar te volgen. Ze was weer in haar absolute stilte vervallen.

Paulien volgde haar met een zwaar hart. Ze was ervan overtuigd geweest dat ze Nell niet meer te zien zou krijgen. Zonder erbij na te denken was ze wat vlugger gaan lopen zodat ze zuster Magdalena inhaalde. 'Zuster!' fluisterde ze gejaagd. 'Zuster, mag ik dan een briefje schrijven voor mijn zus? Alsjeblieft?'

Zuster Magdalena drukte haar vinger op haar lippen en had haar met een boze blik aangekeken. Paulien wist dat het geen zin had om aan te dringen. Bedrukt en al net zo zwijgend was ze de non gevolgd, haar hersenen pijnigend om een oplossing te bedenken. Maar tot haar verbazing was zuster Magdalena de gang naar de klaslokalen in geslagen. Ze ging een deur binnen en kwam even later met Nell weer naar buiten. Ze nam de twee meisjes met zich mee tot op het einde van de gang. Daar zei ze streng: 'Ik geef jullie welgeteld twee minuten!' Daarna draaide ze zich om en ging een eindje verderopstaan.

Nell had haar met grote ogen nagekeken voordat ze Paulien aankeek. Ze begreep niet wat er aan de hand was. 'Wat is er, Paulien? Waarom kwam zuster Magdalena me uit de klas halen?'

'Omdat ze me de kans wil geven om afscheid van je te nemen, Nell. Dat had ik nooit van haar verwacht, maar ik ben blij dat ik me vergist heb. Ik moet zodadelijk de trein nemen om naar onze oom te vertrekken.'

'Maar ik dacht...'

'Dat dacht ik ook, zusje. Maar blijkbaar moet ik iets eerder naar hem toe.'

Nells ogen schoten vol met tranen. Ondanks het feit dat ze wou dat haar zus naar haar oom ging, was ze bang om zonder haar achter te blijven. Ze sloeg haar armen om haar heen. 'O, Paulien, ik zal je zo missen.'

'Ik zal je ook missen, Nell. Ik zal elke dag, elke minuut en elke seconde aan jou en Mattijs denken. Ik beloof je dat ik alles zal doen om je hieruit te krijgen. Maar dat vraagt tijd. Ondertussen moet jij proberen om er hier iets van te maken. En beloof me dat je Mattijs zo veel mogelijk gaat bezoeken. Vertel hem wat ik je hier gezegd heb. Zeg hem ook dat ik alles zal doen om jullie regelmatig weer te zien. En dat hij flink moet zijn en dat alles op een dag wel goed komt.'

Paulien kon haar tranen ook niet langer bedwingen. Ze liepen zacht en stil over haar wangen. Dat ze haar jongere zus en broer moest achterlaten, was moeilijker dan ze had gedacht. Ze drukte Nell stevig tegen zich aan. 'Wees dapper, zusje. Ik zal je zo vlug mogelijk een brief sturen. Dan weet je hoe het met me gaat en hoe het is bij onze oom en tante en hun dochter Claudia. Ik zal ook het adres noteren zodat jij en Mattijs me vlug kunnen terugschrijven.'

'O, Paulien, ik hoop zo dat je het bij oom en tante beter zult hebben dan hier. Ik gun het je van harte. Maar ik zal je zo erg missen.' Nell was er al net zo ondersteboven van als Paulien. Snikkend zochten ze troost bij elkaar.

'Het is tijd, Paulien.' Zuster Magdalena was naar hen toe gekomen zodat de meisjes gedwongen werden om elkaar los te laten. Met tegenzin was Paulien de zuster gevolgd. Aan het einde van de gang had ze zich nog eens omgedraaid en ze zag dat Nell nog altijd op dezelfde plaats stond. Haar smalle schouders schokten.

'Dag Nell, geef Mattijs een dikke zoen van me,' riep ze nog vlug met een dichtgesnoerde keel. Ze dacht niet eens meer aan de zwijgplicht, het kon haar op dat ogenblik niets meer schelen.

Nell was niet in staat om te antwoorden. Ze slaagde er enkel in om te knikken. Daarna was Paulien de hoek om gegaan, achter zuster Magdalena aan terwijl haar tranen alles wazig maakten...

Paulien veegde een traan weg terwijl ze – overspoeld door verdriet bij die herinnering – door het treinraampje naar buiten staarde. Haar vertrek woog zwaar. Ze had niet eens afscheid kunnen nemen van de andere meisjes die in de loop van de tijd haar vriendinnen geworden waren. En van zuster Veronika. Maar ze had gekozen. Ze was de weg naar het onbekende ingeslagen. Ze had dat wat haar het meest dierbaar was achtergelaten om een onzekere toekomst tegemoet te gaan. Het was nu aan haar om er iets van te maken. Het was nu aan haar om ervoor te zorgen dat zij weer zo vlug mogelijk herenigd zou worden met haar zus en broer. Dat was haar levensdoel en ze zou er alles aan doen om dat doel te bereiken. Ze veegde de tranen resoluut weg met de rug van haar hand en haalde diep adem. Met tranen bereikte ze niets. Ze moest sterk zijn en het hoofd bieden aan alle nieuwe dingen die ze op haar weg zou tegenkomen.

Enigszins gesterkt door die gedachte begon ze meer interesse te tonen voor het landschap. Het was volop lente. De zon scheen en baadde de beemden in frisgroene tinten, af en toe bespikkeld met witte of gele bloemen. In de verte zag ze een boer die met zijn paard een veld omploegde. De trein denderde langs kleine, zonovergoten dorpjes, waar de oorlog nooit gewoed leek te hebben. Op de kasseiwegen ratelden karren. Hier en daar zag ze een auto. Het was een mooie, zonnige dag en Paulien begon voorzichtig, maar vol verwachting uit te kijken naar het dorp en naar haar nieuwe familie.

Toen de trein eindelijk het station van Herentals bereikte en met een hels krijsend lawaai stopte, stapte Paulien uit. Op het perron keek ze zoekend om zich heen. Moeder-overste had gezegd dat haar oom iemand naar het station zou sturen om haar op te halen, maar ze zag niemand die daarvoor in aanmerking kon komen. Ze bleef nog even staan wachten, maar toen de trein weer vertrok ging ze op een bank zitten die tegen de muur van het stationsgebouw was geplaatst. Ze zag reizigers die geduldig op het perron stonden te wachten. Even verderop een groene gordel van bomen. Vlak bij haar hoorde ze enkele mussen kwetteren in wat hoog opgeschoten struikgewas en een lijster zong zijn hoogste lied in het topje van een berk. Innerlijk moest ze toegeven dat al deze geluiden en nieuwe impulsen haar intrigeerden en zelfs imponeerden. Als ze nu maar wist wat haar te wachten stond bij haar oom en tante, dan kon ze dit leven eigenlijk wel aangenaam vinden.

'Juffrouw Paulien Pauwels?' hoorde ze plots een stem vragen.

Ze keek een beetje geschrokken op en zag een jonge man vlak bij haar staan, zijn gezicht gebruind en zijn blauwe ogen vragend op haar gericht.

'Ja, dat ben ik,' zei ze opgelucht. 'Ik dacht al dat jullie me vergeten waren.'

De jongeman lachte. 'Nee hoor. Ik had hier alleen nog een karweitje te doen en dat liep wat uit. Maar gelukkig heb je niet al te lang hoeven wachten. Heb je nog andere bagage?' Hij keek even naar het kleine bundeltje dat ze vasthad.

Paulien schudde het hoofd. 'Nee, dit is alles.'

Hij trok even zijn wenkbrauwen op. Het verbaasde hem dat ze zo weinig bagage bij zich had en dat ze eruitzag als een gewoon meisje. Aan haar kleding te zien leek ze zelfs meer familie van hem te zijn dan van de notaris. Hij had eigenlijk iemand verwacht zoals Claudia. Een dame met klasse, met haar neus in de lucht en in de duurste stoffen gehuld. Daarom had het ook zo lang geduurd voordat hij het meisje op de bank had aangesproken. Nu begreep hij waarom mevrouw de notaris hem had opgedragen om haar met zich mee te brengen. Iemand zoals Claudia zou het immers vertikt hebben om op de bok van een ordinaire kar plaats te nemen.

'Mijn naam is Elias. Elias Claes,' probeerde hij de stilte te doorbreken. 'Ik heb de opdracht gekregen om je veilig thuis te brengen. Als je het niet erg vindt om met kar en paard mee te rijden, dan mag je met mij op de bok gaan zitten. Ik moest naar Herentals om iets op te halen, zie je. En dus vond mevrouw de notaris het beter dat ik je meebracht. Ik hoop dat jij dat niet erg vindt.'

Paulien glimlachte. 'Helemaal niet,' zei ze gemeend terwijl ze hem volgde. 'Ik heb nog nooit op een kar gezeten. Maar ik weet zeker dat ik het fijn zal vinden.'

'Nog nooit?' Elias keek haar verbaasd aan terwijl hij haar bundeltje in de kar legde en de hals van een kastanjebruin paard streelde dat aan een bareel stond vastgebonden.

Paulien schudde haar hoofd. 'In de stad zie je niet zo veel paarden en we hebben zelf nooit een paard gehad.'

'Ja, dat is waar ook. Jij hebt altijd in Antwerpen gewoond, niet? Paulien knikte. Elias maakte de lege haverzak los die om de hals van het paard hing en nam het dier mee naar een drinkbak even verderop.

'Nog even zijn dorst lessen en dan kunnen we weg.'

Het duurde niet lang voordat hij Paulien hielp instappen, naast haar plaatsnam en het paard aanmaande om te vertrekken. Paulien keek vanuit haar ooghoeken even naar de jongeman. Hij zag er knap uit met zijn kortgeknipte, kastanjekleurig haar en lachende blauwe ogen. Als ze allemaal zo vriendelijk waren, dan zou haar verblijf hier best wel meevallen.

'Ben jij ook familie van mijn oom?' vroeg ze nieuwsgierig.

Hij keek haar even verbaasd aan. 'O, hemeltje, nee!' bracht hij er lachend uit. 'Ik werk voor mijnheer de notaris. Ik doe allerhande klusjes voor hem en ik zorg voor de tuin.'

Maar hij stopte al vlug met lachen en keek haar verontschuldigend aan toen hij zag dat ze enigszins beschaamd haar hoofd gebogen had. 'Het spijt me,' zei hij zacht. 'Blijkbaar ben je niet erg op de hoogte van de familie van notaris Van Hees?'

Paulien boog haar hoofd nog een beetje dieper. 'Nee. Ik heb mijn oom nog maar één keer gezien. Het... het boterde niet tussen mijn moeder en haar familie.'

Hij aarzelde even. Misschien was het niet zo goed om veel met haar te praten. Zijn positie maakte dat hij zich afstandelijk diende te houden van zijn werkgever en dat hij zich zeker niet mocht moeien met dingen die de familie aangingen. Maar dit meisje zag er zo kwetsbaar en onschuldig uit, zo verloren ook in een wereld die haar nieuw was.

'Een dorp is als een bijenkorf, juffrouw Paulien,' begon hij ten slotte toch voorzichtig. 'Elk nieuws gaat gonzend rond. Iedereen weet wat er destijds met je moeder is gebeurd. Net zoals iedereen nu trouwens op de hoogte is dat mijnheer de notaris jou bij hen wil laten wonen om je een betere toekomst te geven. Dat is erg nobel van hem. Sinds zijn ouders haast vlak na elkaar gestorven zijn, probeerde hij weer contact te zoeken met je moeder. Helaas kwam hij te weten dat ze gestorven is. Daarom wil hij het goedmaken door jou in huis te nemen, veronderstel ik. Maar jouw komst zal het dorp weer doen gonzen, neem dat maar van me aan. Iedereen zal willen weten hoe je eruitziet en hoe je bent.'

Paulien keek hem onthutst aan. Daar was ze niet op voorbereid. Ze was nog maar amper voorbereid op haar familie.

'Mijn oom vertelde me dat hij een dochter heeft. Hoe is zij?' vroeg ze nieuwsgierig.

Elias keek even naar de op en neer gaande achterkant van het paard. Hij moest voorzichtig zijn met wat hij vertelde.

'Nou, Claudia is een mooie, jonge vrouw,' begon hij ten slotte. 'Ze is verleden week achttien geworden wat gevierd werd met een groot feest.' Hier zweeg hij. Dit meisje zou wel vlug genoeg achter de rest komen, ging het door hem heen. Dat hoefde hij haar niet te vertellen.

Het viel Paulien op dat hij toch wel erg kort was met zijn beschrijving. Maar toen realiseerde ze zich dat hij voor haar oom werkte en dat hij Claudia misschien maar weinig zag. In ieder geval was ze opgelucht om te horen dat ze net achttien was geworden. Dan scheelden ze maar een dik jaar. Zijzelf zou binnen drie maanden immers zeventien worden.

'En mijn tante?' vroeg ze terwijl ze hem aankeek. 'Ik heb mijn tante nog nooit gezien.'

'Jouw tante is, hoe zal ik het zeggen, nogal zwak en ziekelijk.

Niet dat ze altijd in haar bed ligt, maar toch kan ze de dagelijkse dingen moeilijk aan, als je begrijpt wat ik bedoel. Voor de rest is ze een zachte, rustige, onopvallende vrouw.'
Paulien knikte traag. De wetenschap dat haar tante ziekelijk was, gaf haar zorgen. O, ze had met haar te doen, zeker wel, en ze zou alles doen om haar tante te helpen. Maar de hoop dat ze Mattijs en Nell zo vlug mogelijk kon laten overkomen, werd hierdoor wel een beetje afgezwakt. Ze gaf de moed echter niet op. Misschien viel de ziekte van haar tante wel mee en was het allemaal zo erg niet. Bovendien bezorgden Nell en Mattijs helemaal geen last.
'Dank je,' zei ze zacht. Daarna werd het even stil, buiten het monotone geklop van de paardenhoeven. Ondanks haar onrustige gedachten, keek Paulien haar ogen uit. Alle velden waren bedekt met een groen waas waar het gezaaide goed al begon op te schieten. Dennen en beukenbossen wisselden elkaar af. Hier en daar zag ze koeien staan. En witte geiten, vastgebonden aan een paal in de berm. Het leek wel alsof ze in een heel andere wereld terecht was gekomen. De huizen van de stad hadden plaatsgemaakt voor groene bossen en velden met af en toe een boerderij waarvan het dak fel oranje afstak in het licht van de zon. Soms reden ze door een klein dorp, waar enkele huizen en een kerk langs beide kanten van een kasseiweg stonden, maar daarna werden ze weer opgeslokt door het groen. Hier en daar zag ze kapotgeschoten bomen en kraters in de grond, achtergelaten oorlogswonden, een oorlog waar een jaar geleden gelukkig een eind aan gekomen was.
Elias staarde vanuit zijn ooghoeken naar het meisje naast hem. Haar stralende blik en haar glimlach vertelden hem dat ze genoot van het landschap rondom haar. Maar de strakke lijnen in haar gezicht verraadden de spanningen die eronder zaten. Hij begreep maar al te goed hoe zij zich voelde. Ze had al het vertrouwde moeten achterlaten, de stad waar ze geboren was, haar ouders, de mensen die ze in haar jonge leven had leren kennen. Om naar een plaats te gaan die haar volkomen vreemd was, waar ze niet eens de mensen kende die haar zouden omringen. Elias stelde zich voor dat ze hem naar de stad zouden brengen, weg van de mensen die hij liefhad, weg van de bossen en de geur van het land... Hij huiverde en een gevoel van afgrijzen beving

hem. O, hij begreep maar al te goed hoe ze zich moest voelen. Hij voelde zich verplicht om haar een beetje op haar gemak te stellen en schraapte zijn keel voordat hij de stilte doorbrak.

'Ik ben er zeker van dat je het hier naar je zin zult hebben, juffrouw Paulien. Je oom en je tante vallen best mee en de mensen van ons dorp zijn over het algemeen vriendelijk en behulpzaam.'

Paulien keek hem even vragend aan. 'Ken jij hen dan allemaal?' Hij glimlachte en keek haar met pretlichtjes in de ogen aan. 'Nou, als postbode kom ik haast bij iedereen weleens aan de deur. Ook in de omringende dorpen.'

'Bezorg jij de post bij de mensen? Maar daarnet vertelde je me nog dat je bij mijn oom werkte?'

'Dat is ook zo, juffrouw Paulien. Maar meestal begin ik heel vroeg en ben ik iets na de middag al klaar. Daarna werk ik voor mijnheer de notaris. Eigenlijk combineer ik twee banen, zie je.'

'Nou, dat is hard werken,' zei Paulien.

Hij haalde lichtjes zijn schouders op. 'Mijn ouders hebben het geld hard nodig. Sinds vader een paar jaar geleden door rondvliegende bomscherven in zijn benen geraakt is, kan hij niet meer werken. Mijn drie jongere broers zoeken elke dag naar een baan, maar buiten enkele klusjes is er weinig werk te vinden. Peter, mijn op een na jongste broer, is op dit ogenblik aan de slag bij herenboer Karolus, maar als de oogst er eenmaal op zit, dan is er geen werk meer voor hem. Ik ben blij dat ik postbode ben. Dat geeft me tenminste zekerheid en bovendien zit ik niet altijd opgesloten in een fabriek. Nu heb ik elke dag licht en lucht en ik word bij iedereen met open armen ontvangen omdat ik een brief voor hen bij me heb of omdat ze gewoon een praatje met me willen maken. Vooral oudere mensen die wat afgelegen wonen, zitten daar echt op te wachten.'

Paulien keek hem glimlachend aan. 'Ik ben blij voor jou, Elias, maar ook voor mij. Ik ben van plan om veel brieven te schrijven. Nu weet ik meteen aan wie ik ze kan meegeven.'

Hij knikte. 'Dat mag je zeker doen, juffrouw Paulien.'

'Noem me gewoon Paulien, alsjeblieft.'

Hij keek haar even twijfelend aan. 'Goed. Gewoon Paulien dan,' zei hij ten slotte. 'Dan ben ik gewoon Elias. Maar aan wie zou jij een brief willen schrijven?'

'Aan mijn broer en zus. Zij zitten nog in het weeshuis en ik wil hen daar zo vlug mogelijk uithalen. Maar tot zolang houden we contact met elkaar door middel van brieven.'
Dat antwoord verraste hem. Hij dacht dat ze alleen was. Iedereen wist wel dat Pauliens moeder ooit het huis uit was gezet en naar Antwerpen was vertrokken, maar daarna leek het wel alsof ze van de aardbodem was verdwenen. Niemand wist dat ze kinderen had tot notaris Van Hees liet weten dat hij zijn nichtje wilde helpen door haar in huis te nemen en haar zodoende een mooie toekomst te geven. Elias vroeg zich nu af waarom notaris Van Hees die andere kinderen dan ook niet naar hier had gehaald. Maar hij had het allang afgeleerd om vragen te stellen. En ook nu hield hij deze vraag voor zich, al raakte het hem wel. De gedachte dat ze haar broer en zus moest achterlaten schroefde zijn keel dicht. Dat maakte hem weer voor even stil.
Naarmate ze dichter het dorp Tongerlo naderden, stak Elias voortdurend zijn hand op terwijl hij een groet riep naar de mensen die hij op hun weg tegenkwam. De mensen wuifden vrolijk terug, een beetje verbaasd bij het zien van het vreemde meisje dat naast hem zat. Door de vrolijke kwinkslagen die heen en weer geworpen werden, begreep Paulien al vlug dat Elias iemand was die graag gezien werd. Maar hij stopte bij niemand. Hij wou niet dat Paulien nu al aan een kritisch onderzoek en irriterende vragen onderworpen zou worden. Daar was nog tijd genoeg voor.
Even later liet hij het paard voor een prachtig herenhuis halt houden. Paulien herkende het gebouw onmiddellijk. Het gaf haar een steek van pijn bij die herinnering. Ze keek even naar de kerk in de verte, waar zij destijds moesten wachten tot hun ontredderde moeder terug was gekomen. Lang kon ze hier echter niet over piekeren. Elias stond al aan haar kant te wachten en reikte haar zijn hand toe om haar te helpen afstappen.
Paulien maakte daar dankbaar gebruik van. 'Dank je,' zei ze blozend toen ze veilig en wel op de begane grond stond. Elias trok aan het bellenkoord en wachtte geduldig tot de deur werd opengedaan en een oudere, mollige vrouw hen met een vriendelijke blik aankeek.
'Dit is Gertrude,' verduidelijkte Elias. 'Zij zal je naar je tante

brengen. Welkom in ons dorp. Ik hoop dat je verblijf je zal bevallen.' Daarna draaide hij zich om.

Paulien kreeg niet eens de tijd om hem nog eens te bedanken, want Gertrude had haar arm gegrepen en haar haast naar binnengetrokken. 'Hemeltjelief,' glimlachte ze verrukt. 'Jij bent dus Hetty's dochter. Ja, ik zie het. Je lijkt op haar. O, wat ben ik blij om je te zien. Ik heb je moeder erg goed gekend, zie je. Ze was nog jong toen ik hier begon te werken. Maar laten we het daar nu niet over hebben. Mevrouw zit al op je komst te wachten en we mogen haar niet te lang in spanning laten zitten, nietwaar?'

Paulien vond Gertrude dadelijk aardig. Vooral toen ze hoorde dat zij haar moeder goed gekend had. Maar op dit ogenblik was ze veel te zenuwachtig om haar daarover vragen te stellen. Bovendien gaf Gertrude haar ook de gelegenheid niet. Ze trok Paulien met zich mee naar een deur en klopte aan. 'Wacht hier even, meisje. Ik ga eerst kijken of mevrouw wel sterk genoeg is om bezoek te ontvangen.'

De oudere vrouw ging de deur binnen en kwam even later weer terug. 'Ga maar naar binnen, juffrouw Paulien. Mevrouw verwacht je.'

Met kloppend hart ging Paulien de kamer in. In een oogopslag overzag ze de ruimte. De hoge ramen met de zware brokaten gordijnen, de lambrisering, de schilderijen, de prachtige meubels, de schoorsteenmantel met de grote spiegel erboven, alles ademde een rijkdom en schoonheid uit die Paulien helemaal niet gewoon was. In het midden van de kamer stonden een paar fauteuils en een chaise-longue. Op die laatste lag een fragiele vrouw.

Roberta was mager en bleek, met haar blonde haar achter op haar hoofd opgestoken en haar blauwe ogen rood omrand. Ze glimlachte flauw toen ze Paulien zag binnenkomen en stak moeizaam een arm uit. 'Kom toch verder, kind,' zei ze zacht. 'Kom hier even bij me zitten zodat ik je kan bekijken.'

Paulien voldeed aan dat verzoek en ging in een fauteuil tegenover haar tante zitten. 'Nou, je ziet er als een net meisje uit,' begon ze na een taxerende blik. 'Mijn echtgenoot was zo goed om je in huis te nemen en ik hoop dan ook dat je zijn goedheid niet zult beschamen.'

Paulien schudde vlug het hoofd. 'Nee, natuurlijk niet, mevrouw.'
'Noem me tante, Paulien. Ik zou niet willen dat de mensen denken dat wij je niet als een familielid beschouwen.'
'Dank u... tante.'
Roberta knikte goedkeurend. 'Zoals je ziet heb ik vandaag weer geen goede dag. Mijn hoofd staat op barsten en ik voel me verschrikkelijk moe.'
'O, dat moet vreselijk zijn. Is er iets wat ik voor u kan doen?'
Haar tante schudde het hoofd. 'Ik wil maar zeggen dat ik niet lang met je kan kennismaken. Maar misschien gaat het morgen beter.'
Plots werd de deur opengeworpen en een prachtige jonge vrouw kwam met veel vertoon de kamer in.
'Mama!' klaagde ze. 'Waarom heb je me niet eerder laten roepen!'
Roberta sloot even haar ogen. De schelle stem van haar dochter maakte haar hoofdpijn niet beter. 'Paulien is er nog maar net, Claudia,' wees ze haar dochter terecht.
Claudia hoorde de woorden van haar moeder niet eens. Ze keek taxerend naar het meisje voor haar en schoot toen in een proestende lach. 'Nou, ik dacht eerst dat je een bediende was! Maar dat zal vlug veranderen, daar zal ik wel voor zorgen. Nu je familie van me bent hoor jij je ook zo te gedragen.'
Roberta opende haar mond om haar dochter te zeggen dat ze Paulien nog even voor zichzelf wou hebben, maar ze sloot hem weer zonder een woord te uiten. Ze was te moe om een conversatie aan te gaan. Bovendien kon ze niet op tegen haar dochters argumenten, dat wist ze op voorhand. En ze wou niet dat Paulien daar al mee geconfronteerd zou worden op haar eerste dag.
Ze zuchtte diep bij het besef dat Korneel erop gestaan had om dat meisje naar hen toe te laten komen. Haar tegenwerpingen dat ze niet sterk genoeg was, had hij gewoon weggevaagd. 'Nonsens,' had hij gezegd. 'Het zal je alleen maar goeddoen, Berta.' Hij kortte haar naam steevast af, ook al wist hij dat ze daar een hekel aan had. 'Je zegt zelf dat Claudia je zo veel last en hoofdpijn bezorgt met haar zeuren en klagen. Wel, dit meisje zal haar wat afleiding geven. Het zal haar goeddoen om een vriendin te hebben en bovendien zullen de mensen op die manier beseffen dat mijn hart op de juiste plaats zit. Dat is goed voor mijn imago en het feit dat de verkiezingen voor de gemeenteraad er aankomen.'

Nou, daar was het mee gezegd. Roberta wist maar al te goed dat de wil van haar echtgenoot gerespecteerd moest worden. Het feit dat zij zich miserabel voelde en dat de komst van dit meisje haar gezondheid nog verder zou schaden, liet hem volkomen koud. Ze sloot haar ogen toen een felle pijnscheut door haar hoofd sneed. Paulien keek met een bezorgde blik naar haar tantes bleke gezicht, maar Claudia gaf haar geen gelegenheid om deze bezorgdheid te uiten. Ze trok Paulien zonder pardon met zich mee. 'Kom mee, Paulien,' zei ze bevelend.

Omdat haar tante daar niets tegen inbracht, ging Paulien met haar nichtje naar boven. Claudia's kamer lag op de eerste verdieping. Toen ze de deur opende, keek Paulien haar ogen uit. Ze had nog nooit zo'n mooie kamer gezien. Ze zag een groot hemelbed tegen de linkermuur met een prachtige handgemaakte beddensprei. Een grote kast stond tegen een andere muur. Een levensgrote staande spiegel stond in de hoek en voor het raam hingen dezelfde brokaten gordijnen als aan de gedraaide spijlen van het hemelbed. Tegenover het bed stond een commode met een spiegel daarboven, en daarvoor een met brokaat overtrokken stoel. Op de commode stonden allerhande potjes, flesjes, borstels, juwelen en accessoires. Ze kon zich moeilijk voorstellen dat deze kamer van haar nichtje alleen was. Toen Paulien nog bij haar ouders woonde had ze haar kamer met Nell en Mattijs gedeeld en in het weeshuis diende de slaapzaal voor iedereen. Bovendien had ze zich nooit kunnen voorstellen dat een slaapkamer er zo kon uitzien. Ze was het veel soberder gewoon.

'Is dit de slaapkamer van je ouders?' vroeg ze dan ook.

Claudia proestte het weer uit. 'Nee, gekkerd, dit is mijn kamer. Mijn ouders slapen verderop. Waarom? Ziet mijn kamer er zo saai uit?'

Paulien schudde vlug haar hoofd. 'Nee, het is een prachtige kamer. Ik... ik wist niet dat jullie zo rijk waren.'

'Dat hadden jullie ook kunnen zijn. Volgens wat ik te horen heb gekregen, heeft je moeder de kans gehad om met een rijke aristocraat te trouwen. En met rijk bedoel ik echt rijk.'

Paulien keek haar verbaasd aan. 'Dat wist ik niet. Daar heeft mijn moeder me nooit iets van gezegd.'

'En toch was het zo. Mijn grootouders vonden het verschrikkelijk toen je moeder hem afwees. Om eerlijk te zijn begrijp ik ook niet waarom je moeder hem afwees en voor een arme kleermaker koos. Dankzij je vader werd je moeder onterfd en moesten jullie naar de stad verhuizen om jullie leven in armoede te slijten.'

'We waren niet arm, Claudia,' weersprak Paulien haar. 'Vader was een heel goede kleermaker. Veel mensen kwamen bij hem kleding bestellen. We hadden alles wat we nodig hadden. Bovendien hielden vader en moeder erg veel van elkaar. Dat is toch ook belangrijk?'

Claudia haalde haar neus op. 'Phoe! Geld is veel belangrijker, Paulien. Papa zegt altijd dat je niets hebt aan liefde als je maag voortdurend knort. En het is ook niet zo dat een welgestelde jongeman niet aardig kan zijn. Ik zeg niet nee als David de Tranoy om mijn hand zou vragen. Hij heeft niet alleen geld, maar hij is nog knap ook. Dat is anders bij Alberik en Edward, de twee vervelende zonen van hoofdonderwijzer Ipendael. Volgens papa zijn ze ook een goede partij voor me, maar echt knap kan ik ze niet noemen en ze zijn zo saai. Maar als het erop aankomt, dan trouw ik met één van hen. Ik weet dat ze dat allebei maar al te graag zouden willen. Ze maken er zelfs ruzie om. Ik zou bovendien wel gek zijn om het niet te doen. Geld maakt je leven tenminste de moeite waard. Dan kun je alles kopen wat je hartje begeert.

Maar als ik kan kiezen, dan ga ik voor David. Hij is de toekomstige baron, zie je. Geld zat en hij ziet eruit als een adonis. Spijtig genoeg weet hij nog niet dat ik besta. Hij zit meer in Brussel dan hier en als hij hier is, dan komt hij haast nooit buiten het kasteel. Dat is het nadeel van in een saai dorp te wonen. Hier gebeurt nooit iets.'

Claudia plofte neer op de stoel voor de spiegel en begon haar haren te borstelen. Paulien moest toegeven dat haar nichtje er echt prachtig uitzag. Haar blonde, golvende, loshangende haar glansde in het binnenvallende licht. Claudia had een vrij symmetrisch gezicht met een volle rode mond en grote blauwe ogen. Ze droeg een blauwe rok in haast dezelfde kleur als haar ogen en een witte bloes. Ze nam een blauw lint van de kaptafel en begon hiermee haar haren op te steken. Ze stopte echter met haar handelingen en keek in de spiegel naar Paulien die haar met grote ogen stond te bekijken. 'Waar kijk je naar, Paulien?' vroeg ze. 'Waarom sta je zo naar me te staren?'

Paulien keerde beschaamd haar blik af. 'Jij bent zo mooi, Claudia,' antwoordde ze naar waarheid. 'Ik heb nog nooit iemand gezien die zo mooi is als jij.'

Claudia kirde verrukt. Ze stond met een sierlijke zwaai op en gaf Paulien een zoen op haar wang. 'Ik weet dat ik mooi ben, maar het is altijd heerlijk om het te horen. O, ik weet zeker dat we het uitstekend met elkaar kunnen vinden. Wij zullen de beste vriendinnen worden. Maar eerst, arme Paulien, ga ik je van deze lompen verlossen.' Ze keek even misprijzend naar Pauliens rok en bloes en ging naar haar kast die ze met een zwaai opende.

Paulien keek even verbouwereerd naar haar rok. Wat was er mis mee? Maar toen ze vragend opkeek en de inhoud van de kast voor ogen kreeg, staarde ze vol ongeloof voor zich uit. De kast puilde uit van de kledingstukken. Claudia was bezig om ze er een voor een uit te halen. 'Deze misschien? Of nee, deze!' Ze gooide al de jurken en rokken achteloos op het bed. 'Pas deze eens. Dan kan ik zien of de kleur je staat en of het je past. Ik heb de kleinste maten gepakt, want zo te zien ben je niet veel meer dan vel over been. Ik zie in ieder geval niet veel rondingen als je begrijpt wat ik bedoel. Spijtig genoeg heb ik alleen maar oude jurken. Sommige zijn zelfs nog van oma geweest. Enkele heb ik laten vermaken zodat ze mij passen, maar echt naar mijn zin zijn ze niet. Zelfs nu die vervelende oorlog voorbij is, kan papa niet aan een behoorlijke lap stof komen om een nieuwe jurk te laten maken. Er is nergens nog stof te vinden, zegt hij, alles is opgeslokt in de oorlogsjaren. Om gek van te worden. Ik heb hem al de oren van zijn hoofd gezeurd.'

Paulien hoorde maar half wat Claudia zei. Ze begreep niet dat iemand zo veel kleding kon hebben. Ze wist hoeveel deze stoffen zouden hebben gekost, zelfs voor de oorlog. Haar moeders ouders moesten beslist heel erg rijk geweest zijn, ging het door haar heen. Ze nam voorzichtig een ragfijne zijden jurk tussen haar vingers. O, wat was het lang geleden dat ze deze stof gevoeld had. Het leek wel een eeuwigheid geleden dat ze voor de laatste keer in haar vaders atelier was geweest. Ze rook de geur ervan nog. Ze zag de vele planken met de rollen stof. De naaimachine. De tafel met de garens en de gesneden lappen stof. De gezelligheid wanneer zij als kind met de restjes zelf iets mocht maken. Haar vaders handen die het haar voordeden, zijn zachte, geduldige stem, de warmte die hij uitstraalde, de geborgenheid... Ze voelde een steek door zich heen gaan bij die herinnering. Voorzichtig legde ze de jurk weer op het bed. 'Ik zou me graag eerst wat opfrissen en een beetje uitrusten,' zei ze zacht. 'Ik voel me verschrikkelijk moe.' Het overhaaste afscheid en de reis hadden haar inderdaad uitgeput en de gedachte aan haar vader maakte dat ze die vermoeidheid nu pas goed voelde.

'O,' Claudia keek haar sip aan. Dat was een tegenvaller. Ze had graag met Paulien door het dorp geflaneerd om haar verveling te verdrijven. Maar ze begreep ook wel dat haar nichtje inderdaad moe kon zijn. 'Nou, goed dan,' zei ze enigszins met tegenzin. 'Ik zal je naar de keuken brengen. Gertrude zal je wel wat te eten geven en je kamer wijzen.'

Ze gingen naar beneden waar ze ten slotte in een grote, heldere keuken uit kwamen. Gertrude stond bij het fornuis en roerde al neuriënd in een kookpot. Het rook er heerlijk naar soep en gebakken ui.

Zodra ze de jonge vrouwen zag binnenkomen, verscheen er een glimlach op haar blozende gezicht. Paulien knikte vriendelijk terug, maar Claudia leek het niet eens op te merken.

'Paulien heeft honger en wil daarna wat rusten, Gertrude,' zei ze kort. Daarna draaide ze zich om en verdween. Paulien keek haar beduusd na. Ze had verwacht dat Claudia bij haar zou blijven. Maar Gertrude wist wel beter. Personeel werd beneden Claudia's stand gerekend. En vermits zij hier kookte en de boel wat netjes hield, was ze nu eenmaal personeel. Er zat heel wat pretentie in dat mooie kind. Maar dat laatste kon ze niet tegen Paulien vertellen. Ze kende het meisje niet. Stel je voor dat het verderging. Dan zou dat weleens haar baan kunnen kosten en ze had het geld hard nodig.

Paulien bleef wat onwennig bij de deur staan. Ze wist niet goed wat te doen nu Claudia haar alleen aan haar lot had overgelaten. Maar Gertrude stelde haar dadelijk gerust.

'Kom toch verder, Paulien. Ga hier maar zitten.' Gertrude schoof een stoel onder een houten tafel vandaan en maakte een gebaar dat Paulien daar kon gaan zitten. 'Ik zal een heerlijke kom soep voor je opscheppen. Daar kikker je van op. Daarna zal ik je naar je kamer brengen zodat je kunt rusten. Je zult beslist wel doodmoe zijn.'

Paulien knikte. 'Dat ben ik ook, Gertrude,' zei ze terwijl ze zich dankbaar op de stoel liet zakken. 'De reis was vermoeiend en ik was bang omdat ik niet wist waar ik terecht zou komen. Maar ik heb hier alleen nog maar aardige mensen ontmoet, dus ik weet zeker dat het allemaal erg zal meevallen.'

Gertrude dacht aan Claudia met haar nukken en grillen en hoopte dat dit meisje daar inderdaad niet al te veel last van zou ondervinden.

'Alsjeblieft,' zei ze glimlachend toen ze een dampende kom soep voor Pauliens neus zette.

'Dank je. Wat ruikt dat heerlijk. Ik besef nu pas dat ik een geweldige honger heb.' Gertrude ging op een stoel naast haar zitten en keek het meisje aarzelend aan. Toch wachtte ze nog even tot ze haar kom half leeg had. 'Ik heb je moeder erg goed gekend, Paulien,' begon ze ten slotte. 'Ik herinner me nog heel goed dat ze je vader leerde kennen. Ik had haar nog nooit zo gelukkig gezien. Ze waren dolverliefd op elkaar.'

Paulien keek haar even dankbaar aan en glimlachte. 'Ze zijn altijd dolverliefd gebleven. Het was zo heerlijk toen ze allebei nog leefden. Wij konden ons geen betere kindertijd wensen. Ik weet zeker dat moeder uit liefdesverdriet gestorven is toen hij haar alleen achterliet.'

'Wij? Heb je dan nog broers en zussen? Sinds Hetty hier verdwenen is, heb ik niets meer van haar gehoord. Sinds ze in onmin was geraakt, werd er in alle talen over haar gezwegen.'

Paulien knikte. 'Nog een zus van dertien jaar en een broertje van negen. Ik hoop dat mijn oom hen ook naar hier wil laten komen. Het was moeders grootste wens dat wij samen konden blijven. Helaas werden we gescheiden toen we naar het weeshuis moesten. Jongens moeten nu eenmaal strikt gescheiden blijven van de meisjes, ook al zijn ze nog zo klein en hebben ze je nog erg hard nodig.'

Gertrude keek haar even aandachtig aan. Gezien het karakter van de notaris en de zwakke gezondheid van Roberta, vreesde ze dat deze wens niet zou uitkomen. Maar ze hield deze gedachte voor zich. Wat voor zin had het om dit meisje te ontgoochelen voordat ze goed en wel ingeburgerd was? Ze zou er trouwens zelf wel vlug genoeg achter komen en dat was al erg genoeg.

'Dat moet verschrikkelijk voor je zijn,' zei ze meelevend. 'Ik kan me voorstellen hoe ellendig ik me zou voelen als ik mijn zusters en broers niet meer te zien zou krijgen.'

'Dat is het ook. Ik mis hen verschrikkelijk en ik wil alles proberen om ons weer samen te krijgen.'

'Nou, dan hoop ik voor jou dat het zal lukken, meisje. Nog een beetje soep?' Ze zag dat Paulien ondertussen haar soep had opgelepeld.

'Nee, dank je. Het was echt heel heerlijk, maar als je het niet erg vindt, dan wil ik nu even gaan rusten.'

'Maar natuurlijk. Wat onbeleefd van me om je aan de praat te houden. Heeft Claudia je je kamer al gewezen?'

Paulien schudde het hoofd.

'Dat dacht ik al,' zei Gertrude licht geërgerd. 'Kom, ik zal hem je even wijzen.' Ze keek even naar het bundeltje dat Paulien aan haar voeten gelegd had en nu weer oppakte. Dit kind was zo anders dan Claudia, ging het door haar heen. Ze hoopte dat haar openheid Claudia's karakter zou beïnvloeden, maar ze vreesde het tegendeel.

Pauliens kamer lag nog een verdieping hoger dan de slaapvertrekken van de notarisfamilie. Onder de schuine kant van het dak stond een metalen bed dat netjes opgemaakt was en voorzien van een mooie sprei. Een oude kast stond tegen de hoge muur en langs de andere kant was een ladenkast geplaatst met een spiegel daarboven. Een klein dakraam liet het licht van de late namiddagzon binnen. Naast de deur stond een stoel. In vergelijking met Claudia's kamer was dit een samenraapsel van afgedankte spullen in een groezelig kamertje, maar voor Paulien was dit de hemel op aarde. Een eigen kamer, met een eigen bed, een eigen kast en een eigen spiegel. Een plaats waar ze zich kon terugtrekken en waar ze kon doen en laten wat ze wilde.

'O!' riep ze dan ook verrukt uit. 'Wat prachtig!'

Gertrude keek haar even verbaasd aan. Ze had deze kamer moeten inrichten met spullen die ze op de zolder vond en ze was bang geweest dat Paulien haar neus zou ophalen bij het zien van deze bijeengeraapte meubels. Ze moest toegeven dat ze moeite had gedaan om het netjes en gezellig aan te kleden, maar toch. Nu ze zag dat Paulien hier oprecht blij mee was, verbaasde het haar en ze begon te beseffen dat dit meisje weleens een frisse wind in dit huis kon doen waaien. Ze begon Paulien meer en meer te mogen.

'Graag gedaan, kindje,' zei Gertrude dan ook. 'Ik hoop dat je het hier naar je zin zult hebben. Als je iets nodig hebt, dan weet je me in de keuken te vinden. O ja. Er wordt om zeven uur in de eetkamer gegeten. Notaris Van Hees zal er dan ook zijn. Zorg dat je niet te laat komt, want daar houdt mijnheer niet van. Hij heeft het erg druk, zie je, en hij verwacht dan ook dat iedereen op tijd aan tafel zit. De kerkklokken zullen je wel vertellen hoe laat het is. Zo, nu laat ik je maar alleen, want straks is er geen tijd meer over om te rusten.'

Gertrude wilde zich omdraaien om de kamer te verlaten, toen Paulien haar tegenhield. 'Gertrude... Zou ik... zou ik je nog iets mogen vragen?'

'Ja, natuurlijk, meisje. Zeg het maar.'

'Is het mogelijk om wat papier en een pen te krijgen? Ik zou graag een paar brieven willen schrijven, zie je.'

Gertrude glimlachte. 'Ik zal het aan je tante vragen, maar ik denk niet dat het een probleem zal zijn. Notaris Van Hees heeft papier en pennen genoeg.'

Na deze woorden sloot ze de deur en hoorde Paulien haar de trap af gaan.

Genietend keek het meisje haar kamer rond en ze stopte ten slotte bij een binnenkomende zonnestraal die het stof deed dansen. Ze had nog nooit een eigen kamer gehad en ze vond het heerlijk. Ze ging even op de rand van het bed zitten en probeerde de veerkracht ervan. Daarna opende ze de kast om tot de conclusie te komen dat er niets inzat buiten een stapel ruwe dekens. Ze nam het ondergoed uit haar bundeltje en legde het weinige dat ze had met veel zorg in de kast. Daarna keek ze in de spiegel. Ze trok een grimas naar haar eigen spiegelbeeld en zag toen dat ze nog altijd haar hoofddoek op had. Met Claudia's weelderige haren in gedachten, deed ze haar hoofddoek af, schudde haar donkere lokken los en bekeek zichzelf opnieuw. Haar krullen staken alle kanten op. Ze ging er even met haar vingers door, maar veel hielp het niet. Misschien kon ze Claudia om een kam of haarborstel vragen en wat advies om haar haren in model te brengen. Maar dat was voor later. Nu was ze doodmoe. Met een plof liet ze zich op het bed vallen en ze keek met een gelukzalige glimlach naar het plafond. Dit was haar nieuwe leven. Een leven waarin ze alles in het werk zou stellen om zich met haar broer en zus te verenigen. Maar eerst moest ze hier zelf haar draai vinden, de omgeving aftasten en weten waar ze aan toe was. Ze mocht Nell en Mattijs immers niet van het kastje naar de muur sturen, daar loste ze niets mee op.

HOOFDSTUK 3

Paulien begon al vlug vertrouwd te raken met de inwoners van het huis en met een aantal mensen uit het dorp. Als het weer meezat en de zon zich liet zien, dan stond Claudia er altijd op om een wandeling naar het dorpsplein te maken. En ze nam Paulien steevast in haar kielzog mee. Geen kat die hen over het hoofd kon zien. Daar zorgde Claudia wel voor met haar opvallende lachje en heupwiegende pasjes. Alle mannen keken haar na. En ook de vrouwen, maar dan met een meewarige of jaloerse blik.

In het begin dachten ze allemaal dat Paulien qua karakter wel op haar nichtje zou lijken. Een appel valt niet ver van de boom, nietwaar. Ze waren tenslotte familie van elkaar. Bovendien was Paulien al net zo deftig gekleed als Claudia en haar haren waren in model opgestoken of hingen in grote krullen op haar schouders. Duidelijk meiden die hun handen niet hoefden vuil te maken om brood op de plank te krijgen. Ze stonden er niet bij stil dat dit vooral Claudia's werk was. Zij hield er immers van om zich uren bezig te houden met opsmukken en aankleden en ze hamerde het er bij Paulien in dat het zo hoorde.

Paulien voldeed aan Claudia's wensen, bang als ze was om haar teleur te stellen. Maar ze voelde zich onwennig en zag ook wel dat de dorpsbewoners met een zekere afkeer naar hen keken. Behalve Alberik en Edward Ipendael. Deze twee jongemannen zagen ze meestal na de hoogmis, waar ze het nooit nalieten om een kort praatje met hen te maken. Maar ook hier in het dorp kwamen ze hen soms tegen en dan staken ze hun slijmerige complimentjes niet onder stoelen of banken. Paulien mocht geen van beiden. Er was iets in hun lichaamstaal en in hun blik wat haar rillingen gaf.

Maar Claudia vond het erg grappig. 'Gelukkig hoeven ze nu geen ruzie meer te maken, Paulien,' had ze gezegd. 'Vroeger maakten ze voortdurend ruzie om me. Maar nu we met zijn tweetjes zijn, is deze kwestie blijkbaar opgelost. Alberik ziet je wel zitten, dat is duidelijk. Maar ik gun hem je, hoor. En hij is geen slechte partij. Als onderwijzer zal hij later zijn vader waarschijnlijk wel opvolgen. Bovendien heeft hij nu al een goedbetaalde baan en zul je financieel niets tekortkomen. Maar van Edward moet je afblijven. Hij is van mij. Hij studeert op dit ogenblik voor arts, zie je, en ik zie het wel zitten om doktersvrouw te worden.'

Paulien kon echter geen sympathie voor Alberik opbrengen. Hij zag er niet alleen papperig en gluiperig uit, volgens haar gevoel was hij dat ook. En dat kon geld niet goedmaken. Op dat punt had ze een heel andere mening dan Claudia.

Het besef dat Paulien anders was dan Claudia, kwam ook bij de dorpelingen langzaam maar zeker. Zoals laatst met Sien, een jonge moeder met drie kleine kinderen. Claudia had Paulien meegenomen naar de kruidenierswinkel om te zien of er geen modebladjes waren binnengekomen. Ze was dol op modebladjes waarin de Franse couturiers lieten zien dat Parijs nog steeds hét centrum voor mode en kunst was, ook al was er geen stof voorhanden en waren de mensen te arm om zich met mode bezig te houden. Maar voor Claudia betekenden deze blaadjes en afbeeldingen een hoop op de toekomst.

Ze waren net bij de winkel aangekomen toen een van Siens kinderen struikelde en viel. Paulien was er zonder aarzelen naartoe gelopen. Ze had het wenende kind opgenomen en geconstateerd dat het geen merkbare verwondingen had. Daarna had ze de baby van de moeder overgenomen, zodat deze haar zoontje kon troosten, en was ze even blijven staan om een praatje met Sien te maken. Of een paar dagen geleden, toen ze Melanie tegenkwamen, een stokoud vrouwtje dat zeulde met een vracht brandhout. Paulien dácht er niet eens aan dat haar jurk weleens vuil kon worden. Ze had gewoon de vracht van Melanie overgenomen en haar gevraagd waar het naartoe moest. Ze was met haar meegegaan tot aan haar lemen huisje aan de rand van het dorp. En daar was ze nog gebleven om een kopje thee te drinken dat Melanie uit dankbaarheid voor haar wilde inschenken.

Claudia haalde haar neus op voor zulke dingen. Ze had Paulien verontwaardigd nagekeken en was haar eigen weg gegaan. Toen ze elkaar in het notarishuis weer troffen, had ze Paulien berispend aangekeken. 'Ik begrijp niet waarom je dat doet, Paulien,' had ze gezegd. 'Jij bent nu een Van Hees. Wij verlagen ons niet door met gewone mensen om te gaan en zeker niet door onze handen vuil te maken aan vies werk.'

Paulien had haar verbaasd aangekeken. 'Waarom niet? Wat is er mis mee om mensen te helpen?'

'Papa zegt dat iedereen zijn stand moet kennen. Wij houden enkel contact met mensen die papa's rijkdom kunnen evenaren. Zoals baron en barones De Tranoy, mijnheer pastoor en de hoofdonderwijzer. En natuurlijk, en vooral, met hun zonen. Daar moeten we ons op concentreren, Paulien, niet op het gewone volk.'

Paulien had gezwegen, maar ze was het er niet mee eens. Wat had stand of rijkdom te maken met het helpen van mensen? Ze wist echter dat het geen zin had om het Claudia uit te leggen. Dan zou ze weer boos worden en haar negeren en dat wou Paulien niet. Ze had in deze korte tijd al ondervonden dat ze voorzichtig moest zijn met Claudia's karakter. Ze was zo wispelturig, zo onvoorspelbaar. Zelfs wanneer ze met Gertrude of Elias praatte, wekte dat Claudia's wrevel op. Dan liep ze met driftige pasjes naar haar kamer en liet ze Paulien aan haar lot over. Paulien vond dit vreselijk, want ze mocht Gertrude en Elias erg graag. Ze had zo veel meer aan Gertrude dan aan haar tante die voortdurend op de rustbank lag en over niets anders wou praten dan over haar ziekte. Paulien had erg met haar tante te doen, maar ze besefte dat zeuren en klagen niet de beste oplossing was om je beter te voelen.

Gelukkig hadden Paulien en Claudia ook enkele overeenkomsten, zoals de liefde voor kleding bijvoorbeeld. Claudia kon daar uren over kletsen. Paulien kon zich daar ook best in vinden, maar dan op een andere manier. Zij bekeek de modeblaadjes met heel andere ogen, bekeek details, de rijkdom aan accessoires, het ontwerp, de manier van afwerking. Zij bekeek de foto's en tekeningen door haar vaders ogen, om te creëren, om er dingen aan toe te voegen of weg te laten, om er een heel eigen creatie van te maken. Ze paste het in gedachten aan aan Claudia's lichaamsbouw, zonder dat ze zelf de behoefte voelde om zich als deze afgebeelde dames te kleden.

Ook de drang naar wandelingen door het dorp en soms zelfs verder, langs de eikendreef en de velden, hadden ze gemeen. Paulien hield van het landschap en van de mensen die er woonden. Van de kleuren en geuren, het gezang van de vogels, het ruisen van de wind in de bomen. Het bekoorde haar, het vervoerde haar, het maakte haar blij als een kind. Ze wist niet dat ze dat in zich had, maar het maakte haar gelukkig en ze wou dat ook Nell en Mattijs dit konden zien. De uitgestrekte papavervelden waar het rood van de klaprozen sterk afstak tegen het groene gras; de geel bespikkelde bermen, het ritselen van de bladeren, het wegspurten van een ree, de uitgestrekte donkere bossen, het kabbelen van een beekje. Het leek wel alsof ze hier tot rust kwam, alsof ze hier eindelijk thuis kon komen.

Claudia's aandacht was echter op andere dingen gericht. Zij ging het liefst daar waar ze mensen tegenkwamen. De wandeling in de eikendreef had voor haar maar één doel: David de Tranoy tegenkomen indien hij toch eens het kasteel en het park daaromheen zou verlaten. De schoonheid van de omgeving ontging haar volkomen.

Paulien had al vlug ondervonden dat Claudia graag haar zin kreeg. Ze was verwend en gewoon dat haar wensen dadelijk ingewilligd werden. Zelfs het feit dat Paulien haar tante hielp waar ze kon en hier en daar haar handen uit haar mouwen stak om Gertrude bij te springen, bracht bij Claudia veel protesten boven. 'Mama kan best voor zichzelf zorgen!' had ze Paulien toegebeten. 'Ze is niet eens echt ziek. Volgens de dokter zit het in haar hoofd. En Gertrude wordt betaald voor haar diensten zodat jij haar niet hoeft te helpen. Papa heeft je trouwens naar hier gehaald om mij gezelschap te houden en niet om voor iedereen klaar te staan.'

Het was soms moeilijk voor Paulien om aan Claudia's eisen te voldoen, maar ze deed haar best. Dankzij haar nichtje was ze immers uit het weeshuis geraakt en bestond er hoop om Nell en Mattijs bij haar te krijgen. Maar de enige persoon met wie ze haast nog niet gesproken had, was haar oom. Ze zag hem alleen maar tijdens het eten. De eerste dag had hij haar gevraagd of de treinreis goed was verlopen. Dat was meteen ook de laatste keer dat hij iets tegen haar gezegd had. Nu leek het wel alsof ze niet eens meer bestond. Net als zijn vrouw trouwens. Roberta zat altijd bleek en vermoeid aan tafel en rommelde wat in haar bord, maar hij keek haar niet eens aan en sprak geen woord met haar. Alleen Claudia praatte honderduit, bedolf haar vader onder complimentjes en kreeg op die manier haast alles wat haar hartje begeerde.

Paulien besefte dat ze een manier moest zien te vinden om met hem te praten. Ze kon het niet blijven uitstellen. Nell en Mattijs waren immers vol verwachting. Maar ze was bang voor deze confrontatie, bang voor een weigering en bang voor de eventuele gevolgen.

Ze had de hele tijd met de gedachte gespeeld om het eerst eens aan haar tante voor te leggen, maar daar had ze alleen maar een slecht voorgevoel bij. Ze wist op voorhand al dat ze in paniek zou raken en waarschijnlijk werden haar hartkloppingen alleen maar erger als ze hoorde dat Paulien haar zus en broer graag hier wou hebben. Gelukkig wist ze dat het goed ging met Nell en Mattijs. Ze had al twee brieven van hen ontvangen en het veelvoud ervan teruggestuurd. Ze miste hen echter verschrikkelijk. Het was nu al meer dan twee maanden geleden dat zij hen nog gezien had.

Ze hoopte dat haar oom na deze tijd tot de conclusie was gekomen dat haar komst in dit huis weinig deining veroorzaakt had. Ze had haar uiterste best gedaan om niemand tot last te zijn. Misschien gaf dat de doorslag om ook Nell en Mattijs te laten overkomen. Of in het slechtste geval dat hij haar wat geld gaf zodat zij hen kon bezoeken. Antwerpen lag te ver weg om te voet te gaan en ze had helemaal geen eigen kapitaal om de reis te bekostigen. Ze was dus volledig afhankelijk van zijn goedheid en vrijgevigheid. O, als ze haar oom toch maar eens een beetje beter kende, dan wist ze hoe hij was en wat ze van hem kon verwachten. Maar ze had geen tijd om te wachten tot ze hem beter kende, dat kon nog jaren duren. Zou ze Claudia vragen om haar te helpen? Zij kende haar vader immers beter dan wie ook. Zij was daarvoor de geknipte persoon. Maar haar gedrag was nogal wispelturig en onvoorspelbaar. Paulien wilde het echter niet langer uitstellen, ze had al zo lang gewacht.

De volgende dag wachtte ze geduldig tot Claudia zich na het middageten terugtrok op haar kamer. Paulien had geleerd dat ze nu een paar uur haar gang kon gaan zonder dat ze Claudia zou irriteren. Zijzelf voelde geen behoefte om te rusten. Integendeel: ze keek ernaar uit om haar handen uit de mouwen te steken. Meestal ging ze naar de keuken om Gertrude te helpen met de vaat. Dat was ze nu ook van plan en dan kon ze het gelijk even over haar oom hebben. Gertrude kende de notaris al langer en ze kon haar misschien enkele nuttige tips geven.

'Zo! Ben je daar?' vroeg Gertrude glimlachend toen Paulien de keuken binnenkwam.

Paulien knikte. 'Heb je nog een beetje vaat voor me laten staan, Gertrude?'

De oudere vrouw lachte smakelijk. 'Nog meer dan genoeg, kindje. Elias is hier geweest en je weet dat praten en werken niet goed samengaan. Hij heeft nog even gewacht in de hoop dat hij je nog kon zien. Je hebt hem net gemist. '

'O, dat is spijtig.' Paulien was ondertussen op de hoogte dat Elias niet alle dagen bij de notaris werkte. De tuin was niet zo groot om te onderhouden, zodat hij met een paar namiddagen klaar was met wieden, hakken en het maaien van het gras. Maar als hij hier was, dan kwam hij meestal de keuken even binnen om gedag te zeggen. Soms – als hij wat meer tijd had – konden ze nog enkele woorden met elkaar wisselen voordat hij aan het werk ging. Paulien mocht hem wel. Hij was vrolijk en gevat, maar ook rustig en begripvol. Soms ontmoette ze hem in de tuin, wanneer ze een wandeling ging maken of wat groenten ging halen voor Gertrude. Dan bleef ze altijd even staan om een praatje te maken. Maar lang konden ze nooit praten. Paulien moest immers oppassen dat Claudia of haar oom het niet merkte, want dan zou ze weer op haar plaats gezet worden.

'Nou ja, misschien zie ik hem morgen dan wel,' zei ze dan ook gelaten. Ze bond een schort voor, rolde de mouwen van haar – of liever: Claudia's – lichtblauwe bloes op en nam de fluitketel van de kachel om het koude water in de gootsteen wat op te warmen. Tijdens de vaat praatten ze honderduit. Paulien vond het heerlijk. Gertrude gaf haar de warmte die ze zo erg miste. Een goed gesprek, de gezelligheid van een conversatie, de ongedwongenheid, die dingen kon ze bij haar oom en tante niet vinden en dat was spijtig. Maar die paar gestolen uurtjes samen met Gertrude maakten dat gemis meer dan goed.

Gertrude had het dikwijls over haar kinderen en kleinkinderen, maar ook over Pauliens moeder toen die nog jong was, over haar schoonheid en haar goedheid. Paulien kon er maar niet genoeg van krijgen om Gertrude over haar moeder te horen vertellen. Ze zoog alles op, als een spons. Ze borg het veilig weg in haar hart, als een kostbaar kleinood, als een relikwie dat ze kon koesteren wanneer het haar uitkwam. Hier kon Paulien ook onbelemmerd praten over Nell en Mattijs. Over het verleden, de droevige, maar ook de heerlijke dagen. Deze uurtjes met Gertrude maakten haar verblijf bij de notarisfamilie goed. En ze was er de oudere vrouw heel erg dankbaar voor.

'Ik zou graag even met mijn oom willen spreken,' zei Paulien nadat de keuken opgeruimd was en ze nog gezellig met een kopje thee aan de tafel zaten. 'Ik dacht eraan om Claudia om raad te vragen, zodat ik weet wanneer ik het beste naar hem toe kan gaan. Of zou tante me dat kwalijk nemen en kan ik straks beter eerst even naar haar toe gaan?'

Gertrude keek haar echter bedenkelijk aan. 'Roberta voelt zich vandaag niet erg lekker. Ik denk niet dat het nu een geschikte dag is voor een gesprek.'

Paulien schudde lichtjes het hoofd. 'Het is niet zeker dat ze zich morgen beter voelt, Gertrude, en ik wil het niet langer uitstellen.'

Gertrude keek even met een schuine blik naar de jonge vrouw die zenuwachtig aan het tafelkleed plukte. 'Moet je de notaris zo dringend spreken?' Ze kende Paulien al goed genoeg om te weten dat haar iets dwarszat.

Paulien aarzelde even, maar ze knikte ten slotte. 'Ik wil hem graag spreken, maar ik weet niet goed hoe ik dat moet aanpakken. Ik wil hem ervan overtuigen dat het goed is om Nell en Mattijs ook hierheen te halen, zie je.'

Gertrude drukte haar hand op Pauliens arm. 'Je weet dat je tante heel ziekelijk is en, vergeef me dat ik het je zeg, maar ik ben bang dat ze al in paniek zal raken als ze nog maar hóórt van twee extra kinderen. Ik wil niet dat je teleurgesteld wordt, liefje, zeker niet, maar ik vrees dat je tante en je oom daar weinig rekening mee zullen houden.'

Paulien keek haar even met een hulpeloze blik aan. 'Misschien kan ik mijn oom overhalen door hem te zeggen dat het niet voor lang is, Gertrude. Zodra ik een middel vind om zelf geld te verdienen en een eigen bestaan kan opbouwen, dan komen ze bij mij wonen.'

De oudere vrouw zuchtte diep. Zij kende Korneel al van toen hij een kind was en ze wist hoe hij was. Humaan kon ze hem niet bepaald noemen. 'Nou ja, je kunt het altijd proberen,' zei ze echter. 'Maar als ik jou was, dan zou ik je tante met rust laten. Probeer Claudia over te halen om met je mee te gaan. Zij krijgt veel van haar vader gedaan. Ach, ik wou dat ik je kon helpen, kindje. Ik wou dat ik je broer en zus bij mij kon onderbrengen. Maar mijn oudste dochter Nina woont bij me in. Met haar man en vier kinderen is het huis al tot in alle gaatjes gevuld.'

Bovendien was ze bang dat die inmenging haar weleens haar baan kon kosten. Ze kon zich voorstellen dat Korneel het niet zo leuk zou vinden wanneer zij zich met familieaangelegenheden moeide.

Paulien keek haar dankbaar aan. 'Ik ben al blij dat je naar mijn verhalen wilt luisteren, en dat ik mijn zorgen aan je kwijt kan. Daar ben ik je eeuwig dankbaar voor.'

Na deze woorden stond ze op. 'Nou, dan ga ik maar eens naar Claudia,' zei ze zacht. 'Ik hoop dat ik haar kan overhalen. Ik zal thee voor haar zetten. Dan hoef jij dat niet meer te doen.' Ze nam de ketel van de kachel en vulde de theepot – waarin ze wat gedroogde muntblaadjes en schilfers zoethout had gedaan – met kokend water. Daarna plaatste ze een kopje en de theepot op een dienblad.

'Op hoop van zegen,' zei ze zenuwachtig glimlachend.

'Veel geluk,' zei Gertrude gemeend, waarna Paulien met het dienblad de keuken verliet.

Met Gertrudes woorden in gedachten, ging ze de trap op. Ze klopte zacht aan en wachtte geduldig tot ze een zwak 'binnen' hoorde. Toen Paulien Claudia's kamer binnenging, trof ze haar op het bed aan waar ze een boek aan het lezen was.

'Paulien?' vroeg ze verbaasd. Ze keek even misprijzend naar het dienblad in Pauliens handen met de gedachte dat ze weer Gertrudes werk had overgenomen. Paulien negeerde haar blik en zette het dienblad op het bijzettafeltje naast het bed.

'Ik wilde je wat vragen, Claudia.'

Claudia legde haar boek weg. 'Zo? Nou, je maakt me best wel nieuwsgierig.' Ze klopte even op de rand van het bed. 'Ga zitten. Als het iets is waarmee ik je kan helpen, dan wil ik dat zeker doen. Ik ben nu eenmaal je enige, en beste, vriendin.'

Paulien zette zich neer. Ze aarzelde even omdat ze niet goed wist waar te beginnen. Maar uiteindelijk besloot ze om het er gewoon uit te gooien.

'Je weet dat ik nog een broer en een zus heb, en ik zou hen graag willen zien.'

'Waarom? Heb je het hier dan niet naar je zin?'

'Ja, natuurlijk wel. Ik ben heel blij dat ik hier ben. Jullie zijn zo aardig en gastvrij. Maar ik mis hen. Eigenlijk zou ik graag willen dat Nell en Mattijs ook naar hier kunnen komen. Dan heb ik hen altijd dicht bij me. Antwerpen is nu niet bepaald naast de deur, zie je, en ik heb geen geld om de trein te betalen. Het zou zo veel voor me betekenen, Claudia, en ik weet heel zeker dat ze niemand last zullen berokkenen.'

Claudia keek haar even misprijzend aan. 'Het zijn nog kinderen, Paulien. Kinderen zijn alleen maar lastig.'

Paulien wuifde deze woorden vlug weg. 'O nee, ze zijn heus niet lastig. Als je vader het toestaat dat ze naar hier komen, dan kan Nell voor je moeder zorgen en Mattijs kan Elias helpen om de tuin te onderhouden. Jullie zullen er alleen maar wel bij varen.'

'En ik dan? Wat heb ik aan hen?'

'Dan kan ik een nog betere vriendin voor je zijn en ben ik je voor altijd dankbaar.'

Claudia keek Paulien even aan. 'Ik vraag me eigenlijk af waarom je het mij vraagt, Paulien,' zei ze ten slotte. 'Ik kan hen niet uit het weeshuis krijgen.'

'Nee, maar je vader wel. Ik had het hem al veel eerder willen vragen, maar ik vrees dat hij het niet zal appreciëren als ik hem daarmee tijdens het eten lastigval.'

Claudia grinnikte. 'Daar kan ik best inkomen. Papa houdt er nu eenmaal niet van om tijdens het eten met problemen en vragen bestookt te worden. Maar hij is meestal wel achter zijn bureau in de bibliotheek te vinden.'

Pauliens hart begon sneller te kloppen. 'Ik ben bang dat hij me niet wil ontvangen. Hij heeft het altijd zo druk, zie je.'

'Papa heeft het altijd druk. Als hij hier niet bezig is, dan zit hij in het gemeentehuis of in een of andere raad. Je moet gewoon weten hoe je het aanpakt en zijn tijd stelen.'

'Zou je... zou jij me daarbij willen helpen, Claudia? Zou jij me willen helpen om je vader ervan te overtuigen dat hij mijn broer en zus ook naar hier moet halen? Alsjeblieft. Je zou me er zo gelukkig mee maken en ik weet zeker dat jullie helemaal geen last van hen zullen ondervinden. Ze zijn heel rustig en lief.'

Paulien keek haar smekend aan. Claudia keek bedenkelijk. Ze begreep nog altijd niet waarom Paulien haar broer en zus hier wou. Wat had je nu aan jengelende kinderen? Maar blijkbaar was het toch wel erg belangrijk voor haar. Dat maakte haar in zekere zin ook wel nieuwsgierig. Ze vroeg zich voor de eerste keer in haar leven af hoe het zou zijn om een broer of een zus te hebben. Daar had ze voorheen nooit bij stilgestaan.

'Als je graag hebt dat ik je daarbij help, dan wil ik dat wel voor je doen,' zei ze ten slotte. 'Vriendinnen doen toch alles voor elkaar, niet? Maar dan wil ik wel dat jij je wat meer schikt naar mijn wensen. De laatste tijd moet ik je overal zoeken als ik je nodig heb en dat vind ik hoogst vervelend. Vriendinnen horen zo veel mogelijk bij elkaar te zijn.'

Paulien had dat er graag voor over. 'O, dank je,' zei ze dan ook gemeend. Ze viel Claudia om haar hals en drukte een zoen op haar wang. Ze wist nu zeker dat alles in orde ging komen.

Maar dat was een misrekening.

'Geen sprake van!' barstte Korneel los. De twee jonge vrouwen stonden voor zijn bureau en vooral Paulien kromp in elkaar bij het horen van zijn bulderende stem. Hij keek zijn dochter met een strenge blik aan. 'Zonder jouw geklaag was zelfs Paulien hier niet geweest, Claudia. Wees dus dankbaar dat ik dat voor je heb gedaan.'

'Maar papaatje lief,' ging Claudia onverstoorbaar verder terwijl ze haar vader met smekende blik aankeek. 'Paulien zou hen zo graag bij zich hebben. En het is toch familie? Moeten wij dan niet voor ze zorgen?'

Nu richtte Korneel zijn blik op Paulien, die hij tot nog toe niet had aangekeken. 'Nee, dat moet ik níét,' zei hij zonder scrupules. 'Haar moeder heeft haar keuze lang geleden gemaakt en het is niet aan mij om de brokken te lijmen.'

Paulien slikte dapper haar angst weg en dwong zich om het woord tot hem te richten in de hoop hem alsnog op andere gedachten te brengen.

'Alstublieft, oom. Het is maar tijdelijk. Ik zal zo vlug mogelijk werk proberen te vinden. Dan kan ik een eigen bestaan opbouwen en zelf voor hen zorgen.'

Maar haar woorden hadden een averechts effect. 'Zolang je onder mijn dak woont, wordt er geen werk gezocht,' siste hij met een waarschuwende ondertoon. 'Ik heb je niet in huis genomen om als een arme luis bij een ander te gaan dienen. Wat zullen de mensen wel van me denken! Ik begrijp trouwens niet waarom je zo ondankbaar bent. Ik ben zo goed om je fatsoenlijk te kleden, je krijgt het beste aan tafel en vooral... je woont bij een welgestelde en gerespecteerde familie. Ik snap niet waarom je durft te klagen!'

'Maar Paulien voelt zich pas goed wanneer Nell en Mattijs hier ook zijn, papa,' probeerde Claudia nog eens. 'En ze is mijn beste vriendin. Ik wil dat ze gelukkig is.'

Paulien keek haar dankbaar aan.

'O, zit dat zo!' Weer priemden zijn kleine ogen in Pauliens richting. 'Je bent een vreselijk ondankbaar wicht, weet je dat. Als het je hier niet bevalt, dan mag je teruggaan.'

'Nee, papa,' gilde Claudia ontzet. 'Dan heb ik helemaal geen vriendin meer.'

'Zorg dan dat ze zich wat meer gedraagt, Claudia! En nu wil ik daar niets meer over horen. Ga nu. Ik heb nog veel werk te doen.'

Hij boog zich weer over de papieren die op zijn bureau lagen en gaf daarmee te kennen dat het gesprek ten einde was.

Paulien raakte in paniek. 'Kan ik ... kan ik dan toestemming krijgen om hen af en toe eens te bezoeken?' vroeg ze smekend.

'Een stad is niets voor een meisje alleen,' mompelde hij zonder haar aan te kijken.

'O, maar ik kan met haar mee, papa. Dan zijn we met zijn tweetjes.'

Zijn hoofd veerde met een ruk op. 'Zet dat maar uit je hoofd. Antwerpen is geen partij voor een net meisje zoals jij en zeker niet zonder chaperonne. Jullie blijven hier en daarmee basta.'

Korneel begon rood aan te lopen.

Claudia trok aan Pauliens arm. 'Kom, we gaan. Papa heeft nog veel werk te doen.' Ze drukte nog even een zoen op haar vaders wang en trok Paulien met zich mee de deur uit.

Eenmaal buiten liet ze haar adem hoorbaar ontsnappen. 'Oef! Dat scheelde maar een haartje. Als papa rood begint te worden, dan weet ik dat het menens is. Nou ja, we hebben het geprobeerd, niet? Kom, we gaan nog even genieten van een wandeling. Het is vandaag een heerlijke zonnige dag.'

Even later paradeerde ze het dorpsplein op. Voor haar was dit hoofdstuk afgesloten. Dat haar vader resoluut weigerde om de kinderen naar hier te halen, kon haar weinig schelen. Ze had Paulien immers.

Maar voor Paulien leek het alsof de grond onder haar voeten wegzakte. Ze was bang geweest voor een weigering, maar ze had gehoopt dat hij haar tenminste zou toelaten om haar broer en zus regelmatig op te zoeken. Maar zonder toestemming – en vooral zonder geld – was dat onmogelijk. Machteloos voelde ze de druk in haar borst toenemen terwijl ze achter Claudia aan liep.

HOOFDSTUK 4

Paulien had een lange brief geschreven naar Nell en Mattijs met de vermelding dat het nog even kon duren voordat ze elkaar konden ontmoeten. Ze had het niet over haar hart kunnen krijgen om hun te zeggen dat hun oom hen hier niet wou. Ze hoopte – tegen beter weten in – dat de toestand nog zou veranderen.

Voordat haar oom haar verboden had om werk te zoeken, had ze hier en daar toch al eens geïnformeerd. Het was echter vlug tot haar doorgedrongen dat het bijna onmogelijk was om werk te vinden. Ondanks het feit dat de wederopbouw een arbeidsmarkt opende, was het nog te vroeg om van een werkexplosie te spreken. Een jaar geleden woedde de oorlog nog. Armoede was troef, iedereen likte zijn wonden en alles moest nog structuur krijgen voordat de grote opbouw kon beginnen. Schoorvoetend begonnen fabrieken materialen te vervaardigen die konden dienen voor het herstellen van de stukgeschoten huizen. Dat was de eerste prioriteit. Mensen hadden een onderkomen nodig, een dak boven hun hoofd en een lapje grond waar ze groenten en aardappelen konden telen om hun honger te stillen. De rest had zijn tijd nodig.

Paulien besefte maar al te goed dat ze dankbaar moest zijn. De meeste mensen hadden het niet zo goed getroffen en moesten in armoede leven, terwijl zij in luxe kon baden en elke dag te eten had. Als ze nu alleen op de wereld stond, dan was ze het gelukkigste meisje van de wereld. Maar ze was niet alleen. Ze had een broer en een zus van wie ze zielsveel hield en die ze niet in de steek kon laten. Ze voelde zich ellendig en piekerde zich suf om een oplossing te bedenken.

Dat gevoel verergerde nog toen ze een brief van Nell kreeg. Ze zat op de rand van Claudia's bed terwijl ze de enveloppe vol verwachting openscheurde en begon te lezen. Claudia zat voor de spiegel en zag dat Paulien ontzet een hand voor haar mond sloeg zonder dat ze haar ogen van de brief afwendde. Ze keerde zich om. 'Wat is er, Paulien? Je ziet eruit alsof je een spook hebt gezien.'

Paulien keek haar ontsteld aan. 'Nell mag niet meer buiten,' zei ze met verstikte stem. 'Ze schrijft dat ze al zes weken het weeshuis niet meer mag verlaten, maar ze had het uitgesteld om het me te vertellen omdat ze bang was dat ik me anders ongerust zou maken. Nu ze echter uit mijn brief kon opmaken dat het nog een hele tijd kan duren voordat ik haar en Mattijs kan bezoeken, kon ze het niet langer meer uitstellen omdat ze zich zorgen maakt om Mattijs.'

'Nou, ik wist niet dat ze zomaar naar buiten mocht? Papa zegt dat het niet veilig is in de stad.'

'Dat is ook zo. De zusters drukten ons op het hart dat het onfatsoenlijk is om als meisje alleen door de stad te dwalen. Dat was om zonde vragen. Maar wij mochten op zondag, na de hoogmis, met een grote groep even de stad in. We moesten bij elkaar blijven, maar we hadden met de anderen afgesproken dat Nell en ik dan naar het kerkhof gingen om de graven van onze ouders te bezoeken. We spraken een plaats af waar we nadien weer bij elkaar kwamen, zodat de zusters niets merkten. Mijn zusje ging na mijn vertrek alleen naar het kerkhof, maar volgens deze brief is moeder-overste het te weten gekomen en heeft ze haar nu streng verboden om het weeshuis te verlaten.'

'Nou en? Dat is toch geen reden om zo in paniek te zijn? Jullie ouders zullen heus niet weglopen.' Ze giechelde om haar eigen woorden, maar toen ze zag dat er tranen over Pauliens wangen liepen, haalde ze geërgerd haar schouders op. 'Nou, zo erg is dat toch niet, Paulien? Je kunt hier in de kerk toch ook voor hen bidden.'

'Daar gaat het niet om,' snikte ze zacht. 'We profiteerden van die gelegenheid om Mattijs te bezoeken. Hij zit in het jongenstehuis in de buurt van het kerkhof, zie je. Als we holden, dan konden we hem even zien en dan waren we nog op tijd terug zonder dat de anderen iets merkten. Toen ik naar hier kwam, bleef Nell hem bezoeken. Maar blijkbaar is één van de meisjes haar gaan verklikken bij moeder-overste zodat Nell gestraft werd en niet meer naar buiten mag. Nell schrijft ook dat ze aan Mattijs gevraagd heeft om het niet te vermelden in zijn brieven. Ze wou niet dat ik me ongerust zou maken. Maar nu weet ik waarom zijn brieven altijd moedelozer en treuriger werden. O, al die tijd heeft hij geen van ons beiden gezien. Het moet vreselijk voor hem zijn, Claudia. Het is niet eerlijk. Hij was nog maar net acht toen hij naar het weeshuis moest. Na het verlies van vader en moeder moest hij ook nog eens alleen en wanhopig achterblijven.'

Paulien liet haar tranen even de vrije loop. Ze dacht aan haar broertje, dat elke zondag vruchteloos door de tralies van het hek stond te staren in de hoop haar of Nell te zien. Ze zag hem voor zich alsof hij voor haar stond. Zijn donkerblonde haar, zijn gezicht met de trekken van haar vader, zijn grote, droevige ogen die smeekten om een knuffel, hunkerend naar een aanraking, smachtend naar een liefdevol woord. Een weerloos kind nog, dat door de tralies heen zijn vingers krampachtig rond haar handen klemden tot hun vingertoppen van elkaar gleden en ze hem weer moest achterlaten als een hoopje ellende. 'O, Mattijs...' Ze kreunde, maar ze veegde kordaat de tranen van haar wangen met de rug van haar hand.

'Ik moet naar hem toe, Claudia. Ik... ik kan niet anders.'

'Ik begrijp niet waar jij je zo druk over maakt. Volgens papa hebben weeskinderen helemaal niet te klagen. Er wordt immers goed voor hen gezorgd.'

Paulien keek de jonge vrouw met betraande ogen aan. Ze wou haar ontdaan van repliek dienen, maar toen begreep ze dat Claudia zich helemaal niet kon voorstellen hoe het was om in een weeshuis te zitten. Zij was heel beschermd opgegroeid in een afgesloten wereldje van luxe en welstand.

'Toen moeder nog leefde was het helemaal anders,' verduidelijkte ze. 'We hadden het niet breed, soms was er zelfs amper iets te eten, maar elke avond stopte moeder ons in, ze zong liedjes voor ons of ze vertelde een verhaal. Onze liefde voor elkaar hield ons overeind. In het weeshuis is er voldoende eten om in leven te blijven, maar het gemis aan liefde kan iemand net zo goed breken. Dat wil ik Mattijs niet aandoen. Hij heeft me broodnodig. Ik wil en kan hem niet in de steek laten. Ik weet wel dat je vader het me verboden heeft, maar ik móét hem zien. Als hij me niet laat gaan, dan zie ik mij genoodzaakt om terug naar het weeshuis te gaan. Ik... ik kan echt niet anders, ook al had ik het graag anders gezien.'

Claudia keek haar nadenkend aan. Ze kon zich niet voorstellen dat haar moeder haar ooit in bed had gestopt. Misschien toen ze heel klein was? Ze herinnerde zich enkel een zieke moeder die voortdurend klaagde en meer op haar rustbed lag dan dat ze zich met haar dochter bezighield. Maar toen haalde ze berustend haar schouders op. Wat mama haar niet kon geven, dat maakte papa ruimschoots goed door haar alles te geven wat ze wenste. Ze zag echter ook wel in dat Paulien alles zou doen om haar zus en broer te zien. En ze wou niet dat ze terug naar het weeshuis ging. Dan was ze weer helemaal alleen.

'Papa heeft het eigenlijk niet helemaal verboden, Paulien,' zei ze dan ook. 'Hij heeft enkel gezegd dat de stad niets is voor een jonge vrouw zonder chaperonne.'

'Wat bedoel je?'

'Nou, dat je wel kunt gaan als er iemand met je meegaat.'

Paulien keek haar nichtje met glinsterende ogen aan. 'Zou jij met me mee willen gaan?'

Claudia schudde echter vlug het hoofd. 'Nee! Papa zou me dadelijk achterna komen. Ik ben nu niet bepaald de chaperonne die hij voor je bedoelt. Je zult dus iemand anders moeten zoeken. En voor alle zekerheid kunnen we het voor papa beter verzwijgen. Ik kan je wel een alibi bezorgen in geval papa opmerkt dat je niet aan tafel zit. Dan zal ik hem zeggen dat je ziek bent en dat je in je bed blijft. Ik weet zeker dat hij er niets achter zal zoeken.'

Paulien keek haar dankbaar aan. 'O, zou je dat voor me willen doen? Dat is lief van je, Claudia.' Ze was er zeker van dat haar oom het waarschijnlijk niet eens zou opmerken. Dat zou wel anders zijn als Claudia niet aan tafel zou zitten. Ze zag nu pas in dat Claudia inderdaad niet met haar mee kon.

Maar toen liet ze haar schouders moedeloos naar beneden zakken. 'Ach, het heeft geen zin. Ik heb niet eens geld voor de trein.'

Claudia ging naast Paulien op de rand van haar bed zitten. 'Daar kan ik je wel bij helpen,' zei ze glunderend. 'Maar voor wat, hoort wat. Ik geef je het geld voor de tram en de trein als jij een oude jurk van oma voor me wilt vermaken. Ik heb gezien dat je die oude lompen die ik je gegeven heb, heel mooi vermaakt hebt. Ze passen je nu uitstekend. Je kunt blijkbaar goed omgaan met naald en draad. Ik wil dat je dat ook voor mij doet, Paulien. Ik wil een jurk volgens de laatste Parijse mode. Als je me die kunt geven, dan geef ik jou het geld voor de reis en zal ik je helpen om papa te misleiden.'

Paulien keek haar echter bedenkelijk aan. 'Ik ben al blij dat ik dat voor je kan doen uit dank voor mijn verblijf hier, Claudia. Daarvoor hoef je me niet te vergoeden. Maar ik ben bang dat je vader dat ook als werk ziet en dat hij het me verbiedt.'

Claudia schudde beslist het hoofd. 'Papa ziet naaien niet als werk. Voor hem is dat een handvaardigheid, en bedoelt hij met werken dat je ergens anders je diensten gaat aanbieden. In dit geval blijf je thuis en maak je prachtige dingen met je handen, dat is in zijn ogen iets heel anders. Bovendien hoeft hij het niet eens te weten. Ik zal al het nodige naar je kamer laten brengen, dan kun je daar in alle rust werken. Papa zal het niet eens merken.'

Nu begonnen Pauliens ogen te stralen. Ze vond het heerlijk om een jurk te vermaken en zeker voor een perfect model als Claudia. Daar was geen kunst aan. Als ze daarmee dan ook nog wat zakgeld kon verdienen, dan was dat prachtig.

'O, dat zou heerlijk zijn, Claudia. Je bent een schat.' Paulien omhelsde haar uitbundig en Claudia moest toegeven dat ze het prettig vond om iemand te helpen. Het gaf haar een goed gevoel vanbinnen. Vooral het feit dat ze weldra een nieuwe jurk zou hebben, maakte dat gevoel intenser. Ze had al een bepaald model in gedachten. Er stond zelfs een tekening in een van de blaadjes die ze in de kruidenierswinkel had gekocht. Als het Paulien zou lukken om deze jurk te maken, dan was ze van plan om haar nog dikwijls naar haar broer en zus te laten gaan. Dan kon ze vanaf nu altijd volgens de laatste mode gekleed gaan. Ze verheugde zich bij de gedachte aan de vele jaloerse blikken wanneer zij voorbij flaneerde in de mooiste creaties terwijl de anderen als het ware in lompen gehuld waren.

Paulien maakte er werk van. De vloer van haar kamertje lag enkele dagen vol met schetsen en lapjes stof van uit elkaar gehaalde jurken. Paulien werkte daarna haar vingers haast kapot om zo vlug mogelijk Claudia's jurk klaar te krijgen. Na vier dagen was het zover. Claudia draaide verrukt rond voor haar spiegel en was in de wolken. Ze droeg een mosgroene aansluitende jurk met een wespentaille en een nauw bovenstuk dat elke vrouwelijke ronding van haar perfecte lichaam accentueerde. Het mosgroen van de rok was verweven met stroken zachtgeel, wat alleen maar een meerwaarde gaf aan het geheel. Om het gewenste effect te kunnen verkrijgen had Paulien twee oude jurken nodig gehad, maar tot haar voldoening was haar creatie geworden zoals ze hem in gedachten had.

'Hoe doe je dat toch?' kirde Claudia verrukt. 'Deze jurk is de mooiste die ik ooit gehad heb. O, jij bent zo handig.'
Paulien straalde door het compliment. 'Dank je. Maar jij hebt dan ook het perfecte figuur daarvoor.'
Claudia draaide zich nog eens rond. 'Ik moet toegeven dat ik dat inderdaad heb,' zei ze stralend lachend. 'Nou, hij staat me prachtig. Ik kan onmogelijk nog zien dat dit eerst een oude jurk was. Ik weet zeker dat iedereen versteld zal staan. De meeste vrouwen in het dorp zullen stikjaloers zijn en ze zullen zich beslist afvragen waar ik deze jurk vandaan heb gehaald.' Ze glunderde en draaide zich nog eens rond. 'Ik moet eerlijk bekennen dat ik versteld sta, Paulien. Maar je zult het waarschijnlijk van geen vreemde hebben, niet? Nu, ik heb je beloofd dat ik je ervoor zou belonen, dus hou ik mijn woord.' Ze haalde een paar geldstukken uit een buideltje dat ze uit een la van haar commode nam. Het was niet veel, net voldoende voor de reis heen en terug, maar voor Paulien was dit een overweldigend gevoel. Haar eerste welverdiende geld en voldoende om naar haar broer en zus te gaan. O, ze voelde zich zo gelukkig. En ook Claudia was gelukkig. Ze had een prachtige jurk en ze zou haar vader zeggen dat een naaister hem had gemaakt. Ze zou hem daar goed voor laten betalen. Dat geld kon ze perfect gebruiken om allerlei accessoires en hebbedingetjes te kopen. Zij kon het immers beter gebruiken dan Paulien. Paulien gaf niet eens om die dingen. Zij gaf alleen maar om haar broer en zus en daarvoor was ze voldoende betaald.

Zodra Claudia zich na het middageten teruggetrokken had op haar kamer, glipte Paulien de keuken binnen. Ze had Gertrude al eerder op de hoogte gebracht van het feit dat Claudia haar wilde helpen en ze kon haast niet wachten om haar te vertellen dat ze eindelijk naar Antwerpen kon vertrekken. Ze was blij toen ze Elias nog aan de tafel zag zitten. Ze stak glunderend haar hand uit en liet de geldstukken zien. 'Kijk, eerlijk verdiend.'
Gertrude zette een kookpot neer en keek haar verbaasd aan. 'Nou, ik moet eerlijk zeggen dat ik het niet verwacht had, kind. Claudia kan beloven wat ze wil, maar als ze nadien niet wil meewerken, dan schiet er niets van over. Maar ik heb haar daarstraks zien paraderen en ik moet toegeven dat haar jurk

inderdaad prachtig is. Ik heb ook nog een paar oude jurken hangen die me te klein geworden zijn. Zou jij ze voor mijn dochters kunnen vermaken? Ik weet zeker dat ze er dolblij mee zouden zijn.'

'Natuurlijk, Gertrude. Je weet dat ik alles voor je wil doen. O, ik ben zo blij dat ik Nell en Mattijs eindelijk kan weerzien. Ik vertrek morgen. Ik kan geen dag langer meer wachten.'

'Zo, en wie gaat er dan met je mee? Je kunt toch niet alleen vertrekken?' Gertrude keek haar bedachtzaam aan.

'Waarom niet? Ik ben oud genoeg om op mezelf te letten. Als mijn oom er toch achter komt, dan vertel ik wel dat iemand uit het dorp met me meegegaan is, maar ik weet zeker dat hij er niet achter komt. Daar zorgt Claudia wel voor.'

'Toch is het beter dat je niet alleen gaat, Paulien.' Het was Elias die dat zei. Hij keek het meisje voor hem aan. 'Je weet nooit wat je op je weg tegenkomt en het is nu eenmaal niet zo veilig voor een jonge vrouw alleen. Als je wilt, dan zal ik je vergezellen.'

'Heeft mijn oom je dan niet nodig, Elias?'

Hij haalde licht zijn schouders op. 'Mijnheer de notaris betaalt me een paar centen om zijn tuin te onderhouden. Zo lang alles naar behoren geplant, gewied en onderhouden is, hoeft hij niet te klagen. Hij zal me heus niet missen.'

Pauliens ogen lichtten op. Ze zou het fijn vinden als hij mee kon gaan. Dat zou de eenzaamheid wat breken en haar een veiliger gevoel geven. Maar toen staarde ze naar het geld in haar hand. Het was amper voldoende voor één persoon.

Elias zag haar vertwijfeling en begreep dadelijk wat er door haar heen ging. 'Ik heb altijd al eens naar Antwerpen willen gaan,' ging hij vlug verder. 'De stad moet de moeite waard zijn om te zien en zeker de glazen constructie van het station. Als ik nu niet met je meega, dan had ik het in mijn eentje gedaan, dus is het niet meer dan normaal dat ik mijn eigen treinrit betaal. Ik ben blij dat ik niet alleen hoef te gaan en misschien kun jij me enkele mooie gebouwen of plekken laten zien die de moeite waard zijn om bekeken te worden.'

Paulien keek hem dankbaar aan. 'Natuurlijk wil ik dat doen. Dank je, Elias.'

'Goed zo. Laten we dan morgenmiddag bij de tramhalte afspreken. Van daaruit vertrekken we naar het station. Tot dan, Paulien.' Hij knipoogde nog even in Gertrudes richting en verdween toen door de deur de tuin in.

Gertrude ging er even bij zitten. 'Ik hoop maar dat mijnheer de notaris hier niet achter komt, meisje, want dan zwaait er wat.' Het meisje keek haar echter lijdzaam aan. 'Ik kan niet anders. Ik moét hen zien. Bovendien heb ik je toch verteld dat Claudia me zal helpen?'

'Ja, dat weet ik, maar ik weet niet zeker of je Claudia wel kunt vertrouwen. Al moet ik toegeven dat ze de laatste tijd veranderd is. Ik had nooit gedacht dat ze jou zou betalen bijvoorbeeld en toch heeft ze dat gedaan. Ik denk dat jij het goede in haar naar boven brengt.'

'Ach, Claudia is heus niet zo slecht, Gertrude.'

'Misschien niet, maar ze is wel verwend en verwaand en ze heeft nooit iets anders gekend. Ik ben bang dat ze zich weleens tegen jou kan keren als dat voor haar beter uitkomt.'

'Nou, dat risico neem ik er graag bij als ik daardoor Nell en Mattijs kan weerzien. O, ik kijk er zo naar uit. Het is al zo lang geleden dat ik hen nog gezien heb. Het kan me niet schelen wat er gebeurt, zolang ik hen maar kan zien.'

Gertrude zag in dat Paulien alles zou doen om haar broer en zus weer te zien. Zelfs het feit dat ze terug naar het weeshuis gestuurd kon worden, kon haar op dit ogenblik niet schelen. Maar Gertrude zou het wel erg jammer vinden. Ze was gedurende deze maanden van dit meisje gaan houden en ze leefde erg met haar mee. Ze zou het verschrikkelijk vinden als ze weer weg zou gaan.

'Ik hoop dat ze het goed maken, liefje,' zei ze zacht. Ze stond op en pakte een grote mand uit de kast. 'Misschien kun je met hen gaan picknicken? Dan kunnen ze hun maag nog eens goed vullen terwijl jullie van elkaars gezelschap kunnen genieten. Ik zal zorgen dat er voldoende inzit. Bovendien heb ik gisteren een dubbele portie koekjes gebakken. Niemand zal merken dat er een deel van weg is.'

Paulien drukte een klinkende zoen op haar wang. 'Ze zullen het heerlijk vinden, dank je wel.'

De mollige vrouw wuifde haar dankbaarheid echter weg. 'Ach, ik wou dat ik meer voor hen kon doen, meisje. Hetty's kinderen verdienen een beter lot dan in een weeshuis te zitten.'

'Maar niet voor lang meer. Ik ga er alles aan doen om hen daar zo vlug mogelijk uit te krijgen. Mijn vader zei altijd: 'Waar een wil is, is een weg'. Ik heb de wil, nu moet ik enkel nog een weg zien te vinden.'

Gertrude knikte, maar ze was lang niet zo overtuigd als Paulien. Wat kon een jonge vrouw – een meisje haast nog – bereiken in deze tijd? Haar enige kans was om een respectabele man te leren kennen die met haar wou trouwen. Iemand die geld had om Paulien, Nell en Mattijs te onderhouden. Maar Paulien was nu eenmaal geen Van Hees en ze twijfelde er sterk aan dat de notaris haar op dat punt gelijk zou stellen met zijn dochter. Ze zuchtte diep. Nou ja, niets aan te doen. Ze konden alleen maar hopen op een betere toekomst.

'Zullen we dan maar eens aan de vaat beginnen?' Gertrude zei het luchtig alsof ze daardoor haar zware gedachten kon wissen. Ze keek met een misnoegde blik naar de stapel borden op het aanrecht. 'Gelukkig zijn we met zijn tweetjes, dat maakt het werk veel lichter.'

Paulien voelde zich veel te gelukkig om problemen te maken om een vaat. Ze zou morgen eindelijk haar broer en zus terugzien en dat was op dit ogenblik alles wat telde.

HOOFDSTUK 5

Elias keek door zijn wimpers heen naar het figuurtje dat tegenover hem zat. Paulien staarde door het raam van de trein naar het landschap dat traag voorbijschoof. Ze zag er beeldig uit met haar opgestoken donkere haar. Ouder ook. De strakke rok en het jasje erboven stonden haar prachtig. Hij zag wel dat de stof oud was, maar het zat haar als gegoten. Ze zag er zo ongenaakbaar uit. Rijk en deftig. Hij dacht aan zijn eigen kleren, die wel netjes, maar veel eenvoudiger en soberder waren. Hij had er nu al spijt van dat hij zijn vaders kostuum niet had aangetrokken, dan zou hij beter bij haar gepast hebben. Maar bij nader inzien moest hij toegeven dat het niet zo'n goed idee geweest zou zijn. Wat zouden de nonnen van het weeshuis dan wel niet denken? Misschien wel dat hij haar verloofde was in plaats van haar chaperon.

Hij glimlachte bij die gedachte. Hij kon immers haar verloofde niet zijn. Hij was al drieëntwintig en zij haast een kind nog. Nu hij haar zo koket tegenover hem zag zitten, moest hij echter toegeven dat je het haar niet zou geven. Ze zag er ouder uit nu, vrouwelijker ook. Het leek wel alsof ze eindelijk iets voller begon te worden. En mooi, zeker nu ze met grote dromerige ogen naar buiten staarde terwijl er een waas van geluk over haar gezicht lag. Hij was blij dat hij met haar was meegegaan. Nu kon hij tenminste voor haar opkomen, als dat nodig moest zijn.

'Kijk!' riep ze plots uit. Hij knipperde even met zijn ogen en deed alsof hij uit zijn dutje ontwaakte. 'Kijk dan, Elias. Hoe prachtig!' Elias keek door het raam en zag in de verte een aantal reeën over de velden rennen. Hij glimlachte. Kijk, dat vond hij zo mooi aan Paulien. Zij kon van de kleinste dingen genieten. O, zij was zo heel anders dan Claudia en daar kon hij alleen maar blij om zijn. Toen de reeën uit het zicht verdwenen waren, keek ze hem glimlachend aan. 'Ik vind het zo heerlijk dat je met me meegaat,' zei ze zacht, terwijl ze hem dankbaar aankeek. 'Nu kun je ook eens kennismaken met Nell en Mattijs. Ik weet zeker dat je hen dadelijk aardig zult vinden.'

Elias lachte. 'Daar twijfel ik geen moment aan. Ik heb trouwens al zo veel verhalen over hen gehoord dat het net is alsof ik ze al ken. Ik verheug me er al net zo veel als jij op om hen te zien.'

'Ik dacht dat je meeging om de stad te bekijken?' vroeg ze schalks.
'Dat ook. Dat gaat in één moeite door. Maar ik denk niet dat er iets in Antwerpen bestaat wat ik mooier zal vinden dan jou.'
Ze bloosde en keek hem een beetje onwennig aan. 'Vind je mij mooi?' vroeg ze verbaasd.
Hij knikte. 'Je ziet er beeldig uit met dat opgestoken haar en dat ensemble. Het maakt je... anders. Heeft Claudia je daarbij geholpen?'
Ze sloeg haar ogen neer. 'Claudia weet niet dat ik dit aanheb,' zei ze zacht. 'Ze vond de donkere stof maar niets en wou het weggooien. Ik heb haar gevraagd of ik het mocht hebben en ik heb het een beetje vermaakt. Maar ik ben bang dat het te sober is en me alleen maar ouder maakt.'
'Het geeft vooral een deftige en elegante indruk.'
'Echt? Dat is het mooiste compliment dat je me kunt geven, Elias. Ik wil namelijk dat de zusters hetzelfde denken. Ik wil dat ze denken dat ik door mijn oom volledig aanvaard ben en dat ik in zijn rijkdom deel. Op die manier hoop ik dat de zusters wat inschikkelijker zullen zijn en dat ze Nell voor een poosje aan me toevertrouwen zodat we samen Mattijs kunnen bezoeken.'
Hij staarde haar even doordringend aan en vroeg zich af wat er in dat mooie hoofdje om ging. Paulien was wijs voor haar leeftijd. Ze hield met alles en iedereen rekening en zette zichzelf daarvoor volledig opzij. Zijn bewondering voor haar steeg voordurend en dat uitte hij ook. 'Ik vind het bewonderenswaardig van je dat je zo veel voor je broer en zus doet. Jij bent zelf nog zo jong en toch draag je al een grote verantwoordelijkheid met je mee.'
'Ik ben al zeventien, Elias. Dat is niet meer zó jong,' wees Paulien hem terecht.
'Zeventien? Volgens Gertrude ben je zestien.'
Paulien knikte. 'Ik was zestien toen ik bij jullie kwam, maar vorige week ben ik zeventien geworden.'
'En jij hebt het ons niet verteld? Als Gertrude dat te horen krijgt, dan doet ze je wat. Een verjaardag voorbij laten gaan zonder één enkele felicitatie, dat is bij Gertrude om problemen vragen.'
Paulien haalde lachend haar schouders op. 'Ik had er zelf niet eens aan gedacht. In het weeshuis zijn we het niet gewoon om een verjaardag te vieren.'

Hij wendde zijn blik even van haar af. 'Ik weet niet hoe het is om helemaal alleen achter te blijven en in een weeshuis gestopt te worden. Maar ik kan me voorstellen dat het verschrikkelijk moet zijn. De gedachte dat ik mijn broers moet missen, dat ik mijn ouders nooit meer zal zien...' Hij stokte en huiverde.

Paulien knikte en aarzelde even. 'De dag dat ze ons kwamen halen, vergeet ik nooit,' zei ze ten slotte zacht. 'Moeder was nog maar net begraven toen een man ons meenam. Hij zei niet waar we naartoe gingen en wij waren te verdrietig om het te vragen. Maar toen hij Mattijs van me afnam, toen hij zijn hand uit de mijne losrukte, toen... toen heb ik geschreeuwd en gevochten om hem bij me te kunnen houden. Maar niets hielp. Ze stopten mijn kleine broertje helemaal alleen in een vreemd, donker gebouw met alleen maar vreemde mensen. Ik dacht dat mijn hart al gebroken was nadat ik vader en moeder verloren had, maar nu viel het in duizend stukken uiteen. Alleen het feit dat ik er moest zijn om hem en Nell te helpen, om ons weer zo vlug mogelijk bij elkaar te krijgen, maakte dat ik er niet volledig aan onderdoor ben gegaan. Ik moest me sterk houden. Ik moest voor hen zorgen. Ze hadden niemand anders meer...'

Elias zag dat haar ogen vochtig werden bij die herinnering. Hij drukte meelevend zijn hand op haar arm. 'Het spijt me dat ik je daar weer aan deed denken.'

Ze schudde echter het hoofd. 'Het is een deel van mijn leven geworden. Ik moet alleen nog leren om het achter me te laten, maar dat is moeilijk zo lang Nell en Mattijs nog in het weeshuis zitten. Ik ben er echter zeker van dat ik hen op een dag bij me zal hebben, dat we kunnen genieten van elkaar en een toekomst kunnen opbouwen.'

Hij glimlachte. 'Dat geloof ik best, Paulien. En je weet dat je altijd op me kunt rekenen.'

'Dat is lief van je. O, kijk! We zijn er haast. Ginds zie ik het station al.'

Elias drukte zijn neus tegen het raam en keek dezelfde richting uit. Nog even en dan zou de trein het station binnenrijden.

Elias keek zijn ogen uit. Het station imponeerde hem heel erg. Het revolutionaire glasdak van de spoorwegoverkapping benam hem haast de adem. Het rijke marmer, de vele zuilen, het verguldsel en de vijfenzeventig meter hoge koepel deden hem met open mond om zich heen kijken. Hij kon er haast niet genoeg van krijgen. Maar toen hij nadien met Paulien door de smalle straatjes liep en hij de vele pittoreske oude geveltjes zag, raakte hij al net zo geïntrigeerd. Even verder vielen dan weer de renaissancegebouwen op waar symmetrie, evenwicht en harmonie werden toegepast en gouden ornamenten in de zon schitterden. Hij had nog nooit zo veel prachtige huizen bij elkaar gezien.

Zijn blik werd echter ook constant naar de voertuigen getrokken die hier alomtegenwoordig waren. Hij zag opgekalefaterde, oude legervoertuigen, maar ook een open Bugatti, een paar Volvo's en verschillende Mercedesen, zelfs een Austin. In zijn dorp zag hij er nooit zo veel bij elkaar. Maar hij was ervan overtuigd dat het aantal auto's vlug zou toenemen. Het was zo veel gemakkelijker dan paard en kar en veel vlugger ook. Hij had al langer het gevoel dan hier weleens een grote toekomst in kon zitten. En hij had het niet alleen bij dat gevoel gelaten.

Voertuigen intrigeerden hem enorm. Het was begonnen toen hij een jaar of vier geleden een Duitse Schimmwagen in handen kreeg. Het wrak was stukgeschoten en achtergelaten. Hij had de motor helemaal uitgehaald, hersteld en weer in elkaar gezet en het metaal zo goed als hij kon uitgedeukt en gladgestreken. Spijtig genoeg werd het herstelde voertuig door de Duitsers weer opgeëist. Maar vanaf toen had hij de smaak te pakken. Hij verslond alle informatie die hij over auto's kon vinden, dompelde zich onder in de techniek en werking van motoren en pluisde alles uit wat met auto-onderdelen en carrosserie te maken had.

Na de oorlog kocht hij voor een habbekrats een paar defecte legervoertuigen op. Het lukte hem vrij vlot om deze weer in prima staat te krijgen en hij had ze voor een goede prijs kunnen verkopen. Ook de baron bracht zijn auto naar hem toe wanneer er iets aan haperde. En de dokter, de brouwer met zijn opgelapte legerwagen, en de rentmeester met zijn Jeep. Het nieuws dat hij een handige monteur was, ging vlug rond, maar er waren spijtig genoeg niet zo veel auto's in de dorpen te vinden. Hier in de stad was dat wel even anders.

Maar hij was nu niet naar hier gekomen om zich met auto's bezig te houden. Een beetje schuldbewust richtte hij zijn blik weer op de gebouwen. Hij zag een enorme kathedraal, met spitsbogen, glasramen, baldakijnen en roosvensters, maar ook veel gebouwen die geschonden waren door granaatscherven en kogels. Op de meeste plaatsen was het puin echter al geruimd en waren mensen bezig om hun huizen weer op te bouwen.

Paulien had speciaal een kleine omweg genomen zodat Elias wat van de stad kon zien. Maar nu kwamen ze op een plein dat in schaduw gedompeld was door de machtige kruinen van de platanen die er stonden. Vlak achter het plein, nog deels in de schaduw van de bomen, stond een groot, stenen gebouw van drie verdiepingen waarvan al de ramen voorzien waren van smeedijzeren tralies. Paulien keek even onzeker naar het gebouw en bleef ten slotte aarzelend een paar meter voor de grote ronde, houten toegangspoort staan.

'Is dit het klooster van de zusters Vincentius?' vroeg hij zacht. Ze knikte zonder een woord te zeggen. Hij zag dat ze gespannen was. Maar toen haalde ze diep adem, rechtte ze haar rug en liep met vaste stappen tot vlak voor de zware toegangsdeur. Zonder te aarzelen trok ze aan het bellenkoord. Elias week niet van haar zijde en wachtte nieuwsgierig. Het duurde een hele tijd voordat de deur krakend openging en zuster Magdalena hen vragend aankeek.

'Dag zuster Magdalena,' zei Paulien glimlachend, terwijl ze het bonzen van haar hart probeerde tegen te gaan. 'Ik ben naar hier gekomen om mijn zus Nell te bezoeken.'

De non keek haar even onderzoekend aan. 'Zo, ben jij het, Paulien? Blij om je weer te zien. Al moet ik toegeven dat ik je niet dadelijk had herkend. Je ziet er... anders uit.'

Ze liet hen binnen en ging hen voor naar een kamertje aan haar rechterkant. Er stonden alleen maar een paar stoelen en een kastje met een kruisbeeld erboven. 'Ga hier maar even zitten, dan zal ik moeder-overste waarschuwen.'

'Moeder-overste? Kan ik Nell dan niet dadelijk zien?' Paulien raakte in paniek. Ze was bang dat moeder-overste door haar façade heen zou kijken.

'Geduld is een mooie deugd, Paulien. Je woont hier niet langer en dus kun je hier ook niet meer vrij rondlopen. Bezoekers horen nu eenmaal hier te wachten.' Na deze woorden sloot zuster Magdalena de deur.

Paulien beet zenuwachtig op haar nagels. 'O, als ze er maar niet achter komt dat mijn oom me helemaal geen toestemming heeft gegeven,' jammerde ze zachtjes.

Elias stelde haar echter dadelijk gerust. 'Je kunt het, Paulien. Denk aan Nell en aan Mattijs. Bovendien ben ik er ook nog en ik laat je niet in de steek.'

Ze knikte en keek hem dankbaar aan, maar de zenuwen bleven haar parten spelen terwijl ze door het kleine kamertje ijsbeerde. Ze keek geschrokken op toen de deur geopend werd en moeder-overste binnenkwam. De oude non liet haar blik over Paulien heen gaan, zag de nauwsluitende kleding waarin haar geringe vrouwelijke rondingen geaccentueerd werden en keek haar ten slotte met een misprijzende blik aan. Maar ze wees haar niet terecht. Paulien was nu hier als bezoeker en niet als een van de weesmeisjes. Bovendien zag ze er goed verzorgd en weldoorvoed uit en was notaris Van Hees een van hun weldoeners. Dus moest ze een beetje op haar tellen passen.

'Je ziet er goed uit, Paulien,' liet ze zich dan ook ontvallen. 'Ik ben blij dat je ons een bezoekje komt brengen. Hoe gaat het met je en met je oom en tante?'

Paulien probeerde haar zenuwen de baas te blijven. Ze volgde Elias' raad op en dacht aan Nell en Mattijs. 'Met mij gaat het uitstekend, moeder-overste,' zei ze met een vaste stem die niets van haar innerlijke onrust prijsgaf. 'En ik moest u de groeten doen van mijn oom en tante. Mijn oom hoopt de volgende keer met me mee te kunnen, maar zijn verplichtingen waren nu te veel. Daarom heeft hij Elias met me meegestuurd als chaperon. Hij wou niet dat ik alleen zou gaan, ziet u.'

Elias knikte even met zijn hoofd om haar woorden te beamen, maar hij hield zich onderdanig afzijdig. Moeder-overste glimlachte even goedkeurend. 'Ik ben blij om te horen dat het goed met je gaat, en dat je oom je blijkbaar op handen draagt. Dat doet me goed. Vertel me eens waarmee ik je kan helpen?'

'Ik zou Nell graag met me mee willen nemen voor een picknick, moeder-overste,' zei Paulien zo kordaat mogelijk terwijl ze naar de rieten mand wees die Elias vasthield. Maar het antwoord van moeder-overste was als een koude douche.

'Je zus is gestraft,' zei ze kort. 'Ze mag het weeshuis niet meer uit omdat ze haar broer ging bezoeken zonder dat ze daar toestemming voor kreeg. En naar ik vernomen heb, was jij geen haar beter!'

Paulien hernam zich echter vlug. Ze moest moeder-overste proberen te overtuigen, want anders was haar reis naar hier voor niets geweest. Ze haalde diep adem en stak haar kin strijdlustig in de hoogte. 'In naam van mijn oom vraag ik u nu die toestemming, moeder-overste. Ik denk dat hij het niet zo prettig zal vinden als ik hem moet vertellen dat ik onverrichter zake terug ben gekomen.'

Moeder-overste liep een beetje rood aan. Ze zat in tweestrijd. Aan de ene kant wou ze haar gezag laten gelden, maar aan de andere kant wou ze haar weldoener niet tegenwerken. En zo te zien had Paulien daar wel wat in de melk te brokkelen. Ze moest dus op haar tellen passen.

'Goed,' capituleerde ze ten slotte. 'Ik zal het voor deze keer door de vingers zien. Ze heeft haar straf er trouwens zo goed als op zitten. Maar breng haar duidelijk aan haar verstand dat we hier zulk ongehoord gedrag niet dulden, Paulien!'

Paulien knikte opgelucht. 'Dank u, moeder-overste.'

De oude non keek even naar het opgeheven hoofd van de jonge vrouw. Wat ze zag beviel haar niet. Paulien was een vrouw van de wereld geworden, een verdorven vrouw, ondergedompeld in de zonden van het lichamelijke. Maar wat had ze anders verwacht? Paulien was altijd al een moeilijke meid geweest en haar zus was al precies hetzelfde. Zonder nog één woord te zeggen draaide ze zich om en verliet ze het vertrek.

Het duurde nog meer dan een halfuur voordat de deur weer geopend werd en Nell met een bange blik naar binnen keek. Maar zodra ze Paulien herkende, slaakte ze een verheugde kreet en stortte ze zich in de armen van haar zus.

'O, Paulien, ben jij het echt?' lachte ze door haar vreugdetranen heen. 'Ik had je haast niet herkend.'

Paulien drukte haar zusje nog eens goed tegen zich aan. 'Ja, Nell, ik ben het en ik ben zo blij om je te zien.'

Een stem onderbrak hun gesprek. 'Moeder-overste wil dat Nell terug is voor de avondmis. Ik hoop dat je dat zult respecteren, Paulien.' Zuster Magdalena stond in de deuropening toen ze dat zei. 'Willen jullie me volgen, dan breng ik jullie naar de uitgang.' Nell en Paulien keken elkaar glimlachend aan. Ze hadden een hele namiddag. Een hele namiddag om ongestoord met elkaar te praten, nieuwtjes uit te wisselen en elkaar te knuffelen. Dat leek een eeuwigheid geleden. Ze stak haar arm door die van haar zus en ze volgden zuster Magdalena dan ook snel. Toen Elias hen volgde, keek Nell hem met een wantrouwende blik aan. 'Wie is dat?' fluisterde ze in Pauliens oor.

'Dat,' glimlachte Paulien, 'is Elias.'

Nell keek hem over haar schouder met grote ogen aan. 'Ik wist niet dat hij zo jong en zo knap was,' fluisterde ze weer. 'Dat heb je in je brieven niet vermeld.'

'Je hoefde ook niet alles te weten, wijsneus. En laten we nu maar stil zijn. Straks moeten we nog hier blijven omdat we de stilte verbroken hebben.'

Met een gelukkige gloed van blijdschap en verwachting op hun gezicht liepen ze stil achter zuster Magdalena door de kloostergangen. Maar eenmaal buiten de poort kon Nell haast niet wachten tot de zuster de poort weer gesloten had.

'O, Paulien, dit is de heerlijkste dag van mijn leven,' riep ze uit.

'En die van mij,' zei Paulien in alle eerlijkheid. 'Hier heb ik al zo lang op gewacht, Nell. Maar waar zijn mijn manieren? Ik zal je even voorstellen aan Elias. Hij was zo goed om mij te vergezellen.'

Elias knikte bij wijze van groet. 'Dag Nell. Ik ben blij dat ik je eindelijk leer kennen. Paulien heeft al zo veel over jou verteld dat ik me je haast kon voorstellen zonder je gezien te hebben.'

Nell glimlachte. 'Dat is voor mij hetzelfde, Elias.' Ze wou hem een hand geven, maar sloeg bij nader inzien haar armen om zijn hals en drukte een klinkende zoen op zijn wang.

Paulien kon haast niet wachten om verder te gaan. 'Het is nog een heel eind naar het jongensweeshuis. Laten we ons haasten, zo veel te vlugger zijn we bij elkaar.'

Dat liet Nell zich geen twee keer zeggen en al vlug liepen ze weer door smalle straatjes en steegjes.

'Is het erg ver?' vroeg Elias.

Paulien schudde het hoofd. 'Gelukkig niet, anders hadden we Mattijs nooit kunnen bezoeken. Maar we konden hem alleen maar door het getralied hek zien en aanraken. Als we hem officieel gingen bezoeken, zou moeder-overste het al vlug te weten zijn gekomen. Jongens en meisjes worden immers strikt gescheiden gehouden en de broeders zien liever niet dat jonge vrouwen of meisjes naar hen toe komen. Dat zou alleen maar lust en zondige gedachten met zich kunnen meebrengen. Het heeft dan ook een poos geduurd voordat we een oplossing vonden om Mattijs te kunnen zien zonder dat iemand van hen het te weten kwam.' 'Hoe dan?' vroeg Elias zich hardop af.

'Door zogezegd de graven van onze ouders te bezoeken. In plaats daarvan liepen we vlug naar het jongensweeshuis,' kwam Nell ertussen. 'Op een dag stonden we weer door het hek te kijken in de hoop om Mattijs te zien, toen een van de weesjongens ons vroeg wat we daar stonden te doen. We waren dadelijk op onze hoede, want de zusters hadden ons bang gemaakt voor het zondige gedrag van jongens. Maar Paulien drukte haar angst weg en ze zei hem dat we onze broer zochten en dat we hem graag wilden zien. De jongen leek even te aarzelen. Hij was groot en mager, met een hoekig gezicht, blond haar en waakzame, blauwe ogen. 'Wacht hier,' zei hij en even later kwam hij met Mattijs naar het hek. O, we waren zo blij om hem te zien. De jongen, waarvan we ondertussen weten dat hij Nelis heet, wilde zich wel wat om Mattijs bekommeren als we hem af en toe wat geld konden toestoppen. Maar dat konden we natuurlijk niet. Hij ging echter ook akkoord met wat eten dat we uit onze eigen monden konden sparen. Dus brachten we dat beetje elke zondag naar hem toe. Zo waren we ervan overtuigd dat ons broertje toch niet helemaal alleen in het leven stond. Maar de laatste maanden heeft hij niemand van ons gezien en konden we Nelis ook niets te eten aanbieden. O, ik hoop zo dat het goed met hem gaat.'

Het was blijkbaar gemakkelijker om de paters en broeders te overtuigen dan de nonnen van het meisjesweeshuis. Het duurde dan ook niet lang voordat ze weer buiten stonden en dat Paulien en Nell hun broertje tegen zich aan konden drukken. De jongen wou Paulien niet meer loslaten omdat hij bang was dat het slechts een droom zou zijn. Nu hij eindelijk haar armen weer eens om zich heen kon voelen, wou hij dat gevoel voor altijd vasthouden. Hij had het zo erg gemist.

Mattijs had gevraagd of Nelis met hen mee mocht gaan en ook dat bleek geen probleem. De lange, slungelige jongen keek nu met een onwennige grijns naar het verstrengelde trio van zussen en broer, maar toen Elias zijn arm om zijn schouder sloeg en zich voorstelde, was het ijs vlug gebroken en voelde Nelis zich al net zo uitgelaten als de rest.

Met zijn vijven zochten ze een rustig plaatsje in een dichtbij gelegen park. Op een schaduwrijk plekje aan de rand van een vijver spreidde Paulien de deken uit. Het was een warme, zonnige late septemberdag. Het leek wel alsof de Heer het speciaal voor hen zo zonnig had gemaakt. Nell had blosjes op haar wangen – van de warmte? Of was het van geluk? – terwijl ze de laatste kruimels aan de eenden voerde. De drie jongens renden over het grasperk achter elkaar aan. Ze hoorde Mattijs hardop lachen. Het leek wel alsof hij zijn geluk niet op kon. Paulien zat stil op de deken en nam elk gebaar, elk geluid van Mattijs en van Nell in zich op. Zo zou het altijd moeten zijn, ging het door haar heen. Het besef dat ze hen weldra weer moest achterlaten in een kille, onpersoonlijke omgeving drukte zwaar op haar. Maar het maakte haar ook sterker in de overtuiging dat ze hen zo vlug mogelijk daaruit moest halen. Ze duwde deze zware gedachte echter vlug naar de achtergrond. Ze waren eindelijk bij elkaar en ze was vastbesloten om tot op het laatste moment van dit samenzijn te genieten. Glimlachend stond ze op. Ze ging naar Nell toe en sloeg liefdevol een arm om haar schouder.

Nell keek naar haar op. 'Wat een heerlijke dag, Paulien,' glunderde ze. 'Als we dit elke week kunnen doen, dan zou ik het niet eens erg vinden om nog wat langer in het weeshuis te blijven. Dan heb ik altijd iets om naar uit te kijken.'

'Misschien niet elke week, Nell. Maar ik beloof je dat we dit vanaf nu zo veel mogelijk gaan doen. Net zo lang tot we voorgoed bij elkaar kunnen zijn.'

De jongens kwamen naar hen toe gelopen. Mattijs verstopte zich lachend achter Paulien, weg uit de plagende handen van Elias. Ze sloeg haar andere arm om hem heen. Met haar armen om haar zus en broer heen geslagen bleef Paulien even genietend staan. Elias zag dat haar ogen straalden. Hij en Nelis bleven op een afstand staan, geroerd door deze aanblik en zich ervan bewust dat ze dit tafereel niet mochten verstoren. Maar al vlug doorbrak Paulien zelf deze betovering. 'Wie het laatst bij die boom is, is een ezel!' schreeuwde ze plots terwijl ze lachend vooruit stormde. Een gillende bende holde haar uitgelaten achterna.

HOOFDSTUK 6

Langzaam maar zeker begon Paulien haar leven een plaats te geven bij de mensen bij wie ze woonde. Ze kreeg eindelijk ook wat meer vrouwelijke rondingen. Het goede eten en het minder zware werk deden haar lange, graatmagere lichaam ronder worden op die plaatsen die rond hoorden te zijn. Het maakte haar schoonheid alleen maar groter. Maar dat merkte ze zelf niet eens op. Ze had trouwens geen tijd om veel aan zichzelf te denken. Sinds ze een oude jurk vermaakt had voor Nina en Berthe, Gertrudes dochters, waren de bestellingen aan de lopende band binnengekomen. Elke jonge vrouw droomde immers van een modieus uiterlijk, ook al hadden ze het geld niet. Maar een paar oude jurken of wat oude gordijnstoffen hadden ze meestal wel.

Paulien deed haar best om er mooie creaties van te maken. Ze deed dit stiekem op haar zolderkamer omdat ze wist dat het Claudia nijdig zou maken als ze te weten zou komen dat zij kledingstukken vermaakte voor – in Claudia's ogen – bedienden. Tot nu toe was Claudia echter nog nooit naar Pauliens kamer gekomen. Zelfs niet om haar eigen jurken te passen.

Het weinige geld dat Paulien hiermee verdiende was meer dan welkom. Van haar eerste verdiensten had ze een aftandse naaimachine gekocht. Elias had hem helemaal nagekeken en hersteld, zodat hij weer prima werkte. Daarna had hij de naaimachine naar haar zolderkamer gebracht. Claudia zocht hier niets achter. Ze had immers zelf altijd wel een rok, jurk of bloes nodig. Ze was ervan overtuigd dat Paulien alleen voor haar werkte en speciaal voor haar een naaimachine had aangeschaft.

Toen het winter werd en de koude haar deed verlangen naar een warme jas, kwam Paulien op het idee om een modieuze jas te maken van de stugge soldatendekens, waarvan er een hele stapel ongebruikt in haar kast lag. Bij gebrek aan andere stoffen konden deze net zo goed gebruikt worden. Ze had even Claudia gepolst en haar een van de dekens laten zien.

'Die vervelend prikkende dekens? Nou, voor mijn part mag je ze allemaal hebben,' had ze geantwoord. 'Ik vraag me trouwens af of je daarmee nog iets zinnigs kunt doen. Ik zie mezelf in ieder geval niet met een deken rond mijn lijf lopen.'

'Ik zal het voor alle zekerheid even aan je moeder vragen,' had Paulien daarop gezegd.

'Nou, jij je zin. Maar mama weet niet eens dat ze er liggen. Je weet toch dat ze de zitkamer haast niet uit komt.'

En Claudia had gelijk. 'Dekens? Wat voor dekens?' had haar tante gevraagd. Maar Paulien was zo verstandig geweest om er eentje mee te nemen zodat haar tante kon zien welke dekens ze bedoelde. 'O, die. Ze zijn van paardenhaar gemaakt en dat maakt ze stug en prikkend, maar het gaf in ieder geval een beetje warmte aan de soldaten. Na de oorlog had je ze maar voor het oprapen bij wijze van spreken. Geen enkele soldaat nam ze graag mee. Ze wegen loodzwaar en echt praktisch zijn ze ook niet. Ik denk dat je oom ze heeft meegebracht van het decanaat omdat de pastoor er niet vanaf raakte. Niemand wil ze hebben,' had ze gemompeld terwijl ze met een afkeurende blik ernaar keek. 'En daar wil je dan een jas voor jezelf van maken? Nou, voor mijn part mag je ze gerust hebben. Maar ik vrees dat de stof niet erg aangenaam is om te dragen.'

'Ik kan er voering in zetten, tante. Van de oude vitrage die ik op de zolder gevonden heb.'

'Je doet maar. Zolang je er mij maar niet mee lastig valt. Mijn hoofdpijn is zo al erg genoeg.'

Paulien was in de wolken en ze begon er dadelijk aan. Omdat ze de grauwe kleur van de dekens niet mooi vond, bestelde ze bij de kruidenier een rode kleurstof waarmee ze de stugge stof en de oude vitrage een mooi gekleurde tint gaf. Klaprozenrood, de kleur van haar lievelingsbloemen. Na een paar dagen had ze hiervan een prachtige jas gemaakt. Zodra Claudia het kledingstuk zag, kon ze niet geloven dat dit gemaakt was van een oude deken. Prompt stond ze erop dat Paulien voor haar ook een jas maakte, maar dan van een andere kleur en een ander model. En daar bleef het niet bij. Gertrude, Gertrudes kinderen, Elias' moeder, buren, kennissen... haast iedereen wilde wel een warme jas en haast iedereen had wel een oude, stugge deken die ze daarvoor kon gebruiken.

De bestellingen waren nu zo veel dat Paulien het nog onmogelijk alleen afkon. Ze kocht nog een naaimachine en liet hem bij Gertrude thuis afleveren. Berthe, Gertrudes jongste dochter, was bereid om haar – voor een kleine vergoeding – te helpen. Het bleek al vlug dat de jonge vrouw een aanwinst was. Ze was handig met de naaimachine en had in korte tijd een goed inzicht in de lappen stof die Paulien haast elke dag naar haar toe bracht. Meestal was dat kort na de middag, wanneer Claudia op haar kamer rustte, haar tante in de verduisterde zitkamer zich in zelfmedelijden zat te wentelen en haar oom zich had opgesloten in zijn kantoor.

Pauliens inkomsten waren niet erg hoog, omdat de meeste mensen waarvoor ze werkte amper voldoende geld hadden om het hoofd boven water te houden. Maar ook de gegoede bourgeoisie was opmerkzaam. Ze zagen Claudia maar al te vaak pronken in prachtige creaties. Ze wilden natuurlijk weten wie die jurken voor haar gemaakt had. Claudia vond het fijn dat ze haar hiervoor op de koffie vroegen. Natuurlijk liet ze hun weten dat ze haar naaister ook voor hen wilde laten werken. Kwestie van een goede verstandhouding, nietwaar?

Deze bestellingen brachten wel veel geld op. Maar het was Claudia die het inde en er slechts een deel van uitbetaalde aan Paulien. Paulien kreeg dus méér dan haar handen vol, ze had amper nog tijd voor zichzelf, maar het maakte ook dat Claudia haar niet langer kon opeisen. Ze kon niet én de hele dag werken én zich tegelijk met Claudia bezighouden. Maar sinds het moment dat ook de barones haar op de koffie gevraagd had en een jurk had besteld, had Claudia daar niets meer tegen ingebracht. Nu ze eindelijk de volle aandacht van deze vrouw had, leek het wel alsof ze zonder Paulien verder kon. Claudia hoopte vurig dat ze David de Tranoy zou treffen op het kasteel. Als hij eenmaal haar schoonheid zou opmerken, dan was de rest kinderspel.

Paulien zorgde echter geregeld voor een vrije dag. Daar week ze niet van af. Dan trok ze naar Antwerpen waar ze een namiddag samen met haar broer en zus doorbracht. Ze nam extra voedsel en kleding mee en ze zorgde er vooral voor dat ze voldoende liefde en genegenheid gaf zodat ze weer voor even zonder haar verder konden. Meestal ging Elias met haar mee als chaperon. Paulien en Elias leerden elkaar op deze manier goed kennen. Ze groeiden naar elkaar toe zonder dat hun gevoelens dieper gingen dan een hechte vriendschap. Elias vond haar nog zo jong en dacht er niet eens aan om haar het hof te maken, ook al had hij een diepe sympathie voor haar. En Paulien had geen tijd om zich in een relatie te verdiepen. Het werk slorpte haar op. Ze was ge-dreven tot het uiterste om toch maar zo vlug mogelijk haar broer en zus uit het weeshuis te krijgen. Ze stond er helemaal niet bij stil. Ze was blij dat Elias er was, dat ze op hem kon rekenen. Ze vertrouwde hem en vond hem een dierbare vriend. Maar verder ging het niet.

HOOFDSTUK 7

Op een zonnige, vroege lentedag van het jaar daarop kwam Gertrude Pauliens kamer binnen. De vloer van de kleine ruimte lag zo goed als vol met lappen stof en de naaimachine vulde de rest op. Paulien keek op toen Gertrude binnenkwam.
'Claudia wil dat je naar haar toe gaat, Paulien,' zei Gertrude terwijl ze haar ogen naar boven draaide. 'Waarom kan dat wicht nu zelf niet hier komen? Maar nee, hoor! Daar is ze veel te netjes voor opgevoed. Dat is in haar ogen het werk van een oude dienstbode die zichzelf twee trappen omhoog moet hijsen. Nou, bij dezen heb ik het je gezegd. Hare majesteit wacht op je in haar slaapkamer.'
Paulien lachte. 'Nou, dan zal ik eerst maar naar haar toe gaan.'
Ze was blij dat de verstandhouding met Gertrude alleen maar beter en dieper was geworden. Grinnikend verlieten ze allebei de zolderkamer. Gertrude daalde verder de trappen af, terwijl Paulien naar Claudia's kamer ging. Ze klopte even en ging binnen. Claudia zat voor haar commode haar haren te borstelen toen ze Paulien zag binnenkomen. Ze trok een verongelijkt gezicht. 'Ik weet wel dat je moet werken,' klaagde ze, 'maar wanneer maak je nog eens wat tijd voor me?'
Enigszins schuldbewust nam Paulien de borstel over en ze begon met rustige halen over Claudia's glanzende, blonde haar te gaan. Ze wist uit ondervinding dat ze dit apprecieerde. Het kalmeerde haar en bracht haar tot rust.
'Kleding maken vergt nu eenmaal veel tijd,' zei ze in de spiegel. 'En we kunnen mevrouw de hoofdonderwijzer en mevrouw de barones toch niet al te lang laten wachten? Ze zeuren nu al de oren van je hoofd omdat het volgens hen te lang duurt voordat het klaar is.' Ze was niet bang dat Claudia haar het naaien zou verbieden. Daarvoor was ze te veel verknocht aan het feit dat ze nu nog meer werd geaccepteerd door de elite van het dorp. In tegenstelling tot vroeger werd ze meer en meer op de koffie gevraagd en regelmatig kwamen dames van stand bij hen op bezoek, zogezegd om Roberta te bezoeken die door haar ziekte niet dikwijls mee kon gaan.
Het feit dat haar moeder dan niets anders deed dan klagen, werkte op Claudia's zenuwen, maar ze kon altijd vrij vlug het

gesprek ombuigen naar de laatste mode. Soms kwam Gertrude Paulien roepen en moest ze zich aan de dame in kwestie voorstellen, maar erg van harte ging dat niet. Paulien vond dat overdreven hautaine maar niets en de koffiekransjes, waar ze af en toe ook ontboden werd, kon ze best missen. Veel zinnigs werd er toch niet gezegd, dus liet ze die taak graag over aan Claudia die dat maar al te graag deed. Maar dat betekende dan ook dat ze elkaar bijna niet meer te zien kregen. En dat was niet helemaal naar Claudia's zin.

Claudia zuchtte diep. 'Kun jij 's avonds dan niet werken, Paulien?'

Paulien keek haar nichtje even stilzwijgend aan. Ze werkte al haast dag en nacht! Maar ze begreep ook wel dat ze Claudia op deze manier tekortdeed.

'Je hebt gelijk. Ik zie je veel te weinig.' Ze keek even naar Claudia's spiegelbeeld. 'Maar het kan nu eenmaal niet anders. Ik kan alleen wat meer tijd voor je maken als iemand anders de kleren maakt.'

Claudia keek verrast op. 'Dat is het, Paulien!' riep ze uit. 'Neem iemand aan. Er zijn genoeg jonge meisjes die wat willen verdienen.'

'Dat zou inderdaad een oplossing zijn, maar ik kan spijtig genoeg geen extra hulp betalen.' Paulien loog niet. Het geld dat ze Berthe betaalde kon ze amper missen. Met nog een hulp erbij zou ze zo goed als niets overhouden.

'Nou, maar misschien kan ik je wel helpen,' zei Claudia na even nagedacht te hebben. Met wat hulp zou Paulien de bestellingen vlugger klaar hebben en zou ze op die manier vooral mevrouw de barones gunstiger stemmen. En het was vooral de laatste die ze zo graag naar haar hand wou zetten. Nou, niet bepaald de barones zelf, maar haar zoon David de Tranoy. Ze was al een paar keer op het kasteel uitgenodigd om over de handige handen van Paulien te praten. En wanneer Paulien de maat ging nemen en de jurk nadien gepast moest worden, was ze telkens meegegaan. Maar niet één keer had ze David ontmoet en dat viel haar tegen. Ze hoopte dat de barones nog veel kleding zou bestellen en dat ze hem dan wel zou zien. Claudia maakte vlug een berekening. Als ze Paulien betaalde en de kosten voor de hulp er aftrok, dan hield ze nog altijd voldoende over. En bovendien was haar vader

74

er nog als ze toch tekort mocht komen. 'Ik ben bereid om een hulp te betalen,' vervolgde ze, 'maar dan verwacht ik wel dat je wat meer tijd voor me vrijmaakt.'

Paulien sloeg dankbaar haar armen om Claudia heen. 'O, wat aardig van je. Jij bent zo lief voor me. Wat had ik moeten doen als jij er niet voor me was geweest. Ik kan je niet dankbaar genoeg zijn.'

Claudia glunderde. 'Nou, als je dat maar weet, Paulien. Heb je al iemand op het oog die je zou kunnen helpen?'

Paulien knikte. 'Ik denk het wel. Sarah van de smid is heel handig met naald en draad. Maar ze is getrouwd en heeft twee kleine kinderen. Ik weet niet of zij tijd zal kunnen vrijmaken om me te helpen.'

'Nou, zeg maar dat ze moet. Maar laten we het nu over iets anders hebben. Het weer is prachtig en het is al lang geleden dat we door het dorp geflaneerd hebben. Laten we een wandeling gaan maken. Misschien komen we David de Tranoy tegen of Alberik en Edward.' Ze keek Paulien even peinzend aan. 'Alberik is beslist iets voor jou. De laatste tijd draait hij altijd om je heen. Ik heb gemerkt dat hij zijn ogen moeilijk van je af kan houden. Als je het goed aanpakt, kun je hem dolverliefd op je maken. Maar je moet je troeven goed uitspelen. Je moet naar hem lonken, en je lichaam gebruiken om hem te betoveren. Als je met Alberik trouwt, dan zit je gebeiteld en kun jij je broer en zus laten overkomen.'

Paulien besefte maar al te goed dat haar een oplossing werd aangeboden. Maar Alberik was nu niet bepaald haar type. Nu ze hem steeds beter had leren kennen, voelde ze eerder walging voor hem. Hij was hautain en had een sterke neiging om zijn eigen zin door te drijven en met niemand anders rekening te houden. Ze schudde dan ook haar hoofd. 'Ik heb nu geen tijd om mijn energie in hem te stoppen. Bovendien ben ik nog niet aan een relatie toe.'

Claudia keek haar verbaasd aan. 'Hoe kun je nu een keuze maken als je niet naar mannen omkijkt?' vroeg ze serieus. 'Maar aan de andere kant geef ik je gelijk. Hier in het dorp valt niet veel te beleven. Alberik en Edward zijn de enigen die voldoende geld bezitten om me een fatsoenlijk leven te bieden. Buiten David dan.' Ze zuchtte diep. 'Ik zou met Edward kunnen trouwen. Hij helpt op dit ogenblik de oude dokter Cambré, om ervaring op te doen. Volgens zijn zeggen zal dokter Cambré binnen enkele jaren met pensioen gaan zodat Edward zijn plaats kan innemen. Hij zal me dus ongetwijfeld alles kunnen geven wat ik verlang. Maar David de Tranoy is nog rijker. En hij ziet er ook stukken beter uit.' Ze zuchtte diep. 'Ik wou dat ik hem kon ontmoeten. Ik weet zeker dat ik hem kan bekoren als hij me eenmaal heeft leren kennen.'

Paulien keek bedenkelijk. 'Hou je van hem?'

Claudia wierp haar gouden lokken over haar schouder. 'Hoe kan ik dat weten als ik hem nog nooit ontmoet heb? Ik heb hem nog maar een paar keer uit de verte gezien. Maar liefde heeft hier niets mee te maken. Het feit dat papa geld heeft, maakt dat ik een goede partij voor hem ben. De rest komt wel als ik hem eenmaal in mijn macht heb. Bovendien kan hij me hier weghalen. Weg uit dit doodsaaie dorp. Weg van de verveling.'

'En Edward dan? Je zei net nog dat je wel met hem zou kunnen trouwen?'

Claudia wuifde haar woorden weg. 'Ach, Edward. Nou ja, hij is geen slechte partij. Maar als ik de keuze heb tussen die twee, dan is deze vlug gemaakt. David is nog rijker en kan me zo veel méér bieden. Kun jij je mij voorstellen als barones?' Ze giechelde. 'O, als dat eens waar kon zijn. Daar kan Edward niet tegenop, zie je. Als het me eenmaal lukt om Davids aandacht te trekken, dan kunnen de twee broers om jou ruzie maken en dan hoef je alleen maar te kiezen.'

Paulien zweeg, maar geen haar op haar hoofd dacht eraan om met een van die twee te trouwen. Ze wilde gelukkig zijn, liefde geven, liefde voelen en liefde krijgen. Als ze niemand vond die daaraan kon voldoen, dan bleef ze liever alleen.

Een lichte klop op de deur deed de jonge vrouwen opkijken.

De deur werd geopend en Gertrude verscheen in de deuropening. 'Mevrouw de notaris verwacht jullie beiden in de zitkamer,' zei ze beleefd. Daarna draaide ze zich om en verdween.

Claudia keek Paulien verveeld aan. 'Wat heeft mama nu weer nodig?' vroeg ze zich bits af. 'Denkt ze nu heus dat wij niets anders te doen hebben dan haar gezelschap te houden en naar haar waandenkbeelden te luisteren?'

'Nou, zo dikwijls vraagt ze ons beiden niet bij haar, Claudia. Ik denk niet dat ze onze hulp nodig heeft, want dan zou Gertrude ons dat wel verteld hebben. Het is misschien wenselijk dat we even gaan kijken.'

Het was niet helemaal naar Claudia's zin, maar even later gingen ze beiden naar de zitkamer waar ze Roberta in een gemakkelijk fauteuil aantroffen. In tegenstelling tot andere dagen leken haar roodomrande ogen helderder en het viel Paulien dadelijk op dat ze een lichte blos van opwinding op haar wangen had. Op haar schoot lag een envelop waarop ze haar handen had gelegd. 'Ga zitten, meisjes,' zei ze geheimzinnig. 'Ik heb jullie een heuglijke mededeling te doen.' Ze wachtte even tot de jonge vrouwen voor haar plaatsnamen en nam toen de envelop op van haar schoot. 'Deze brief heb ik daarnet ontvangen. Hij komt van het kasteel en hij bevat een uitnodiging.'

Claudia slaakte een gil, ze griste de envelop uit haar moeders handen, trok het vel papier er uit en begon te lezen. Haar handen beefden toen ze klaar was. 'O, hemelse goedheid! Ik ben uitgenodigd op het verjaardagsbal van David de Tranoy,' schreeuwde ze buiten zinnen. 'Ter ere van zijn achtentwintigste verjaardag! En het feest is hier op het kasteel! O, mama, dit is de heerlijkste dag van mijn leven.' Claudia danste met de brief in haar handen door de kamer. Nu zou ze eindelijk 'haar' David ontmoeten en ze zou ervoor zorgen dat hij niet om haar heen kon.

Paulien keek glimlachend naar de rondwervelende Claudia. Ze vond het fijn voor haar nichtje. Op deze kans had ze al zo lang gewacht. Maar een lichte druk van Roberta's hand op haar knie deed haar weer naar haar tante kijken. 'Die uitnodiging geldt ook voor jou, Paulien. Er staat uitdrukkelijk vermeld dat jullie beiden uitgenodigd zijn.'

Deze woorden brachten Paulien wat in de war. 'Ik... ik weet niet hoe ik me moet gedragen op zo'n feest, tante. Misschien is dat toch niet zo'n goed idee.'

'Nonsens, kind. Je kunt deze uitnodiging trouwens niet weigeren. Dat zou van weinig respect getuigen. Maar ik weet zeker dat je het goed zult doen. Als je twijfelt aan jezelf, dan hou jij je maar een beetje op de achtergrond zodat je niet te erg opvalt.'

Het was een warme, vroege avond in juni, toen Claudia en Paulien samen met Korneel en Roberta naar het verjaardagsfeest gingen dat in de balzaal van het kasteel van baron en barones

De Tranoy gehouden werd. Deze gelegenheid kon Korneel natuurlijk niet voorbij laten gaan zonder van de uitnodiging te profiteren. Zo dikwijls werden ze nu ook niet op het kasteel uitgenodigd, ook al kende hij baron De Tranoy heel goed. Hij was nu eenmaal burgemeester van het dorp.

Hij keek vol trots naar zijn dochter, die net de trappen van het bordes op ging. Ze droeg een prachtige, hemelsblauwe jurk met een nauwsluitend lijfje, een wespentaille en een luchtig uitwaaierende rok. Ze had haar haar opgestoken en versierd met blauwe lintjes. Haar ogen schitterden. Door de opwinding had ze lichte blosjes op haar wangen en haar volle lippen glimlachten warm. Hij voelde zijn borst zwellen van trots. Hij was ervan overtuigd dat niemand om haar heen kon.

Hij was ervan op de hoogte dat Alberik en Edward naar haar hand dongen. Dat had de hoofdonderwijzer hem al een tijd geleden laten weten. En als zijn oogappel wenste om een van hen te trouwen, dan kon hij daar genoegen mee nemen. Ze waren een goede partij.

Van uit zijn ooghoeken keek hij naar Roberta die als een spichtige muis naast hem liep. Ze was gekleed in een donkergrijze rok en een witte bloes, die haar vormeloze lichaam omhulde. Ze had haar haren ook opgestoken, maar het hing dof en futloos om haar bleke gezicht. Hij had gehoopt dat ze zich zou laten verontschuldigen omwille van haar ziekte, maar tot zijn spijt wilde ze deze festiviteiten onder geen beding missen. Nu was hij genoodzaakt om in haar buurt te blijven en de schijn van een goed huwelijk op te houden. Dat zou hem belemmeren in zijn doen en laten. Zeker nu hij ervan overtuigd was dat er heel wat prominente heren aanwezig zouden zijn waarmee hij een zakelijk gesprek kon aangaan.

Zijn ogen hadden een blik van afkeer. Hij hield niet van haar. Hij had nooit van haar gehouden. Maar ze kwam uit een welgestelde familie en bracht heel wat kapitaal en aanzien met zich mee. Dat maakte in het begin veel goed, zeker toen Claudia werd geboren. Maar algauw daarna begon ze ziek te worden. Haar zwakte maakte dat ze zijn aanwezigheid niet meer kon verdragen, zodat ze meer en meer van elkaar vervreemdden. Nu deed zij hem niets meer. Maar ze was en bleef zijn vrouw en de moeder van zijn oogappel.

Hij zuchtte onhoorbaar en richtte zijn blik nu op Paulien die naast zijn dochter de dubbele deur van het kasteel door ging. Hij realiseerde zich dat ze niet langer het spichtige kind was dat hij uit het weeshuis had gehaald. Ze was uitgegroeid tot een jonge, knappe vrouw. O, ze kon niet aan zijn dochter tippen. Dat kon niemand. Maar ze zag er fraai uit met dat mantelpakje en dat donkere, opgestoken haar. Misschien moest hij zich toch maar eens wat meer met haar bezighouden.

Paulien was zich helemaal niet bewust dat haar oom haar taxeerde. Met een bang hart en loodzware benen volgde ze Claudia naar de balzaal. Ze had wekenlang gewerkt tot haar vingers haast openlagen. Gelukkig was Sarah bereid om haar te helpen en bleek ze een goede hulp te zijn. Maar nu Claudia en Roberta allebei iéts nieuws wilden hebben voor op het feest, kwamen deze kledingstukken er nog eens bovenop. Paulien had helemaal geen tijd gehad om iets voor zichzelf te maken. Bovendien was Claudia lang niet meer zo vrijgevig wat betreft kledingstukken. Nu ze wist dat Paulien ze tot pareltjes kon vermaken, hield zij ze liever voor zichzelf. Daarom had ze het donkere mantelpakje maar aangetrokken dat ze al zo veel keer had aangehad als ze naar Antwerpen reisde. Ze realiseerde zich maar al te goed dat het niet zo feestelijk stond, maar ze was vastbesloten om zich op de achtergrond te houden. Dus wat gaf het dan?

David de Tranoy keek verveeld naar de binnenkomende mensen, maar glimlachte beleefd terwijl hij handen schudde en de felicitaties in ontvangst nam.

Tijdens een rustig moment boog hij zijn hoofd in de richting van zijn vriend die links van hem stond. 'Heb je voor het nodige gezorgd, Reinier?'

Reinier knikte. 'Ik heb Hendrik de opdracht gegeven. Ik kon niet weg zonder dat het op zou vallen en bovendien heeft hij daar meer verstand van dan ik. Hij heeft me gisteren laten weten dat alles in orde is. Hij zou het meisje in kwestie naar hier laten komen.'

'Waar is hij? Ik had wel graag gezien dat hij al hier was. Hoe kan ik nu weten hoe dat meisje eruitziet?

Reinier haalde lichtjes zijn schouders op. 'Hij zal wat vertraging hebben. Maar ik weet zeker dat hij dadelijk komt opdagen. Hendrik laat immers geen enkel feest aan zijn neus voorbijgaan, dat weet je toch?'

David grinnikte en knikte. Zijn vriend had gelijk. Hij haalde opgelucht adem nu hij wist dat alles geregeld was. Dit feest was namelijk helemaal niet naar zijn zin. Het was zijn moeder die erop had gestaan om een verjaardagsbal te geven. Ze vond dat het hoog tijd werd om zijn losbandige leven los te laten en om een vrouw te zoeken waarmee hij een respectabel leven kon opbouwen. Hij had echter helemaal geen zin om zijn vrije leven op te geven. Hij had geen behoefte aan een vrouw. Tenminste, niet voor lange tijd. Daarom had hij zelf voor een oplossing gezorgd en Reinier gevraagd om iemand uit te nodigen die hem daarbij kon helpen. Ze moest wel een beetje deftig zijn en het was wenselijk dat ze mooi was en een beetje kon dansen. Maar de rest was niet zo belangrijk. Hij zou de hele avond alleen met haar dansen, zodat het leek alsof hij eindelijk de ware had gevonden. Dan zouden de andere meisjes al vlug beseffen dat ze hun pijlen ergens anders op moesten richten en lieten ze hem met rust.

Hij begreep ook wel dat hij zijn moeder nadien zou moeten uitleggen waar dat meisje gebleven was, maar liefde kan nu eenmaal snel voorbijgaan. Daar maakte hij zich echter nu nog geen zorgen over. Nu moest hij zich concentreren op de binnenkomende giechelende meiden en hun ouders. Hij glimlachte beleefd en schudde handen. Toen Claudia voor hem stond en hem frank en vrij met een dwepende blik aankeek, fronste hij verbaasd zijn wenkbrauwen. Zijn moeder, die rechts van hem stond, zag het. Ze boog haar hoofd even naar hem toe en fluisterde: 'Dat is Claudia, de dochter van de notaris uit het dorp. Ze heeft al een paar keer naar je gevraagd. Een mooi meisje, nietwaar?' Ze keek hem even hoopvol aan.

David knikte terwijl hij Claudia nakeek en Paulien profiteerde hiervan door hem vlug de hand te drukken. Ze is inderdaad mooi, ging het door hem heen. Haar blik was ontwapenend en dat fascineerde hem wel. Maar hij moest oppassen. Dit soort vrouwen was als piranha's. Ze schrokten je op met huid en haar. Hij wendde zijn blik van haar af en ging verder met zijn plichtplegingen.

Paulien was aan hem voorbijgegaan zonder dat hij haar bewust gezien had. Maar daar gaf ze helemaal niet om. Ze was al blij dat ze het officiële gedeelte achter de rug had. Zodra ze zag dat

Korneel zijn dochter met zich meenam om haar aan enkele heren voor te stellen, en Roberta een stoel opzocht om haar zieke lichaam op neer te laten zakken, kroop ze ergens veilig weg. Dicht bij een pilaar en enkele grote potplanten aan de zijkant van de zaal bleef ze staan. Daar genoot ze in stilte en zo onopvallend mogelijk van de aanblik van prachtige jurken, mooi opgemaakte jonge vrouwen, kunstige kapsels, gedistingeerde oudere dames en stijlvol geklede heren.

Haar blik dwaalde even naar David de Tranoy die met een jongeman stond te praten. Ze moest toegeven dat Claudia niet overdreven had. Met zijn donkere, achterovergekamde haar en zijn gladgeschoren kin zag hij er inderdaad knap uit. Zijn donkere ogen keken af en toe zoekend de zaal rond. Hij was groot met een gespierd en lenig lichaam. Ze kon heel goed begrijpen waarom Claudia deze man verkoos boven Edward of Alberik. Ze zag de twee broers aan de andere kant van de zaal staan. Ze stonden bij haar nichtje en haar oom en ze zag dat Alberik zoekend de zaal rond keek. Gelukkig was de zaal redelijk goed gevuld, zodat ze zich achter de menigte kon verschuilen. Angstvallig probeerde ze toch nog een beetje verder tussen de planten weg te kruipen. Het vooruitzicht om heel de avond met Alberik door te brengen, stond haar helemaal niet aan.

David had haar echter wel gezien toen hij de zaal rond keek. Hij vroeg zich af wie de jonge vrouw was die zich min of meer verstopte tussen de planten. Hij kon zich niet herinneren haar gezien te hebben toen ze binnenkwam. Hij stootte zijn vriend aan. 'Wie is dat?' vroeg hij zonder zijn blik van haar af te keren. 'Dat meisje daar bij die pilaar.'

Reinier haalde zijn schouders op. 'Ik ken haar niet, maar ze ziet er wel goed uit.'

'Misschien is dat het meisje waar Hendrik voor heeft gezorgd?' mompelde David hoopvol. 'Kijk, ze heeft een mantelpakje aan, dat is helemaal in tegenstelling tot de andere vrouwen. Ze kent dus niet veel van etiquette. En ze houdt zich zo afzijdig, alsof ze zich onwennig voelt. Ik durf erom te wedden dat zij het is.'

Reinier keek nog eens goed. 'Tja, daar zou je weleens gelijk in kunnen hebben. Maar we weten het pas zeker als Hendrik hier is. Waar blijft hij nu? Hij had verdorie allang hier moeten zijn.'

Maar Hendrik liet op zich wachten en de muziek begon al.

David voelde zich verveeld. Hij moest een keuze maken om de eerste dans in te zetten, dus kon hij net zo goed diegene nemen van wie hij vermoedde dat ze door Hendrik was gestuurd.

'Ik waag het erop, Reinier,' zei hij toen hij niet langer meer kon wachten. 'Waarschuw me meteen als Hendrik binnenkomt. Hopelijk heb ik de juiste vrouw gekozen.'

Nu hij eenmaal een besluit genomen had, beende hij met vaste tred door de zaal. De meeste jonge vrouwen keken hem gespannen aan en hoopten dat zij de eer zouden krijgen. Claudia glimlachte euforisch toen ze hem haar richting uit zag komen. Ze was ervan overtuigd dat hij haar zou vragen. Maar tot haar grote verbazing liep hij haar straal voorbij en bleef hij pas staan aan het einde van de zaal.

Hij boog beleefd zijn bovenlichaam. 'Zou je me de eer willen geven om met me te dansen?' vroeg hij hoffelijk toen hij voor Paulien stond.

Paulien voelde het bloed naar haar wangen stijgen. 'Ik... Ik kan niet zo goed dansen. Misschien kun je beter iemand anders vragen,' haperde ze helemaal van streek.

Hij fronste bedenkelijk zijn wenkbrauwen. 'Ben je dan niet hiernaartoe gekomen om mij gelukkig te maken?'

Paulien begreep zijn vraag verkeerd. Natuurlijk waren ze hiernaartoe gekomen om hem te behagen. Het was toch zíjn verjaardagsbal?

'Ja, dat wel, maar...'

'Nou, dan moet jij je plicht doen,' onderbrak hij haar. 'Je kunt me hier niet voor schut laten staan.' Zonder er verder nog woorden aan vuil te maken, nam hij haar bij de elleboog en troonde hij haar met harde hand mee naar de dansvloer. Paulien voelde de dwingende druk van zijn vingers maar al te goed. Ze kon niet anders dan hem volgen als ze geen scène wilde maken. En dat laatste wilde ze zeker niet.

'Volg gewoon mijn bewegingen,' zei hij kort toen de muziek opnieuw ingezet werd en hij zijn arm om haar heup legde. Tot haar verbazing lukte het haar vrij goed om hem te volgen. Ze had van haar moeder wel wat leren dansen, maar in zijn armen leek het net alsof ze helemaal geen moeite hoefde te doen. Het leek wel alsof hij net hetzelfde dacht, want hij keek even verbaasd op haar neer. 'Ik dacht dat je niet kon dansen?'

'Dat kan ik ook niet,' zei Paulien. 'Maar bij jou lukt het me aardig.'

'Dan zal ik dat maar als een compliment beschouwen,' zei hij vriendelijker. Op dit punt viel het meisje in ieder geval al mee. In stilte dansten ze verder. Ze zweefden haast over de dansvloer terwijl alle ogen op hen gericht waren. Ook Claudia's woedende blik.

De dans was vlugger afgelopen dan ze verwachtte. Paulien wilde zich omdraaien om de dansvloer te verlaten, maar hij hield haar arm stevig vast. 'Niet zo haastig, liefje. Nu ik weet dat we perfecte danspartners zijn, laat ik je nog niet gaan.'

'Ik... ik weet zeker dat hier nog veel jonge vrouwen aanwezig zijn die maar al te graag met jou willen dansen,' probeerde ze op zachte toon. 'Waarom gun je hun die eer dan niet?'

'Omdat ik nu eenmaal met jou wil dansen. Het is tenslotte mijn verjaardag en dan mag ik toch wel bepalen met wie ik wil dansen?'

Paulien beet op haar onderlip. Ze moest toegeven dat ze het wel fijn vond om met hem te dansen. Maar de gedachte aan Claudia weerhield haar ervan om te kunnen genieten.

'Nou, goed dan. Nog één dans, maar daarna ga ik terug naar mijn hoekje.'

'We betalen je niet om muurbloempje te spelen, liefje. Heeft Hendrik je dan niet verteld wat je moet doen?'

Paulien keek hem niet-begrijpend aan. 'Wat bedoel je?'

'Hou jij je van de domme? Naar je simpele kleding te oordelen zou ik toch denken dat ik het bij het rechte eind heb.'

Paulien begon zich te ergeren. Hij kon dan nóg zo knap zijn, arrogant was hij ook! 'Ik weet niet waarover je het hebt,' zei ze nu gedecideerd. 'Mijn kleding is misschien niet volgens de laatste mode, maar is netjes en correct, daar hoef je dus geen opmerking over te maken. En noem me niet steeds liefje. Mijn naam is Paulien.'

Paulien probeerde zich los te rukken, maar de muziek was ondertussen opnieuw begonnen en hij verstevigde zijn greep. 'Je hebt me deze dans nog beloofd, Paulien,' zei hij vastberaden terwijl hij zijn arm weer om haar heen sloeg en haar enigszins dwong om hem te volgen. Paulien kon niet anders dan in zijn armen weg dansen.

Weldra volgden nu ook andere koppels. Ze zag Claudia met Edward dansen terwijl ze met een stekende blik haar richting uit keek. Dat maakte dat Paulien zich nog schuldiger voelde.

David begon in te zien dat hij misschien weleens een grote vergissing had begaan. Hij zocht met zijn ogen even naar de plaats waar hij Reinier had achtergelaten. Toen hij zag dat Hendrik naast hem stond en dat zijn twee vrienden al het mogelijke deden om zo discreet als het kon zijn aandacht te trekken, hoefde hij niet langer te twijfelen. Maar hij vond het best wel grappig. En hij apprecieerde het dat Paulien haar mannetje stond. Bovendien was ze knap, danste ze verrukkelijk en was ze beslist geen spraakwaterval. Vooral dat laatste waardeerde hij enorm. De meeste vrouwen die hij kende, deden niets anders dan giechelen en luchtige, nietszeggende conversaties voeren. Hij werd er soms gek van. Hij keek naar Pauliens gezicht. Ze had even haar ogen gesloten en leek echt te genieten van deze dans. Dit meisje leek anders, al kon hij niet dadelijk uitleggen waarom hij dat vond. In ieder geval was hij haar een verklaring en een verontschuldiging schuldig.

'Het spijt me, Paulien,' zei hij dan ook zacht. 'Het was niet mijn bedoeling om je te kwetsen. Ik dacht dat je iemand anders was, maar ik ben blij dat ik me vergist heb. Je danst perfect. Je zou haast denken dat we op dat punt voor elkaar gemaakt zijn.'

Ze keek hem aan en zag dat hij het meende. Dat maakte dat haar ergernis verdween. 'Om heel eerlijk te zijn, vind ik het ook leuk,' zei ze glimlachend. 'Het is lang geleden dat ik zo heerlijk gedanst heb.'

'Nou, is het dan geen goed idee om door te gaan?'

Ze schudde echter het hoofd. 'Nee, het is niet eerlijk voor de andere genodigden. En vooral voor Claudia. Zij zou er alles voor geven om met jou te dansen. Ik vind dat je haar dat dan ook verschuldigd bent.'

Hij keek haar even verbaasd aan. Hij was ervan overtuigd dat hij een erg begeerde partij was en dat alle vrouwen in deze zaal zaten te smachten om door hem het hof gemaakt te worden. En deze jonge vrouw wees hem zonder meer af.

'Ben je misschien verloofd? Al zou ik gezworen hebben dat je hier helemaal alleen was.'

Paulien schudde het hoofd. 'Nee, ik ben niet verloofd en nee, ik ben hier niet alleen. Mevrouw en mijnheer de notaris zijn mijn oom en tante. Ik ben met hen meegekomen.'

'Nu begrijp ik welke Claudia je bedoelt.' Hij herinnerde zich weer het beeldschone meisje tijdens de begroeting. 'Maar waarom zou ik met haar moeten dansen en niet met jou? Als je nog vrij bent is er toch niets wat ons tegenhoudt?'

'Omdat Claudia...' Paulien aarzelde even en ze keerde wat verlegen haar blik van hem af. Ze kon hem toch moeilijk zeggen dat Claudia op zijn status en geld uit was. 'Omdat ze je wel aardig vindt en je beter wil leren kennen,' maakte ze ten slotte haar zin af. 'En bij mij is dat niet zo. Ik heb nooit die behoefte gevoeld.'

'Ai, dat is een voltreffer. Ik dacht dat alle aanwezige vrouwen wel graag kennis met me wilden maken. Daarin heb ik me dus vergist, maar het siert je dat je voor anderen op komt. Misschien wil ik inderdaad weleens met Claudia dansen. Maar op dit ogenblik geniet ik van jou.' Hij trok haar wat dichter tegen zich aan en danste stilzwijgend verder.

Toen de dans ten einde was, bracht hij haar hoffelijk terug naar haar hoekje bij de planten. 'Het was me werkelijk een genoegen, Paulien. Ik zal je raad opvolgen en enkelen van de aanwezige vrouwen blij maken door hen uit te nodigen, maar ik hoop dat ik je straks nog eens mag vragen.' Het was geen vraag en hij wachtte ook niet op een antwoord. Hij draaide zich gewoon om en ging naar zijn vrienden toe.

Paulien keek hem na. Ze moest toegeven dat hij haar niet onberoerd liet, ondanks zijn vrijpostigheid en zijn radde tong. Maar toen ze zag dat Claudia met ruisende rok naar haar toe beende, zette ze deze gevoelens helemaal overboord. Claudia's ogen schitterden fel toen ze vlak voor haar bleef staan. 'Nou, mooie vriendin ben jij,' siste ze woedend.

Paulien keek haar enigszins schuldbewust aan. 'Het spijt me, maar ik had ook niet verwacht dat hij me zou vragen.'

'Dan had je maar moeten weigeren. Ik weet zeker dat hij mij dan genomen had.'

'Maar...'

Claudia liet haar echter niet uitspreken. 'Ik wil dat je naar huis gaat,' zei ze kortaf. 'En papa wil dat ook. Dan kun je David tenminste niet langer zelf inpalmen.' Na deze woorden stak ze haar neus in de lucht en ging ze weer naar haar vader toe. Paulien zag dat hij met een woedende blik haar richting uit keek. Een niet mis te verstane uitdrukking.

Paulien zuchtte diep. Ze vond het spijtig om weg te gaan. Het was voor haar de eerste keer dat ze zo een chique en elegant feest kon meemaken en ze vond het heerlijk om te dansen. Maar ze begreep best wel hoe Claudia zich moest voelen, ook al was het haar schuld niet. Ze had nooit gedacht dat David haar zou vragen. Ach, het had geen zin om het allemaal aan Claudia uit te leggen. Het kwaad was geschied. Ze kon inderdaad beter naar huis gaan, dan zich hier schuldig en eenzaam voelen.

Terwijl ze in gedachten naar de dansvloer staarde, maakte Alberik van deze gelegenheid gebruik om haar te benaderen. Hij had met een jaloerse blik naar haar en David gekeken en toen de tweede dans eindelijk voorbij was, had hij hen met argusogen nagekeken. Hij voelde zich opgelucht dat David niet bij haar bleef. Zodra hij weg was, wou hij naar haar toe gaan. Maar toen zag hij Claudia haar richting uit benen. Hij ging al wat dichter in haar buurt staan, bang dat er andere kapers op de loer zouden liggen, en wachtte geduldig. Zodra de volgende dans ingezet werd, zou hij haar vragen. Deze keer zou hij niemand laten voorgaan.

Hij zag dat Claudia weer terug naar haar vader ging, en toen een nieuwe wals werd ingezet, stond hij met een paar stappen vlak bij Paulien.

'Mag ik deze dans van je?'

Paulien schrok een beetje van zijn plotselinge verschijning. Ze had hem niet zien aankomen. Alberiks papperige gezicht was haast vlak voor het hare en zijn blauwe ogen vertoonden geen afwachtende, hoopvolle blik, maar waren eerder koud en hard op haar gericht, alsof hij geen afwijzing zou dulden.

Paulien stond op het punt om hem te zeggen dat ze naar huis ging, maar toen dacht ze weer hoe heerlijk het was om te dansen en hoe confronterend het voor Alberik moest zijn om hem af te wijzen. Ze besloot om nog één dans te accepteren. Claudia zou er niets op tegen hebben dat ze met Alberik danste, dat wist ze zeker. Daarna zou ze het bal verlaten.

Maar dansen met Alberik was heel anders dan dansen met David. Dat ondervond ze nu maar al te goed. Voortdurend botsten

ze tegen andere paren op of struikelde ze over zijn voeten. Eén keer ging hij zelfs op haar voet staan. Paulien was blij toen de muziek eindelijk stopte. Ze wilde de dansvloer verlaten, maar hij hield haar tegen. 'Wacht even, Paulien. De muziek zal zo meteen weer beginnen. Ik wil de hele avond met je dansen.'
Maar Paulien was niet van plan op die eis in te gaan. 'Het spijt me, Alberik, maar ik moet naar huis.'
Hij keek haar verbaasd aan. 'Naar huis? Maar het feest is nog maar net begonnen.'
'En toch moet ik weg.' Ze trok haar arm met een korte ruk los uit zijn hand en draaide zich om naar de uitgang van de balzaal. Ze voelde geen behoefte om hem uit te leggen waarom ze naar huis ging. Bovendien was ze blij dat ze kon gaan.
Met vlugge stappen liep ze de treden van het bordes af. Eenmaal buiten voelde ze de weldadige koelte van de avond. Het was nog licht. De ondergaande zon legde een rode gloed over de boomtoppen waarin merels en lijsters de nacht tegemoet zongen. Paulien glimlachte verrukt. Het was een heerlijke avond en het park om het kasteel lag er schitterend bij. De keurig gesnoeide buxushagen met de rozenperken geurden bedwelmend en iets verderop zag ze een fontein tussen een labyrint van hagen en bloeiende struiken. Ze besloot deze kans te grijpen en een wandeling in deze prachtige tuin te maken. Toen ze hier naartoe kwam was ze te zenuwachtig geweest om deze schoonheid in zich op te nemen. Dat kon ze nu ruimschoots goedmaken.
Genietend liep ze over de keurig geharkte paadjes en keek naar de rozen in allerhande tinten. Op de rand van de fontein bleef ze even zitten, zich onderdompelend in de geuren en kleuren om zich heen. Daarna liep ze in de richting van een eikenlaan met aan de ene zijde een beukenbos en aan de andere zijde een open ruimte met velden en ruwe begroeiing.
Ze had nog maar enkele stappen in de laan gezet toen ze haar adem inhield en vol bewondering voor zich uit keek. Tussen de bomen door zag ze een veld vol klaprozen. Het helrood van de frêle bloemen werd hier en daar onderbroken door kleine witte toetsen van kamille. Haar hart maakte een sprong. Papavervelden waren beslist één van de mooiste dingen die God geschapen had, daar was ze van overtuigd. Het rood was zo puur en zo opvallend aanwezig. Ze beloofde zichzelf dat ze dit beeld ook aan

Nell en Mattijs zou meegeven. Ze wist zeker dat zij er al net zo door bekoord zouden zijn als zijzelf.

Plots voelde ze een hand op haar schouder. Ze draaide zich geschrokken om en keek recht in Alberiks rood aangelopen gezicht. 'Ik dacht dat je naar huis moest. Maar dit is niet de goede weg.'

Paulien was zich bewust dat ze hem geen uitleg verschuldigd was, maar toch gaf ze hem die. 'Je hebt gelijk. Maar de avond was nog zo mooi en toen besloot ik om nog even een wandeling te maken voordat ik naar huis zou gaan.'

Hij glimlachte. 'Het is hier inderdaad veel rustiger. Was dat soms de bedoeling, Paulien? Wou je dat ik je achternaging?'

Paulien keek hem even beduusd aan. 'Het was niet mijn bedoeling om je die indruk te geven.'

'Zo? Maar vrouwen zijn nu eenmaal ondoorgrondelijk, niet? Je weet nooit goed wat ze bedoelen.' Zijn blik stond waakzaam. Hij keek even schichtig links en rechts over zijn schouder en likte zenuwachtig met zijn tong over zijn lippen. Plots trok hij haar met een ruk tegen zich aan en drukte zijn vochtige lippen op haar mond.

Nadat ze van de eerste schok bekomen was probeerde Paulien hem van zich af te duwen. 'Laat me los, Alberik,' zei ze woedend. Maar zijn armen hielden haar stevig vast en hij leek niet van plan om haar los te laten. 'Zeg dat jij me ook graag ziet,' zei hij met zijn bolle gezicht vlak bij dat van haar.

Paulien schudde echter wild met haar hoofd. 'Op deze manier kan ik je onmogelijk graag zien,' probeerde ze wanhopig. 'Laat me los!'

Hij liet haar echter niet los. Integendeel. 'Dan zal ik je léren om me graag te zien,' zei hij enkel terwijl hij haar weer begon te kussen.

Paulien probeerde wanhopig om haar gezicht van zijn vochtige mond af te wenden. Ze gilde en schopte met haar voet in de hoop zijn benen te raken zodat hij haar los zou laten. Het leek te lukken, want hij liet haar inderdaad los. Zelfs zo bruusk dat ze haar evenwicht verloor en op de grond viel. Een ogenblik dacht ze dat hij dan toch eindelijk tot bezinning was gekomen, maar het volgende ogenblik zag ze David dreigend voor Alberik staan.

'Als een dame niet wil dat ze gekust wordt, dan is dat zo!' siste hij woedend tegen een verbouwereerde Alberik. 'Maak dat je wegkomt voordat ik je aanklaag wegens schending van de eerbaarheid van weerloze vrouwen.'

Alberik keek met een giftige blik naar David. 'Ze is van mij,' riep hij woedend. 'Blijf met je tengels van haar af of het zal je berouwen!'

'Ten eerste ben ik te welopgevoed om met mijn 'tengels' aan haar te zitten en ten tweede zal ik niet aarzelen om je een klap te verkopen als je nog eens zulke gore taal uitkraamt.' Om zijn woorden kracht bij te zetten balde hij zijn vuisten en ging een stap dichter naar Alberik toe. David torende een heel stuk boven hem uit en bovendien was hij heel wat atletischer gebouwd. Alberik was zich maar al te goed bewust dat hij het onderspit zou delven als het op een gevecht zou uitdraaien. Hij verkoos wijselijk om te zwijgen, wierp nog een dodelijke blik naar zijn belager en koos het hazenpad.

Zodra hij weg was bekommerde David zich om Paulien. Hij zag dat ze alweer was opgestaan en dat ze wat zand en gras van haar rok klopte. 'Ik hoop dat hij je geen pijn heeft gedaan?' vroeg hij bezorgd.

Paulien schudde het hoofd. 'Gelukkig niet. Ik weet echt niet wat hem bezielde. Het leek wel alsof hij bezeten was.'

David knikte. Hij begreep maar al te goed wat ze bedoelde. 'Ik ben blij dat ik hem op tijd kon tegenhouden en ik hoop dat hij zijn les nu geleerd heeft.'

Ze keek hem warm aan. 'Dank je.'

'Ken je hem?'

'Alberik? Ja, natuurlijk ken ik hem. Hij woont bij ons in het dorp. Ik ben altijd vriendelijk tegen hem geweest, maar blijkbaar heeft hij dat op een verkeerde manier geïnterpreteerd. Ik hoop dat hij nu inziet dat ik niet dezelfde gevoelens koester.'

'Dat hoop ik met je mee, Paulien. Maar wat deed je hier trouwens?'

Paulien keek even verlegen langs hem heen. Ze kon hem moeilijk zeggen dat Claudia haar weg wilde hebben om Davids aandacht voor zich alleen te hebben. Ze haalde lichtjes haar schouders op. 'De avond was nog zo mooi en dit was een uitstekende gelegenheid om het park even te bekijken.' Ze glimlachte. 'Het is hier zo prachtig, David. Je boft maar dat je hier woont. Maar die vraag kan ik jou ook stellen. Moet je niet met één van je genodigden dansen?'

Hij grinnikte. 'Als het aan mijn moeder ligt natuurlijk wel,' lachte hij. 'Maar ik heb een hekel aan dansen.'

'Dat lieg je. Iemand die zo goed kan dansen, heeft er een passie voor.'

'Oké, ik geef me gewonnen. Ik dans graag, maar dan alleen met iemand van mijn keuze. Lang kan ik het binnen echter niet uithouden. Soms voel ik me echt benauwd tussen vier muren. Dan moet ik even naar buiten, wat frisse lucht inademen, en van de rust genieten. Ik hou van het gezang van de vogels, van de kleuren van de ondergaande zon, de schoonheid van bloemen en planten. Het pure. Het ongekunstelde. Binnen in het kasteel is het alleen maar valse bescheidenheid, een masker, een façade om het hypocriete innerlijk te verdoezelen. Mama wil dat ik trouw, liefst met een vrouw die er financieel warmpjes bij zit. De rest is voor haar niet zo belangrijk. Maar dat is nu net wat me stoort.'

Het drong plots tot hem door dat hij het was die deze keer praatte terwijl Paulien stilzwijgend luisterde. 'Ach, wat onbeleefd van me,' zei hij dan ook. 'Het was niet mijn bedoeling om je met mijn gevoelens lastig te vallen. Waar zijn mijn manieren. Je moet beslist nog in shock zijn na wat die kerel je heeft aangedaan.'

Paulien schudde echter haar hoofd. 'Dankzij jouw tussenkomst is verder onheil me bespaard gebleven.'

'Wees voorzichtig met hem, Paulien. Hij leek me nogal opgewonden.'

'Dat zal ik zeker doen. Dank je voor de raadgeving. Nu wil ik echter naar huis gaan.'

'Naar huis? En je hebt me nog een dans beloofd!?'

'Die hou je dan nog te goed. Maar ik heb echt geen zin meer om terug te gaan, na hetgeen er is gebeurd.'

Hij knikte. 'Ik begrijp het. Ik laat je echter niet alleen gaan. Als je het me toestaat, dan vergezel ik je tot bij je huis.'

'Zou je dat willen doen?' Paulien keek dankbaar naar hem op. Ze moest toegeven dat ze ertegen opzag om alleen te gaan. De duisternis begon al te vallen en ze was bang dat Alberik haar ergens stond op de wachten. Hij had haar behoorlijk bang gemaakt. 'Zullen ze je dan niet missen?'

Hij schudde zijn hoofd. 'Jouw veiligheid is belangrijker. Bovendien ben ik snel weer terug.'

Hij ondersteunde hoffelijk Pauliens elleboog en troonde haar mee de eikenlaan door, langs de fontein en de keurig gesnoeide buxushagen tot ze via één van deze zijpaadjes naar de oprijlaan konden die hen in de richting van het dorp leidde.

Achter het raam keek Claudia hen met een woedende blik na. Nadat ze gezien had dat Paulien met Alberik danste, had ze tevergeefs naar David gezocht. Ze vond hem echter nergens. Daarna zag ze Paulien het bal verlaten en even later ook Alberik. Ze was naar het raam toe gegaan in de hoop dat ze erachter kon komen waarom Alberik haar achterna ging. Ze zag nog net dat Paulien de eikenlaan in sloeg en dat Alberik even later dezelfde richting uit ging. Tot haar ergernis ontnam de begroeiing haar het zicht en kon ze dus niet zien wat zich daar afspeelde. Ze kon ook de balzaal niet uit om even poolshoogte te gaan nemen, omdat ze dan de kans liep om David mis te lopen. Ze ergerde zich enorm.

Maar toen zag ze Paulien terugkomen met David aan haar zijde. Even nog dacht ze dat ze zich vergiste en dat het Alberik moest zijn. Maar het was onmiskenbaar Davids gestalte. Alberik leek opgelost in het niets. Naarmate ze dichterbij kwamen en ze samen via de oprijlaan verdwenen, groeiden de haat en de woede in haar binnenste. Hoe durfde ze? Hoe durfde Paulien David van haar weg te kapen terwijl zij zo veel voor haar gedaan had? Dat zou ze haar betaald zetten.

HOOFDSTUK 8

Paulien zat in een fauteuil recht tegenover haar tante. Haar handen lagen stil op haar schoot. Roberta had haar te kennen gegeven dat ze eens met haar wou praten en Paulien wachtte nu gespannen af waarover het zou gaan. Waarschijnlijk een of ander ontwerp voor een nieuwe rok of jas, flitste het door haar heen. Of over Claudia, die sinds het bal niet meer tegen haar sprak. Het zou in ieder geval wel iets anders zijn dan over haar ziekte, want daar sprak ze te pas en te onpas over zodat Paulien zich niet kon voorstellen dat ze daarvoor speciaal moest komen. Blijkbaar was dit gesprek toch erg belangrijk. Dat bleek uit het feit dat Roberta rechtop in haar fauteuil bleef zitten. Af en toe drukte ze haar vingertoppen even tegen haar slapen, maar daar bleef het bij.

'Ik wil even met je over een belangrijke kwestie praten, Paulien,' stak ze eindelijk van wal. 'Ik heb er nog niet eerder met je over gesproken om de eenvoudige reden dat mijn hoofdpijn te erg was om het te kunnen doen. Maar mijn dochter lijdt er zo erg onder, dat ik het niet langer kan uitstellen. Het is nu al vijf dagen geleden sinds het bal, maar daar zijn dingen gebeurd die ik niet zomaar kan tolereren. Ik begrijp niet hoe je het in je hoofd haalde om met David de Tranoy te dansen. Hij hoorde met Claudia te dansen, dat weet je toch? Je hebt haar heel erg verdrietig gemaakt.'

Paulien boog haar hoofd. Ze was er zich maar al te pijnlijk van bewust dat Claudia niets meer met haar te maken wilde hebben. Ze negeerde haar gewoon en wilde niet eens naar haar luisteren. 'Het was helemaal niet mijn bedoeling om met hem te dansen, tante,' zei ze zacht. 'Ik heb hem zelfs proberen te weigeren, maar hij verplichtte me om met hem mee te gaan. Ik kon het echt niet helpen.'

Roberta zuchtte diep en masseerde nog even haar slapen. 'Je hebt mijn dochter erg gekwetst. Ze doet niets anders dan huilen en ze wil je niet meer zien.'

'Het spijt me dat ik haar gekwetst heb, tante, maar ik heb daarna het bal dadelijk verlaten. Ik... ik dacht dat het dan wel goed zou komen.'

Roberta schudde haar hoofd. 'David heeft niet eens meer gedanst, Paulien. Hij heeft zich nog maar amper op het feest laten zien. Claudia zegt dat het jouw schuld is.'

'Van mij? Maar hoe kan het mijn schuld zijn als ik er niet eens was?'

'Nou, dat moet je maar aan Claudia vragen. Ze zal er in ieder geval haar redenen voor hebben. Maar het is niet alleen het bal dat me zorgen baart, Paulien. Eergisteren is de barones hier geweest, samen met haar zoon. Het was de eerste keer dat zij ons met een bezoek vereerden en Claudia was dan ook in de wolken. Ze was een plaatje toen ze hier de zitkamer binnenkwam om het bezoek op gepaste wijze te begroeten. Je kunt je dus wel voorstellen hoe ontgoocheld ze was toen David de Tranoy naar jou vroeg! Uiteraard heb ik hem laten weten dat je niet thuis was.'

'O, maar ik ben de laatste dagen niet weg geweest,' stelde Paulien verbaasd vast. Ze wist van Gertrude dat ze bezoek hadden gehad, maar ze wist niet dat hij naar haar gevraagd had en ze was beslist de deur niet uitgeweest.

'Je was ook niet weg, Paulien. Je moet alleen goed beseffen dat jij niet geschikt bent voor een man als David de Tranoy. Je woont wel bij ons, maar dat betekent niet dat je dezelfde rechten hebt. Ik zou je dan ook dringend willen vragen om Claudia's toekomst niet te dwarsbomen. Mijn hoofdpijn is zo al erg genoeg zonder dat deze problemen er ook nog bij komen.'

'O.' Paulien begon het te begrijpen. Haar tante wilde haar haar plaats wijzen. 'Ik ken David de Tranoy amper, tante, en geen haar op mijn hoofd denkt eraan om hem bij Claudia weg te kapen.'

Roberta knikte opgelucht. 'Nou, op dat punt zijn we het dan toch eens. Ik wil je nog even zeggen dat je oom ook met je wil praten. Niet over deze kwestie, want dat is mijn taak, maar sinds hij gezien heeft dat je niet langer meer het kind bent dat hij uit het weeshuis heeft gehaald, is hij bereid om zich wat meer met je toekomst bezig te houden. Het feit dat hij dat wil doen, is een hele eer, Paulien. Stel hem dus niet teleur. Hij heeft me verteld dat hij je in de bibliotheek verwacht. Als ik jou was, zou ik er maar dadelijk naartoe gaan. Je weet dat hij niet van wachten houdt.'

Paulien knikte en stond op. Zonder nog een woord te zeggen verliet ze de zitkamer. Ze aarzelde voordat ze de richting van de bibliotheek in sloeg. Ze vroeg zich af waarom hij haar plotseling moest spreken. Ze keek even hoopvol op. Misschien was hij toch van mening veranderd en wou hij Nell en Mattijs naar hier laten komen? O, als dat eens waar zou zijn.

Maar er was iets wat haar waarschuwde, wat haar bang maakte voor dit gesprek. Intuïtie? Het feit dat hij met haar wou praten, was daar ook debet aan. Sinds die keer samen met Claudia, hadden ze geen enkel woord meer gewisseld. Geen wonder dat ze zich niet erg op haar gemak voelde. Ze blikte even in de richting van de keuken. Als ze Gertrude of Elias nu eens om raad kon vragen, dan zou ze zich al veel geruster voelen. Maar die twee waren al naar huis. Het avondeten was al een poosje achter de rug.

Met een bang hart liep ze toch verder tot aan de deur van de bibliotheek. Ze haalde diep adem, klopte en wachtte even tot zijn stem haar zei dat ze binnen mocht komen. Paulien bleef onwennig voor zijn bureau staan. Korneel keek niet op of om, maar werkte gewoon door aan de brief die hij aan het schrijven was en liet haar wachten. Pas toen hij helemaal klaar was, legde hij zijn pen neer en keek hij haar aan.

Hij dacht aan zijn dochters woorden. Aan het feit dat zij al dagen aan zijn hoofd zeurde dat ze Paulien niet meer moest hebben. Dat zij haar haatte en haar nooit meer wou zien en dat hij – haar papaatje – moest zorgen dat Paulien terug naar het weeshuis ging. Dat zou een klein kunstje zijn waarmee hij zijn dochter maar al te graag wilde plezieren. Maar hij had de baron op het feest gesproken en waarom had nou net deze man zijn lof uitgesproken over het feit dat hij zo nobel was om het kind van zijn gestorven zus een beloftevolle toekomst te bieden. Deze goede daad zou hem weleens een betere plaats in de gemeenteraad kunnen opleveren, dus kon hij haar moeilijk terugsturen.

Zijn dochter was daar woedend om geworden. Ze ging als een furie tekeer, tot hij met een ander plan op de proppen kwam. Een plan waar Claudia dadelijk voor te vinden was. Het had haar weer doen stralen en ze had haar armen om hem heen geslagen. O, wat had hij toch een heerlijke, prachtige dochter. Zijn hart zwol van trots als hij aan haar dacht. Ze kon lastig zijn en koppig, dat wel, maar het was en bleef zijn oogappel en hij kon haar moeilijk iets weigeren. Maar in dit geval had hij zichzelf overtroffen, want nu sloeg hij drie vliegen in één klap. Hij zou Claudia een plezier doen, hij zou voor Pauliens toekomst zorgen en hij zou zijn positie in dit dorp verbeteren.

'Ga zitten, Paulien,' zei hij kort.

Paulien ging met kloppend hart op het randje van de stoel zitten die schuin voor het bureau stond. Korneel stond op en liep met zijn handen op zijn rug naar haar toe. Bij elke pas trilde zijn dubbele onderkin. Zijn onderlip stak een beetje naar voren en zijn donkere ogen keken priemend op haar neer.

'Zo,' begon hij plots. 'Ik zie dat je al heel wat aangekomen bent sinds je hier bij ons woont. Dat schrale kind van toen is verdwenen om plaats te maken voor een jonge vrouw. Zo te zien wordt er goed voor je gezorgd.'

Paulien waagde het om naar hem op te kijken. Ze forceerde een glimlach. 'Dank je, oom. Ik heb het hier inderdaad heel goed.'

'Dat is fijn, Paulien. Maar ik wil ook dat je het goed blijft hebben en daarom is het belangrijk dat ik voor je toekomst zorg. Ik wil dat je gelukkig wordt. En ik wil er alles aan doen om je dat geluk te geven.'

Paulien keek hem verwachtingsvol aan. 'Komen Nell en Mattijs naar hier?' vroeg ze vol hoop.

Hij keek even verbaasd en hij vroeg zich af waarom ze die andere kinderen hierbij betrok. Maar bij nader inzien kon hij dat feit weleens benutten. 'Dat zou misschien kunnen. Het hangt er alleen maar van af hoe jij het aanpakt.'

'Ik?'

Hij knikte en zijn kinnen trilden. 'Ja. Ik heb namelijk een huwelijkskandidaat voor je, Paulien. Hij kan je de rest van je leven in welstand laten leven en als je hem heel tevreden stelt, dan laat hij misschien toe dat je broer en zus ook bij jullie komen wonen. Alberik is een heel begeerde partij en je moet vreselijk dankbaar zijn dat hij jou verkiest boven een dame van stand. Hij heeft me om je hand gevraagd en ik heb hem mijn zegen gegeven.'

Paulien was even niet in staat om te spreken. Maar toen de ergste schok voorbij was stamelde ze: 'Alberik?'

'Ja, kind. Ik heb hem lang als kandidaat gezien voor Claudia. Hij of zijn broer. Maar nu ze haar oog op David de Tranoy heeft laten vallen, kan ik haar geen ongelijk geven. Claudia vindt het helemaal niet erg als Alberik met je trouwt. Ze gunt het je. Zo zie je maar dat mijn dochter echt met je begaan is, ondanks het feit dat jij haar dankbaarheid helemaal niet blijkt te appreciëren.'

Paulien was amper bekomen van de schok. Hij wou haar uithuwelijk aan die vreselijke man? Sinds hij haar gemolesteerd had wilde ze niets meer met hem te maken hebben. Alberik mocht dan rijk zijn en status hebben, maar ze dácht er niet aan om met hem te trouwen.

'Ik wil niet met hem trouwen, oom,' zei ze dan ook resoluut.

Hij keek haar als door een wesp gestoken aan. 'Wat zeg je?'

Paulien stond met een ruk op. 'Ik trouw niet met Alberik. Ik hou niet van hem en ik wil mijn leven niet met hem delen.'

Hij boog zijn gezicht tot vlak bij dat van haar en zijn ogen schoten vuur. 'Je zult wel moeten! Ik heb Alberik mijn toestemming gegeven en een gegeven woord kan niet meer ingetrokken worden. Bovendien heb je geen keus. Het is dat of naar het armenhuis.'

Dat laatste kon hij niet waarmaken voor zijn eigen bestwil, maar dat wist Paulien niet. 'En daar kunnen ze je hooguit helpen aan onderbetaald werk, waardoor jij je amper in leven zult kunnen houden. En dan zit er een grote kans in dat jij je broer en zus nooit meer zult terugzien. Ik bied je een uitstekende toekomst en het zou een schande zijn om die te laten liggen. Alberik is een veel betere partij dan jij je ooit zult kunnen veroorloven. Iedere jonge vrouw zou deze kans met twee handen grijpen en jij... jij durft hem te weigeren?'

'Hij is een afschuwelijke man en ik zal nooit van hem kunnen houden,' zei Paulien schor en met een keel die dichtgeschroefd leek.

'Nou, de appel valt niet ver van de boom. Wat heb je nu aan liefde als je geen geld hebt om eten te kopen? Wat heeft je moeder ermee bereikt? Hm? Vertel me dat eens? Haar leven is veel te kort geweest en ze heeft haar kinderen helemaal niets kunnen nalaten. Niet eens een normaal leven. Wel, ik geef je nu die kans, Paulien. Als je met Alberik trouwt, zul je nooit meer iets tekortkomen. En ook je broer en zus niet. Als je ook maar een sprenkeltje om hen geeft, dan grijp je deze kans met beide handen aan. Ik heb tegen Alberik gezegd dat hij morgen langs kan komen en ik verwacht dan ook van jou dat je hem charmeert en op gepaste wijze te woord staat. En ik duld deze keer geen wei-

gering. Ik ben je voogd en je zult je schikken naar mijn wensen.'
Na deze woorden opende hij de deur. Een onuitgesproken teken
dat het gesprek voorbij was en ze kon gaan.

Paulien opende haar mond, maar ze sloot hem weer zonder iets
te zeggen. Stil en met een zwaar gemoed verliet ze de bibliotheek.

Op haar kamertje ging ze helemaal ontdaan op de rand van haar
bed zitten. De gedachte dat Alberik zijn vochtige dikke lippen
weer op haar mond zou drukken, deed haar huiveren van afschuw. Ze zou nooit van die man kunnen houden. Nooit. Maar
ze wilde ook niet terug naar de stad. Op dat punt had haar oom
meer dan gelijk. Dan zou ze Nell en Mattijs waarschijnlijk niet
meer te zien krijgen. Die gedachte sneed als een mes door haar
hart. Misschien moest ze toch haar eigen gevoelens opzijzet-
ten en Alberik in haar leven toelaten. Hij was de enige die haar
toekomst kon verzekeren en die ervoor kon zorgen dat ze weer
met zijn allen herenigd zouden worden. Maar die gedachte woog
zwaar. Heel zwaar. Haar keel schroefde helemaal dicht. Ze liet
zich zijdelings op haar bed vallen en huilde warme, bittere tranen.

De volgende dag keek Claudia door het raam en ze zag Alberik
net het huis verlaten. Hij waggelde een beetje door de zwaarte
van zijn buik en zijn gezicht was rood aangelopen toen hij de
kasseiweg in de richting van de kerk nam. Ze glimlachte voldaan. Ze had haar vader gevraagd om de verloving zo kort mogelijk te houden. Als Paulien eenmaal getrouwd was, dan zou
David haar wel vlug van zich afzetten. En dan kreeg zij eindelijk de aandacht die ze van hem verdiende. Ze schikte haar
kapsel nog even in de spiegel en verliet neuriënd haar slaapkamer.

Beneden ging ze dadelijk naar de zitkamer waar ze haar moeder
en Paulien nog aantrof.

'Ik heb van papa gehoord dat je verloofd bent, Paulien,' viel ze
met de deur in huis alsof er nooit een periode van stilzwijgen
was geweest. 'O, wat heerlijk. Alberik is echt een man voor je.'
Ze drukte een zoen op Pauliens wang en zette zich in een van de
fauteuils. 'Vertel me er alles over. Hoe was hij? Was hij zenuwachtig?'

'Zulke dingen vraag je toch niet, Claudia,' wees haar moeder haar terecht.

'Dit is een gesprek onder vriendinnen, mama. Daar begrijp jij niets van. Paulien heeft me gekwetst door met de man van mijn dromen te dansen, maar nu ik weet dat ze van Alberik houdt en niet van David, vergeef ik het haar maar al te graag.' Ze draaide zich weer naar Paulien toe en klapte verrukt in haar handen. 'Ik weet zeker dat jullie heel gelukkig zullen worden. Hebben jullie al een trouwdatum vastliggen?' Ze keek Paulien even gemaakt onschuldig aan. 'Als ik jou was, dan zou ik maar niet al te lang wachten. Misschien bedenkt hij zich wel als hij een vrouw ontmoet die wat meer kan inbrengen dan jij.'

Paulien was blij dat Claudia het stilzwijgen eindelijk verbroken had, maar Claudia's woorden brachten haar helemaal van haar stuk.

'Trouwen?' stamelde ze verward. 'Ik... ik ken hem nog maar net.' Ze had moeite gedaan om Alberik aan te kijken, om met hem te praten en hem zodoende te leren kennen. Ze hoopte dat ze toch enige sympathie voor hem kon opbrengen. Ze hoopte dat hij haar alsnog kon bekoren. Maar ze moest toegeven dat ze hem helemaal niet leuk vond. Hij had alleen maar over zichzelf gesproken en over het feit dat een vrouw onderdanig moest zijn en bescheiden. Haar tante had hem toen gerustgesteld door hem te zeggen dat Paulien aan al die eisen voldeed. Maar Paulien kon zich daar niet in vinden. Wat hij zei sloeg nergens op. Zij wilde geen slaaf van hem zijn. Toch had ze zijn gesprek niet onderbroken en probeerde ze tevergeefs om enkele pluspunten in hem te vinden. Bovendien kon ze een gevoel van afschuw niet bedwingen wanneer ze naar zijn mond keek en aan zijn vaste greep dacht toen hij die lippen op de hare drukte.

'Hoe kun je zeggen dat je hem nog maar net kent? We hebben Alberik en Edward al zo dikwijls ontmoet en al zo veel woorden met hen gewisseld.'

'Dat was beleefdheidshalve. Dat kun je geen gesprek noemen.'

'Dat is meer dan voldoende. Bovendien moet je het ijzer smeden als het heet is.'

'Mijn dochter heeft gelijk, Paulien,' bracht Roberta ertussen. 'Je bent nu eenmaal geen aantrekkelijke partij als het om geld gaat. Wees blij dat je knap bent en jong en dat Alberik je wel ziet zitten. Je mag je gelukkig prijzen.' Ze drukte haar hand tegen haar hoofd en kreunde. 'Dit bezoek heeft me uitgeput. Mijn hoofd barst zowat uit elkaar. Ik moet even gaan liggen.' Ze stond op en ging naar de sofa waar ze met een diepe zucht op neerzeeg. 'Ik hoop dat ik je getuige mag zijn, Paulien,' hoorde ze haar dochter zeggen. 'En de bruidsjurk! Hemel, waar gaan we de stof vandaan halen? Voor mij weet ik al een prachtige jurk. Ik zal straks de tekening wel laten zien. Ik heb hem in een van die Parijse modeblaadjes gevonden. Echt een pareltje. Als ik jou was, dan zou ik er maar meteen aan beginnen.'

Paulien keek naar haar handen op haar schoot en hoorde Claudia's woorden maar half. Het vooruitzicht om met Alberik te trouwen, stond haar helemaal niet aan. Ze kon het niet helpen. Ze had moeite gedaan. God wist hoe veel moeite ze had gedaan. Maar ze voelde alleen maar walging voor hem.

Het leek een eeuwigheid te duren voor Gertrude hun eindelijk kwam zeggen dat de tafel gedekt stond. Tijdens het eten kreeg Paulien haast geen hap door haar keel, terwijl Claudia haar vader op de hoogte bracht van Alberiks bezoek, van zijn verloving met Paulien en het feit dat ze gingen trouwen. Ze had samenzweerderig naar haar vader geknipoogd, maar dat zag Paulien natuurlijk niet.

Pas na het eten kreeg ze een beetje rust, toen Roberta ging liggen, Korneel in de bibliotheek verdween en Claudia naar haar kamer ging. De rust was echter ver te zoeken toen Paulien naar de keuken ging. Gertrude had het een en ander opgevangen toen ze de familie bediende, en wat ze gehoord had beviel haar helemaal niet.

'Ik kan het niet geloven,' zei ze dan ook zodra Paulien zich liet zien. 'Ben je verloofd? Waarom heb je me daar nooit iets van verteld?'

'Omdat... omdat ik het zelf nog maar net weet, Gertrude.'

'O, was het dan liefde op het eerste gezicht? Nou, dat kan ik me bij Alberik niet voorstellen.' Toen ze zag dat Paulien stilzwijgend en met gebogen hoofd voor haar stond, bond ze in. 'Nou ja, het is natuurlijk jouw leven. Als jij hem aardig vindt, dan ben ik blij voor je. Ik hoop dat je heel gelukkig met hem zult worden, liefje.'

Paulien kon het niet langer meer aan. Haar ogen schoten vol

met tranen en ze schudde wild met haar hoofd. 'Ik wil niet met hem trouwen, Gertrude,' snikte ze. 'Ik wil het écht niet.'

Gertrudes mond viel open. 'Maar... ik dacht...'

Paulien liet haar niet uitspreken. 'Mijn oom heeft dit voor me geregeld,' onderbrak ze haar snikkend. 'Hij wil dat ik me in de toekomst geen zorgen meer hoef te maken. Ik... ik zou hem dankbaar moeten zijn, Gertrude. Alberik kan me alles geven waar ik zo op gehoopt heb. Maar ik kan het niet. Ik hou helemaal niet van hem.'

Gertrude schudde meelevend haar hoofd en trok Paulien tegen zich aan terwijl ze troostend haar rug streelde.

Op dat moment kwam Elias de keuken binnen. Toen hij Paulien snikkend in Gertrudes armen zag staan, keek hij de oudere vrouw vragend aan. Gertrude legde hem in het kort uit wat er aan de hand was.

Elias klemde zijn kaken op elkaar. Iedereen in het dorp kende Alberik Ipendael. De gedachte dat Paulien met dat stuk verdriet moest trouwen deed hem zijn vuisten ballen van frustratie. Hij was ervan overtuigd dat ze zich ellendig bij hem zou voelen.

'Niemand kan je verplichten om met hem te trouwen, Paulien,' zei hij dan ook.

Paulien maakte zich van Gertrude los en keek hem wanhopig aan. 'Ik heb geen andere keus. Er zit niets anders op. Mijn oom is mijn voogd. Pas als ik eenentwintig ben kan ik mijn eigen weg gaan zonder zijn toestemming. En alsof dat niet erg genoeg is, wordt Nell dit jaar veertien. Dan is ze oud genoeg om uitbesteed te worden. Wie weet waar ze haar naartoe sturen en waar ze terechtkomt? O, het loopt allemaal zo anders dan ik verwacht had.' Ze wiste de tranen weg met de rug van haar hand, maar kon niet beletten dat er nieuwe kwamen.

Elias opende zijn mond om haar te zeggen dat ze dan maar met hem moest trouwen, maar hij sloot hem weer zonder een woord te zeggen. Paulien hield niet van hem. Niet op die manier. Hij was bang dat hij haar in zekere zin ook zou dwingen. Bovendien was hij niet rijk en had hij zijn eigen familie te onderhouden. Hij hoopte dat het tij eens zou keren en daar werkte hij ook hard aan, maar op dit ogenblik was hij niet in staat om ook nog Paulien, Nell en Mattijs te onderhouden en dus zou de rechter ook nooit toestaan om voogd over hen te worden of om hen te adopteren. Op dat punt stond hij machteloos. Maar de gedachte dat ze met die egoïstische nietsnut zou trouwen deed hem walgen.

'Trouw niet met hem, Paulien,' kreunde hij smekend. 'Ik zou het niet kunnen verdragen om je je hele verdere leven ongelukkig te zien. Er moet een andere oplossing zijn.'

'Ik wou dat die er was,' snikte Paulien. 'Ik heb me de hele nacht suf gepiekerd op welke manier ik hier onderuit kan, maar ik heb geen bezittingen of geld en ook geen andere familieleden die me kunnen helpen.'

'Je vergist je, meisje,' kwam Gertrude ertussen. 'Je bezit wel degelijk iets en je hebt misschien geen familie, maar wel enkele goede vrienden.'

Paulien en Elias keken haar verbaasd en vragend aan.

'Je talent, je toekomstdromen en het feit dat jij mensen gelukkig kunt maken,' vervolgde ze. 'Je hebt me verteld dat je kant-en-klare kleding wilt maken. In verschillende maten en modellen, zodat de mensen dadelijk met hun aankoop kunnen pronken zonder dat ze eerst opgemeten en aangepast moeten worden. Daarin moet je geloven, Paulien. Dromen kunnen ze je nooit afnemen. Dat is iets wat jij bezit.'

'En je naaimachines!' deed Elias er nog een schepje bovenop. 'Je hebt ze met je eigen zuurverdiende geld gekocht. Ze zijn dus volledig van jou.'

'Zie je wel,' lachte Gertrude in een poging om haar wat op te vrolijken. 'Je zou zelfs gemakkelijk zelfstandig kunnen beginnen. De mensen smeken om mooie en warme kleding. Door de rantsoenering tijdens de oorlog heeft niemand nu nog iets deftigs om aan te trekken. Ik ben ervan overtuigd dat je meer dan genoeg werk zult hebben. Je hebt nu al je handen vol, dat zegt toch genoeg? Als je de trouwerij nog enkele jaren kunt uitstellen, dan kun je in je eigen onderhoud voorzien en je eigen weg gaan.'

Paulien snoot haar neus en schudde haar hoofd. 'Zo lang kan ik niet wachten. Wie weet hoe ver ze Nell bij me vandaan sturen. En Mattijs... Bovendien dringt mijn oom erop aan om het huwelijk zo vlug mogelijk te laten doorgaan. O, ik heb gefaald. Ik wou hen zo graag bij me hebben en nu...' Ze kon niet langer meer verder praten omdat de tranen weer begonnen te lopen.

'Misschien...' Gertrude keek haar even vertwijfeld aan, maar ze ging toch verder. 'Als het dan toch niet anders kan, dan kun je misschien van deze situatie profiteren, Paulien, en Alberik vragen of hij de kinderen uit het weeshuis wil halen. Zijn inkomen is groot genoeg om jullie allemaal te onderhouden. Bovendien kun je hem een beetje dwingen door hem te zeggen dat je alleen met hem kunt trouwen als jij je broer en zus bij je hebt. Ik weet wel dat jij hem niet ziet zitten, maar dat zijn dan zorgen voor later. Nu moeten we het beste maken van de situatie op dit ogenblik. Meer kunnen we helaas niet doen.'

'Maar dan zit Paulien helemaal aan hem vast en kan ze geen kant meer uit,' zei Elias enigszins verontwaardigd. 'Nee, dat bevalt me niet, Gertrude. Er móét een andere oplossing zijn. En uw woorden hebben me wel aan het denken gezet. Het feit dat Paulien een eigen naaiatelier zou kunnen beginnen, is nog niet zo'n slecht idee...'

'Je weet toch dat mijnheer de notaris dat nooit zal toelaten?' wees Gertrude hem terecht.

Maar hij leek haar woorden niet eens te horen. Hij keek even verbaasd op en schudde toen zijn hoofd. 'Ik moet weg,' zei hij zonder verdere verklaring. Terwijl hij deze woorden uitsprak begaf hij zich naar de deur. Maar voordat hij daardoor verdween, keek hij nog even over zijn schouder. 'Doe alsjeblieft geen overhaaste dingen, Paulien,' zei hij nog en toen was hij weg, Gertrude en Paulien in verwarring achterlatend.

HOOFDSTUK 9

Pas vier dagen later kwam Elias op een middag de keuken weer binnen. Paulien en Gertrude waren net aan de vaat bezig en ze keken hem blij en opgelucht aan. Ze hadden zich al bezorgd afgevraagd waarom ze hem zo lang niet meer gezien hadden. Het gebeurde regelmatig dat hij een dag – of zelfs een paar dagen – oversloeg wanneer hij te druk bezig was en geen tijd had om iets aan de tuin te doen, maar zo lang als nu was hij nog nooit weggebleven. Gertrude had net nog tegen Paulien gezegd dat ze deze avond even langs zijn ouderlijk huis zou gaan om te kijken wat er scheelde. Ze begon zich echt ongerust te maken. Maar nu ze hem blakend van gezondheid de keuken zag binnenkomen, slaakte ze een zucht van opluchting.

'Nou, dat heeft lang geduurd!' zei ze dan ook. 'We maakten ons al behoorlijk wat zorgen. Ben je ziek geweest?'

Elias schudde zijn hoofd. 'Je hoeft je om mij geen zorgen te maken. Ik voel me kiplekker. Het waren andere dingen die me de laatste dagen bezighielden.'

'O, ja, nou, ik ben benieuwd wat dat dan wel zou kunnen zijn.'

Hij glunderde en keek Paulien met pretlichtjes in zijn ogen aan. 'Het is een verrassing voor Paulien, Gertrude. Ik zou graag willen dat ze even met me meegaat naar mijn huis.' Hij wist maar al te goed dat de rest van de notarisfamilie haar op dit ogenblik niet zou missen.

Paulien keek hem verbaasd aan. 'Naar je thuis? Waarom dan?' vroeg ze nieuwsgierig.

'Dat wil ik je juist laten zien,' zei hij geheimzinnig zonder iets prijs te geven. 'Alsjeblieft?'

Nou, dat kon Paulien niet weerstaan. Ze droogde haar handen af en deed haar schort uit. 'Nu maak je me toch wel heel erg nieuwsgierig,' glimlachte ze. 'Ik hoop dat het de moeite waard is, want nu moet Gertrude de vaat verder alleen doen.'

'Ga maar, meisje,' zei Gertrude moederlijk. 'Maar dan moet je me beloven om me straks alles te vertellen.'

Dat beloofde Paulien maar al te graag en even later verlieten de twee jonge mensen het huis van de notaris.

Het was een flink eind stappen. De familie Claes woonde een heel eind van de dorpskern vandaan. Maar het was een mooie warme, zomerse middag en Paulien genoot van al de geuren en kleuren die ze op haar weg tegenkwam. Bovendien was Elias prettig gezelschap en deed hij haar regelmatig in lachen uitbarsten. Ze probeerde een paar keer om hem de verrassing te ontfutselen, maar hij hield zijn lippen stijf op elkaar en verraadde niets. Ze sloegen een smal karrenspoor tussen velden en weiden in en kwamen ten slotte bij een klein stenen huis met een strooien dak met haaks daartegenaan een schuurtje met rode dakpannen. Om en achter het huis strekte een gemengd loofbos zich uit.

Maar ondanks het feit dat het huis erg afgelegen lag, was het netjes en goed onderhouden. De ramen glommen en er hing hagelwitte vitrage voor. Het erf was geveegd, een houten bank stond onder het raam, en de deur stond uitnodigend open. Naast het huis stonden vlierbessenstruiken waar aan volle trossen hingen te rijpen, en krekels lieten hun monotone gesjirp horen.

Paulien kende Elias' broers en ouders van de verhalen die Elias over hen vertelde. Ze had zijn broers Walter, Peter en Quinten ook al verschillende keren in de kerk gezien en nadien enkele woorden met hen en met Betty, hun moeder, gewisseld wanneer ze elkaar troffen op het kerkplein. Ze wist dat het goedlachse en heel vriendelijke mensen waren, maar ze was benieuwd naar Florent, zijn vader. Hem had ze nog niet gezien. Door zijn handicap kon hij niet zo ver meer weg.

Paulien had verwacht dat Elias haar mee door de openstaande deur van het woonhuis zou nemen, maar hij liep met haar rechtstreeks naar de schuur. Daar opende hij één helft van de dubbele houten schuurdeur en liet haar binnengaan. Ze zag een hoge houten wand aan haar linkerkant en een kleine, met stro bedekte ruimte aan haar rechterkant waar zo te zien 's nachts de geiten stonden die nu op de beemd aan het grazen waren. Daarnaast stonden gaffels en de houten stootkar en ander werkgerief. In het houten gebinte hoorde ze zwaluwen kwetteren. Ze vlogen door de luchtgaten in en uit.

Ze wachtte even tot Elias achter haar binnenkwam en een deur in de houten wand opende. Toen Paulien daar binnenging, viel haar mond open van verbazing. Ze zag een behoorlijke ruimte waar in twee Singer-naaimachines stonden met een stoel erachter. Tegen de linkerwand stond een lange tafel waarop garen,

scharen en stukken stof lagen. Daarnaast stonden twee glad ge-
polijste, houten vrouwentorsen op een houten voetstuk. Tegen
de andere wand hing een grote spiegel met geoxideerde vlekken.
Een oude potkachel stond in het midden van het vertrek waarvan de buis door het dak van de schuur verdween.
'O, Elias!' mompelde ze ontdaan.
Elias glunderde. 'Ik ben zo vrij geweest om Berthe en haar naaimachine al naar hier te halen, en ook de naaimachine van mijn
moeder mocht hier staan. Zij kon hem net zo goed hier gebruiken als in huis, zei ze. Maar zoals je ziet is er nog voldoende
plaats over om nog een drietal naaimachines extra te plaatsen.'
Hij wees naar de houten buitenwand boven de tafel waar uit een
groot vierkant was gezaagd. 'Daar komt een raam, Paulien. Mijn
oom had er nog één staan en dat gaan we morgen halen.' Hier
zweeg hij even en hij keek de jonge vrouw voor hem warm aan.
'Ik hoop dat het naar je zin is,' zei hij zacht toen hij zag dat ze
haar handen voor haar mond geslagen had en verbouwereerd
om zich heen keek.
Ze schudde haar hoofd alsof ze dit wou ontkennen, maar in tegenstelling tot dit gebaar keek ze Elias verrukt aan.
'O, Elias. Hier moet je beslist dag en nacht aan gewerkt hebben!'
Hij grinnikte. 'Nou, vele handen maken het werk licht, Paulien.
Mijn broers hebben natuurlijk meegeholpen en zelfs mijn vader.
Maar er is nog iets...' Hij nam voorzichtig haar hand en trok
haar mee naar een kleine deur achter in het naaiatelier. 'En
hierbij heeft mijn moeder geholpen,' zei hij terwijl hij de deur
opende. 'Ze zei dat je dat wel verdiend had.'
Paulien stak haar hoofd door de deur en zag een kleine ruimte
waarin een dubbel bed stond en een enkel bed tegen het voetein-
de. Meer ruimte was er haast niet. Maar de bedden waren netjes
opgemaakt en er hing een kleine spiegel en een kruisbeeld tegen
de muur als versiering. De zon, die door een klein raam naar
binnen scheen, liet het stof dansen.
'Voor als Nell en Mattijs hier zijn. Dan hebben jullie een plaatsje
apart. We hebben ons wel moeten behelpen met oude spullen,
Paulien. Ik hoop maar dat je dat niet erg vindt?'
Omdat hij geen antwoord kreeg, draaide hij zijn hoofd om en
keek hij haar aan. Hij zag dat ze haar handen voor haar gezicht
had geslagen en dat haar schouders schokten. Ze huilde zacht en

stil. Geschrokken maakte hij voorzichtig haar handen los. 'Wat is er, Paulien?'

Ze schudde haar hoofd in onmacht. 'Het... het is het mooiste cadeau dat ik ooit heb gekregen,' snikte ze haperend. 'Maar ik vrees dat ik het niet kan aannemen. Mijn oom... Nell en Mattijs...'

Hij onderbrak haar echter door haar glimlachend gerust te stellen. 'Dacht je nu echt dat ik daar niet aan gedacht heb, Paulien? Dit hier is speciaal gemaakt om jullie samen te brengen.'

Ze keek hem niet-begrijpend aan.

Hij verduidelijkte: 'Misschien heb ik wel een oplossing gevonden. Maar die kan alleen maar verwezenlijkt worden met de hulp van mijn ouders. Bovendien moeten we natuurlijk eerst weten wat jij ervan vindt. Kom, droog nu je tranen, dan gaan we naar binnen en dan zullen wij het je allemaal haarfijn uitleggen. Pas daarna kun jij beslissen of je ermee doorgaat of niet.' Hij veegde voorzichtig haar tranen weg met zijn vingers. 'Gaat het?'

Hij wachtte even tot ze haar neus gesnoten had en ze zwak knikte. Daarna pakte hij haar hand en nam haar mee de schuur uit. Zodra ze de openstaande deur van het woonhuis binnenstapten, hoorden ze een vrouw een vrolijk liedje zingen. Elias grinnikte. 'Dat is mijn moeder: Betty. Ze houdt ervan om te zingen.'

'Moeder!' riep Elias toen hij zijn moeder niet dadelijk zag. Het zingen verstomde en vanuit een zijkamer verscheen een gezette vrouw met blond, krullend haar, rode wangen en blauwe, lachende ogen. Ze glimlachte verheugd toen ze Paulien naast haar zoon zag staan. Ze kwam de kamer verder in terwijl ze haar wit bestoven handen afveegde aan haar schort. 'Welkom, Paulien,' zei ze warm. 'Ik ben blij dat er eindelijk eens een vrouw over de drempel komt in plaats van al die mannen om me heen.' Ze lachte uitbundig en vervolgde: 'Heeft Elias je het naaiatelier al laten zien?'

Paulien knikte. 'Het is prachtig,' zei ze naar waarheid. 'Het moet jullie beslist heel wat werk gekost hebben.'

'Ach, ze hebben er allemaal bij geholpen. Bovendien is de schuur groot genoeg en wordt die ruimte nu tenminste nuttig besteed.'

Paulien boog even aarzelend haar hoofd. 'Ik wil niet ondankbaar zijn,' bracht ze er ten slotte uit, 'maar ik zie niet in hoe we mijn oom kunnen overtuigen en wat de bedoeling van dit alles is.'

Betty lachte. 'Ik ben blij dat Elias heeft kunnen zwijgen. Mijn man en ik willen er graag bij zijn wanneer hij het je uitlegt. Het heeft namelijk ook met ons te maken, zie je en dan kunnen wij je dat onderdeel verduidelijken als dat nodig mocht zijn.'

Elias keek even om zich heen. 'Waar is vader eigenlijk?'

'Je vader is met Quinten naar het aardappelveld om onkruid te wieden. Hij kan wel niet zo veel doen, maar met behulp van een melkkrukje lukt het wel wat en het is altijd goed dat hij zijn handen even uit de mouwen kan steken.' Ze keek naar Paulien alsof ze haar deze verklaring schuldig was. Maar daarna keek ze Elias weer aan. 'Misschien kun jij hem even gaan halen. Ondertussen zet ik het brood in de oven en kan Paulien wat water opzetten voor de thee. Dan kunnen we daarna met zijn allen gezellig om de tafel gaan zitten en haar het hele verhaal laten horen.'

Paulien was blij dat ze kon helpen, al maakten Betty's woorden haar meer dan nieuwsgierig.

Zodra het brood in de oven stond en de theepot dampend op de tafel klaarstond, klopte Betty op een stoel. 'Ga even zitten, Paulien. De jongens zullen nu wel dadelijk komen. Maar in de tussentijd profiteer ik nog even van de situatie. Het komt niet zo dikwijls voor dat ik hier in huis met een vrouw kan praten.' Haar schaterlach werkte aanstekelijk zodat Paulien zich al vrij vlug op haar gemak voelde. Maar daarna werd ze weer ernstig. 'Elias heeft me al zo veel over je verteld dat het lijkt alsof ik je al lang ken, Paulien. Ik heb ook van hem gehoord dat jij het niet zo gemakkelijk hebt gehad. En dat je nog een zus en een broer hebt voor wie jij je erg voor inzet. Dat siert je, kind. Het moet heel erg voor je geweest zijn toen jullie alleen achterbleven.'

Paulien knikte. 'Het is mijn grootste wens om ons weer te kunnen verenigen.'

Betty klopte even bemoedigend op Pauliens hand. 'Daar kan ik inkomen, meisje. En ik weet zeker dat het je, zelfs zonder onze hulp, vroeg of laat zal lukken. Daar heb ik niet de minste twijfels over. '

Paulien keek haar even vragend aan. Maar op dat ogenblik verschenen Elias en zijn vader in de deuropening en keek Betty lachend op. 'Zo, daar zijn jullie. Net op tijd voor de thee.' Ze schonk alvast thee in de daarvoor bestemde kopjes. 'Is Quinten niet met jullie meegekomen?'

Elias schudde zijn hoofd. 'Hij wilde nog wat verder werken, moeder. Dan is hij klaar voor het eten.'

Betty knikte terwijl Paulien naar de twee mannen keek. Florent, Elias' vader, steunde op twee geïmproviseerde krukken en kwam maar moeizaam vooruit, maar dat maakte hem niet minder vrolijk. Hij drukte een klinkende zoen op Betty's wang en zei plagerig; 'Wat heb ik je vreselijk gemist, vrouwtje.' Wat natuurlijk weer een lachsalvo teweegbracht.

Paulien mocht hem dadelijk. Hij was mager en pezig, maar ze zag ook veel trekken die overeenkwamen met zijn oudste zoon. Peter en Quinten – de jongste broers – leken niet zo erg op hem. Peter was het evenbeeld van zijn moeder, terwijl Quinten een mengeling was van beiden. Walter leek ook heel erg op Elias. Als Walter niet wat kleiner en gedrongen was geweest, zou het een tweeling kunnen zijn, had Paulien al eens gedacht wanneer ze hen samen, na de hoogmis, op het kerkplein zag staan. Maar de vrolijkheid en de gevatheid hadden ze allemaal. Het was een gezellig huis, dat voelde Paulien heel sterk. Het deed haar denken aan de heerlijke jaren met haar ouders. Hier was dezelfde geborgenheid, de knusse sfeer, het ongekunstelde verweven met liefde en respect voor elkaar.

Terwijl ze dit alles overdacht, waren de mannen gaan zitten en keek Paulien Florent warm aan. 'Dank je, Florent, voor het prachtige naaiatelier,' zei ze gemeend, ook al besefte ze maar al te goed dat ze het waarschijnlijk niet zou kunnen gebruiken. Hij wuifde echter lachend haar woorden weg. 'Daarvoor moet je Elias bedanken, kind. Hij heeft ons kunnen overtuigen. Heeft Betty je trouwens al uitgelegd hoe de zaken in elkaar zitten?'

Paulien schudde haar hoofd terwijl Betty haar vingers even op Florents arm drukte. 'Ik wou wachten tot jullie er waren zodat Elias het haar kon vertellen,' zei ze gedecideerd. 'Ga zitten en drink je thee zodat hij kan beginnen. Ik denk dat Paulien ondertussen wel ontploft van nieuwsgierigheid.'

Elias keek Paulien warm aan. 'Ik kreeg dit idee toen Gertrude sprak over het feit dat je zelfstandig kon beginnen,' stak hij van wal. 'Natuurlijk besefte ik maar al te goed dat je oom daar geen genoegen mee zal nemen, zeker niet nu hij je voor Alberik heeft bestemd. Daarom stel ik voor dat mijn moeder met een naaiatelier zal beginnen. Natuurlijk is dat maar een dekmantel en is het jouw naaiatelier, maar dan kan je oom er niets tegen inbrengen. Nu heeft moeder natuurlijk ook mensen nodig die voor haar willen werken. Berthe is er al en ook Sarah. Maar Sarah wordt door Claudia betaald en kun je dus nog niet echt voor eigen rekening meetellen. En toen dacht ik aan Nell. Zij staat op het punt om uitbesteed te worden, dus waarom zou ze dan niet hier bij jou komen werken? Omdat het niet haalbaar is voor vader, wil moeder met haar broer naar Antwerpen gaan om Nell een baan aan te bieden. Het is beter dat er een man bij is, zie je, want je weet hoe die zusters zijn.

Ik ga natuurlijk met hen mee om de weg te wijzen, maar ze kennen me daar van onze vele bezoeken en het is dus beter dat ik me even op de achtergrond hou tot deze kwestie geregeld is. Maar ik ben ervan overtuigd dat de zusters hen met open armen zullen ontvangen. De aanbiedingen liggen nu eenmaal niet voor het oprapen. Bovendien kan je oom daar niets tegen inbrengen, want dan had hij Nell maar onder zijn eigen hoede moeten nemen.

En er is nog meer, Paulien. Wanneer je zus eenmaal goed en wel hier is, hoef jij je niet meer verplicht te voelen om met Alberik te trouwen. Dan mag je oom je terugsturen naar het weeshuis, want dan gaan mijn moeder en mijn oom weer naar Antwerpen om je zogezegd ook in dienst te nemen. Dan ben je voorgoed met Nell herenigd en kun je toch je eigen weg gaan. Alleen voor Mattijs weet ik zo dadelijk nog geen oplossing. Maar de paters zijn niet zo streng en ze zijn het al gewoon dat je hem regelmatig komt bezoeken en hem dan voor een namiddag met je meeneemt. Ik vermoed dat zij er geen punt van maken als hij vanaf nu wat langer bij jullie zal blijven. Een dag of een paar dagen, misschien af en toe een weekje vakantie om aan te sterken... Ze denken immers dat hij dan bij mijnheer de notaris zal logeren en ze zullen alleen maar blij zijn dat hij misschien kans maakt om voorgoed bij zijn oom opgenomen te worden zodat ze weer een mond minder te voeden hebben. Zolang de notaris niet op de hoogte gebracht wordt, en ik zie niet in dat dit vlug zal gebeuren, zal er geen haan naar kraaien. Als we deze situatie een aantal jaren kunnen volhouden, dan ben je oud genoeg om zelf voogd over je broer en zus te worden, en omdat je dan al in je eigen onderhoud kunt voorzien, zal geen enkele rechter je dat kunnen weigeren.'

Hier zweeg hij en hij keek afwachtend naar Paulien.

Het duurde even voordat zijn woorden echt goed tot haar doordrongen, maar toen ze ten volle besefte wat hij had gezegd voel-

de ze haar keel dichtschroeven door de emotie die het teweegbracht. Ze besefte nu dat hij haar een kans bood zodat ze weer
met zijn allen herenigd konden worden.
'Maar... maar hoe zit het dan met jullie,' vroeg ze haperend van
emotie. 'Jullie hebben het al zo moeilijk. En als wij er dan nog
bij komen...'
Nu nam Betty het woord. 'Ach, kind. Een paar monden meer
of minder zullen er niet op aan komen. Bovendien weet ik wel
zeker dat je vlug genoeg je eigen kost zult verdienen. We geven
je alleen maar een start, meer niet. En weet je wat? Als ik heel
eerlijk ben lijkt het me heerlijk om eindelijk eens een paar vrouwen in huis te hebben.' Ze barstte weer in lachen uit.
Maar Paulien kon niet lachen. Haar keel was nog steeds dichtgeschroefd. Ze was zo ontroerd door de goedheid van deze mensen, dat ze sprakeloos was. Toen ze uiteindelijk dan toch in staat
was om te reageren, liepen de tranen weer over haar wangen.
Impulsief sloeg ze haar armen om Elias' hals. 'O, dank je. Dank
je wel. Dit... dit is de mooiste dag van mijn leven,' snikte ze.
Elias was een beetje overdonderd door haar plotselinge omhelzing, maar nu hij haar tegen zich aan voelde maakte dat een
overweldigende emotie in hem los. Een emotie die zijn hart deed
bonzen en zijn verstand op tilt deed slaan. Hij kon het niet helpen, hij kon niet voorkomen dat zijn vriendschap voor haar langzaam dieper werd en openbloeide tot liefde. Toen ze zich weer
losmaakte, keek hij haar even diep aan in de hoop dat hij in haar
ogen dezelfde gevoelens zou zien.
Maar Paulien was zich daarvan niet bewust. Ze was veel te gelukkig om zich met andere gevoelens bezig te houden. Ze keek
met grote ogen om zich heen en kon nog altijd niet geloven dat
ze weldra met Nell en Mattijs herenigd zou zijn. Het geluk deed
haar stralen. Elias moest toegeven dat hij haar nog nooit zo mooi
had gezien. Eigenlijk had hij altijd al van haar gehouden, drong
het tot hem door. Vanaf het eerste begin toen hij haar als een
angstig vogeltje op de bank in het station zag zitten. Nu was
dat bange meisje uitgegroeid tot een volwassen vrouw en samen
met die veranderingen was zijn liefde voor haar meegegroeid.
Hij had het lang willen ontkennen, hij had het lang van zich
weggeduwd omdat hij bang was om Pauliens vriendschap te verliezen. Zij ervaarde immers niet dezelfde gevoelens, dat voelde

hij heel goed aan. Hij hoopte echter dat ze ooit zijn liefde zou beantwoorden, dat ze ooit zou inzien dat hij alles wilde doen om haar gelukkig te maken.

Florent schraapte zijn keel. 'Nou, zullen we dan nu overgaan tot de praktische kant van de zaken?' zei hij lachend om het emotionele, dat hen allen aangreep, een beetje te temperen.

'Ik stel voor dat we alles nog even op zijn beloop laten. Daarmee bedoel ik dat Paulien nog even haar rol van verloofde zal moeten spelen tot we er zeker van zijn dat Nell bij ons is. Het is van groot belang dat mijnheer de notaris geen enkel vermoeden heeft. Ik vrees dat hij er anders weleens een stokje voor kan steken. Hij kent de gerechtelijke wegen beter dan wij en hij heeft bovendien de middelen om een goede advocaat in de arm te nemen.'

Elias knikte. Het feit dat Paulien nu nog langer verplicht werd om Alberik te behagen, stond hem helemaal niet aan. Maar hij begreep maar al te goed dat er geen andere keuze was. Zijn vader had gelijk. Alles moest goed voorbereid worden. Hij keek Paulien met een verontschuldigende blik aan. Er liepen nog altijd tranen over haar wangen en hij kon de verleiding niet weerstaan om ze voorzichtig met zijn vingers weg te vegen. 'Vader heeft gelijk, Paulien. Ik weet dat het niet leuk voor je is...'

Ze onderbrak hem door heftig met haar hoofd te schudden. 'Ik vind het helemaal niet erg als ik daardoor Nell en Mattijs bij me kan hebben,' onderbrak ze hem. 'O, ik kan het nog altijd niet geloven. Eindelijk! Eindelijk zullen we weer bij elkaar kunnen zijn. O, ik ben zo gelukkig!' Ze liet haar vreugdetranen even de vrije loop.

Betty drukte haar hand tegen haar borst toen ze haar zoons blik zag. Ze wist al langer dat hij bepaalde gevoelens voor Paulien koesterde. Ze kende hem immers beter dan wie ook en hoorde het in zijn verhalen, zag het aan zijn gezicht, merkte het aan zijn hele doen en laten. Toen Paulien hem daarnet omhelsde had het haar vermoedens bevestigd. Maar wat ze zag maakte haar verdrietig omdat ze besefte dat de liefde maar van één kant kwam. O, Paulien was echt aardig en ze hield op haar manier ook van haar zoon, daar was ze van overtuigd, maar niet zoals Elias het wou. Dat deed haar moederhart pijn en het maakte haar ook bang. Maar liefde laat zich nu eenmaal niet sturen, het gaat zijn eigen gang, daar kan zelfs een moeder niet tegenop.

HOOFDSTUK 10

Zodra Gertrude op de hoogte gebracht was van Elias' plan, leefde ze sterk en vol verwachting met de jonge vrouw mee. Paulien liep inderdaad op wolken. Ze leek energie voor tien te hebben. Gelukkig had ze aan werk geen gebrek, zodat ze haar aandacht nodig had voor het schetsen van modellen, uittekenen van patronen en knippen van de stoffen. Dat verzette haar gedachten een beetje, want ze kon haast aan niets anders denken dan aan het feit dat ze Nell en Mattijs weldra in haar armen kon sluiten.

Het naaien zelf liet ze aan Berthe en Sarah over. Elke middag ging ze even naar haar naaiatelier om de geknipte stof weg te brengen en Berthe – samen met Betty die hielp waar ze kon – een beetje uitleg te geven. Sarah werkte nog altijd op haar kamertje en was vooral bezig met de kleding voor Claudia. Zij leek altijd wel een rok, bloes of jurk nodig te hebben. Al dat werk maakte dat Paulien zich daarop kon concentreren zodat het haar euforische gedachten naar de achtergrond kon drukken. Ze zou beslist heel de dag lopen dansen en zingen wanneer ze al dat werk niet had en dat zou natuurlijk maar al te erg opgevallen zijn. Maar haar geluk helemáál wegstoppen kon ze niet en dat ontging Claudia niet.

'Wat is er met je aan de hand?' vroeg ze na een aantal dagen Pauliens gedrag geobserveerd te hebben. 'Je lijkt wel dolgelukkig te zijn. Ik wist niet dat je zo veel om hem gaf?'

Paulien had haar een ogenblik niet-begrijpend aangekeken, maar toen drong het tot haar door dat Claudia Alberik bedoelde. Ze greep deze kans. 'O, ja,' zei ze glunderend. 'Ik voel me echt gelukkig.'

'Zo? Wat heeft hij dan gedaan om je zo gelukkig te maken? Enkele weken geleden heb je papa nog gesmeekt om niet met hem te hoeven trouwen.'

Paulien stond op het punt om Claudia van haar geheim op de hoogte te brengen. Sinds haar oom haar gedwongen had om met Alberik te trouwen, was ze immers weer de vertrouwde Claudia van weleer geworden. Maar ze besloot om het toch maar niet te doen. Ze kon geen enkel risico nemen, ook al zou ze haar geluk van de daken willen schreeuwen.

'O, maar hij valt heus wel mee, Claudia. Ik probeer er alleen het beste van te maken en de rest komt vast wel vanzelf.' Dat was niet helemaal gelogen. Nu ze wist wat haar te wachten stond, vond ze het helemaal niet erg om straks weer een paar uur naar Alberiks stroperige woorden te moeten luisteren en zijn knijpende vingers op haar huid de voelen.

Maar Claudia was niet helemaal overtuigd. Ze kon het niet verkroppen dat Paulien zich gelukkig voelde. Nu ze David na zijn enige bezoek niet meer te zien had gekregen, voelde ze de wrok weer volop bovenkomen. Het was Pauliens schuld. Zij had ervoor gezorgd dat hij niet naar haar omkeek. Ze wou dat Paulien zich net zo miserabel voelde als zij en daarom was ze blij dat Paulien gedwongen werd om met Alberik te trouwen. Ze was er immers van overtuigd dat zij helemaal niet van hem hield en bovendien wist ze dat Alberik een gemene en sluwe man was die met niets en niemand rekening hield. Ze kende hem immers al heel haar leven en de verhalen die de ronde deden lieten niets aan de verbeelding over. Paulien moest voelen wat het was om ongelukkig te zijn. Dat was haar straf voor het wegkapen van háár David.

Maar nu moest ze deze stelling herzien want Paulien leek echt gelukkig. Zou Alberik dan veranderd zijn? Misschien moest ze eens met hem praten. Ze was bang dat zijn liefde voor Paulien van hem een zachte en liefdevolle man had gemaakt. Nou, die gunde ze Paulien niet!

Ze liet er dan ook geen gras over groeien en wachtte Alberik op na zijn volgende bezoek aan Paulien. Ze liet het uitkomen alsof ze toevallig van een wandeling terugkwam.

'Zo, Alberik. Wat fijn om je te zien. Het treft dat we elkaar hier tegenkomen. Ik wou al langer even met je praten, zie je.'

Alberik keek haar met zijn kleine ogen afwachtend aan. 'Dat treft inderdaad, juffrouw Claudia. Ik kom net van jullie huis en ik moet je eerlijk bekennen dat Paulien er de laatste tijd stralend uitziet.'

'Dat heb ik ook al opgemerkt en daar wou ik het net met je over hebben, Alberik. Zij voelt zich inderdaad gelukkig, maar ik vroeg me af of jij wel gelukkig zult worden met Paulien? Je weet toch dat zij niets zal meebrengen? Geen enkele cent. Bovendien is ze niet zo gemakkelijk in de omgang. Een beetje vrijgevochten, als je begrijpt wat ik bedoel.'

Hij grijnsde. 'Paulien is mooi, Claudia. Dat is voor mij belangrijker dan geld. Een vrouw dient toch om een man te behagen,
nietwaar? Daar gaat het in het huwelijk tenslotte om.'
'Ik ben bang dat ze zich niet zo onderdanig zal gedragen als je
verwacht, Alberik.'
'Daar is geen discussie over. In een huwelijk is een man nog
altijd de baas en ze zal zich naar mijn wensen moeten schikken.
Daar zou ik me geen zorgen over maken. Soms is een harde hand
nodig om een vrouw te kneden, daar ben ik me maar al te goed
van bewust.'
Claudia glimlachte fijntjes. 'Daar ben ik blij om. Ze heeft inderdaad een harde hand nodig. Ik zou het je eigenlijk niet mogen
vertellen, maar gisteren heeft ze me gezegd dat ze je al in haar
macht heeft en dat ze na het huwelijk met je kan doen wat ze
wil. Ik weet dat het niet erg netjes van me is om dit allemaal te
zeggen en ik zou het ook liever niet doen, maar ik wil je waarschuwen, Alberik. Je bent tenslotte mijn vriend. Ze heeft me al
verschillende keren laten horen dat jij veel geld hebt en dat ze
alles zal aangrijpen om daarvan zo veel mogelijk te profiteren.
Je mag niet vergeten dat Paulien in een weeshuis gewoond heeft
en geen welstand gewend was. Als ik jou was, dan zou ik toch
maar een beetje op mijn tellen passen en Paulien vanaf het begin goed laten voelen wie er de baas is.'
Alberik knikte even zodat zijn dubbele onderkin trilde. 'Ik zal
je goede raad zeker opvolgen. Maar ik ben ervan overtuigd dat
Paulien geen kans krijgt om me te belazeren. Eens het huwelijk
eenmaal voltrokken is, zal ik de touwtjes stevig in handen hebben, neem dat maar van me aan.'
Claudia glimlachte liefjes. 'Dan wens ik je verder nog een mooie
dag toe, Alberik.' Ze knikte hem koket toe en zette haar wandeling voort. Maar de glimlach verdween al vlug van haar gezicht. Zo te horen was Alberik geen spat anders dan vroeger en
ze vroeg zich nu des temeer af waarom Paulien in korte tijd zo
veranderd was. Er was iets – ze kon er niet de vinger op leggen
– maar er was iets wat haar ergerde. Ze had het gevoel dat haar
iets ontging en ze was vastbesloten om erachter te komen wat
dat was. Ze grinnikte in zichzelf. Nou ja, als Paulien iets van
plan was, dan zou ze toch vlug moeten zijn, want haar papaatje
had het huwelijk al laten vastleggen. Op twee oktober. Dat was

nog maar een kleine maand. Natuurlijk was dat vlug en had hij de pastoor een mooie gift moeten geven om het allemaal in orde te krijgen. Maar als het huwelijk eenmaal een feit was, dan zou Paulien lang niet zo gelukkig blijven. Daar was ze rotsvast van overtuigd.

Paulien was zich helemaal niet bewust van Claudia's ongenoegen. Het viel haar wel op dat ze de laatste tijd minder met elkaar omgingen. Maar dat weet Paulien aan het feit dat zij zo druk bezig was met het maken van kleding en het behagen van Alberik die om de paar dagen een bezoek kwam brengen. Er bleef haast geen tijd meer over om Nell en Mattijs op te zoeken. Ze hoopte echter dat het vanaf vandaag ook niet langer nodig was. Betty was – samen met haar broer en Elias – deze ochtend vroeg naar Antwerpen vertrokken in de hoop dat ze Nell meteen met zich mee kregen.

Paulien voelde de spanning stijgen naarmate de dag vorderde. Ze was zo bang dat het niet zou lukken. Ze kon haar gedachten bij niets anders houden. Zelfs Gertrude kon haar deze keer niet tot rust brengen. Toch moest ze haar onrust nog langer doorstaan, want ze hoorde of zag niets of niemand die dag. Na een slapeloze nacht ging ze vlug naar de keuken om te horen of Gertrude al iets had opgevangen. Maar ook zij moest teleurgesteld haar hoofd schudden.

Paulien moest nog tot de middag wachten tot Elias – eindelijk – de keuken binnenkwam. Hij had een grijns van oor tot oor. 'Als ik jou was, dan zou ik even bij mijn huis gaan kijken, Paulien,' zei hij vrolijk.

Paulien liet een zwak kreetje horen. Ze rukte haar schort af en was al verdwenen voordat iemand nog iets had kunnen zeggen. Ze liep zo vlug als haar benen haar konden dragen, vloog haast over kuilen en beemden en kwam hevig hijgend bij Elias' ouderlijk huis aan.

Nell had al op haar komst zitten wachten, want ze kwam vlug het huis uit gelopen en ze vlogen dolgelukkig in elkaars armen. Betty en Florent stonden glimlachend in de deuropening naar het tafereel te kijken. Af en toe depte Betty met een tip van haar schort een traan weg.

Even later zaten ze met zijn allen rond de tafel en vertelde Betty haar hoe alles zonder problemen was verlopen. 'De zusters waren blij en ontvingen ons met open armen toen ze vernamen dat we iemand zochten voor in 'mijn' naaiatelier,' begon Betty. Maar toen ik hun vertelde dat ik graag Nell Pauwels in dienst wilde nemen, keek moeder-overste me even verbaasd aan en ze vroeg me waarom ik juist dat meisje wou. Nou, toen heb ik haar gezegd dat ik uit hetzelfde geboortedorp kwam als haar moeder en dat ik wist dat haar vader kleermaker was en dat ik hoopte dat Nell een beetje van zijn talent had geërfd. Dat kon zeker van pas komen in een naaiatelier. Moeder-overste nam mijn uitleg zonder meer aan.'

Nell knikte grinnikend. 'Ik denk dat ze gewoon blij was om van me af te zijn.'

De oudere vrouw lachte uitbundig. 'Nou, wie weet. Ze maakte in ieder geval geen enkel bezwaar meer en heeft je dadelijk laten halen.'

Nell knikte weer. 'Ja, ik schrok behoorlijk toen zuster Magdalena me kwam halen,' ging ze daarop in. 'Ik dacht dat ik weer iets misdaan had, al kon ik niets bedenken. Maar toen zag ik twee vreemde mensen bij moeder-overste zitten. En toen zei ze dat ik me moest klaarmaken omdat deze mensen me in dienst wilden nemen. Je kunt je voorstellen hoe ik schrok, Paulien. Wie weet waar ze me naartoe brachten en hoe kon ik jou van dit alles op de hoogte brengen? Ik was bang, dat kan ik je wel vertellen.'

Betty leunde wat naar haar toe en sloeg moederlijk een arm om haar schouder. 'Ik zag het aan je. Je leek net een bang diertje. Maar we konden het op dat moment niet uitleggen, dat begrijp je toch?'

Nell knikte. 'Ik begreep het pas toen zuster Magdalena de poort achter ons gesloten had en ik Elias zag die op ons stond te wachten. Je kunt je wel voorstellen hoe gelukkig ik was toen hij alles had uitgelegd. De trein kon niet vlug genoeg rijden. En nu ben ik hier en volgens Betty en Florent mag ik hier voor altijd blijven. O, ik kan het nog steeds niet geloven.'

Paulien lachte uitgelaten. 'Daar kan ik best inkomen, zusje. Ik kan het allemaal zelf nog maar amper bevatten. Maar nu het ons gelukt is om je hier te krijgen, geloof ik er ook in dat we een oplossing zullen vinden voor Mattijs en dat we met zijn allen hier een toekomst kunnen opbouwen.'

116

HOOFDSTUK 11

Dat was echter buiten de macht en de wil van mijnheer de notaris om gerekend. Amper een paar dagen nadat Nell er was, kreeg Paulien van Gertrude te horen dat haar tante haar wou spreken. Paulien ging dadelijk naar haar toe en zag dat Roberta op de chaise longue lag met een natte lap op haar voorhoofd. Ze wees naar een stoel die vlakbij geschoven was. 'Ga even zitten, Paulien. Ik zal het kort maken, want mijn hoofdpijn is vandaag niet te harden.'

Paulien voldeed aan haar verzoek en zette zich neer terwijl ze zich afvroeg waarom haar tante haar zo dringend wilde spreken. Maar ze hoefde niet lang op het antwoord wachten.

'Ik moet met je praten in verband met het naderende huwelijk,' begon ze met gesloten ogen. 'Gelukkig beginnen de weverijen hier en daar weer op gang te komen en is je oom erin geslaagd om enkele mooie lappen stof te bemachtigen. Het belangrijkste was natuurlijk een fijne witte mousseline voor je trouwjurk. Je oom en ik willen ons niet hoeven te schamen wanneer je naast Alberik voor het altaar staat en dus zullen we ook zorgen dat alles naar behoren zal zijn. Natuurlijk is er ook stof bij voor een deftige jurk voor Claudia en mij. Mijnheer de notaris heeft zijn eigen kleermaker, dus daar hoef jij helemaal geen rekening mee te houden. Ik hoop echter dat je alles nog op tijd klaar krijgt, want volgens je oom zal het huwelijk eerder plaatshebben dan ik dacht en hebben we nog welgeteld drie weken om alles in orde te maken.'

Paulien schrok en drukte een hand tegen haar keel. 'Drie weken?'

'Ik weet dat het kort is, Paulien, zeker wanneer alles nog gemaakt moet worden. Mijn echtgenoot begrijpt niet wat er allemaal bij komt kijken. Ik heb het hem willen uitleggen, maar hij zegt dat alles al geregeld is. Nou, dan is dat zo. Als het je niet lukt om de jurken op tijd klaar te krijgen, dan vraag je maar iemand om je te helpen.'

Maar Paulien maakte zich geen zorgen om de kleding. Ze had gehoopt dat ze nog een aantal maanden zou hebben. Ze begreep niet hoe het kon. Het huwelijk moest toch nog aangekondigd worden? En ze had nog nooit van zo'n korte verlovingstijd ge-

hoord. De angst sloeg haar om het hart. Ze had er nog voor willen zorgen dat ze Mattijs hier kon krijgen, al was het maar voor
een korte vakantie, en ze hoopte dat het naaiatelier na enkele
maanden wat meer op zou leveren zodat ze een beetje in hun
eigen onderhoud konden voorzien. Dan hoefde Betty en Florent
er niet zo erg onder te lijden. Het feit dat het huwelijk zo vlug
plaats zou vinden, maakte dat ze deze plannen moest wijzigen.
Ze moest haar oom op de hoogte brengen dat ze niet met Alberik
wilde trouwen. En liefst zo vlug mogelijk.

Na rijp beraad met Gertrude en Elias, die haar volledig steun-
den in haar beslissing, klopte ze de volgende avond met bonzend
hart op de deur van Korneels bureau. Ze wachtte even tot ze
'binnen' hoorde mompelen en stapte met knikkende knieën de
kamer in.
Korneel keek op en toen hij zag dat het Paulien was, keek hij
even verveeld naar de papieren waar hij mee bezig was. 'Wat
kom je doen, Paulien?' vroeg hij kort. 'Ik heb nu niet veel tijd.
Het kan dus beter maar belangrijk zijn.'
Paulien voelde haar hart als een wildeman tekeergaan, maar ze
kon niet meer terug en dat wou ze ook niet. 'Ik... ik kom u zeggen dat ik niet met Alberik wil trouwen,' kwam het er haperend
en zacht uit.
Korneel keek haar even verbaasd aan alsof hij niet goed had ge-
hoord wat ze had gezegd. Maar hij had het wel degelijk gehoord.
Zijn wangen kleurden langzaam rood en zijn ogen schoten vuur.
'Wát zeg je?' bulderde hij zo luid dat Paulien in elkaar kromp.
'Ik... ik wil niet met Alberik trouwen,' herhaalde ze.
'Ik heb wel gehoord wat je zei,' brieste hij. 'Wat een brutaliteit!
Wat een ondankbaarheid! Nou, dat zullen we dan weleens zien!
Je zult wel móéten, Paulien. Alles is al geregeld!'
Paulien stond te trillen op haar benen, maar ze raapte al haar
moed bij elkaar. 'Ik... kan niet met hem trouwen, oom. Ik ga nog
liever terug naar het weeshuis,' zei ze zo kordaat mogelijk.
Korneels wangen werden nog roder. Hij kón haar niet terug-
sturen, want dan zou zijn verwachte en vooral verhoogde positie
in de gemeenteraad in gevaar komen.
'Je trouwt met hem en daarmee basta,' zei hij terwijl hij met een
vuist op zijn bureau sloeg.

Maar Paulien was al even vastberaden als hij. Ze schudde haar hoofd en hield – ondanks de angst – voet bij stuk. 'Ik wil niet, oom. Ik hou niet eens van hem.'

Korneel keek haar even onthutst aan. Hij stond op en ging vlak voor haar staan. 'Je houdt dus niet van hem? Nou, en? Hij heeft geld en macht, Paulien. Je zou de hemel dankbaar moeten zijn dat hij met je wil trouwen. Daar heeft liefde toch niets mee te maken?'

Maar Paulien schudde haar hoofd. 'Ik wil het niet, oom. Ik wil nog liever teruggestuurd worden naar het weeshuis.' Ze zag het helemaal niet aankomen, ze voelde de harde klap pas toen ze op de grond viel en even kreunend bleef liggen.

'Je zúlt met hem trouwen. Of je dat nu wilt of niet! Als het moet dan sleur ik je tot voor het altaar.'

Paulien stond op en wreef over haar pijnlijke kaak. Maar de klap had ook haar angst doen verdwijnen. Ze richtte haar kin nu strijdlustig op en keek haar oom vast aan. 'Hij zal nooit mijn jawoord krijgen, wat u ook doet,' zei ze vinnig.

Deze woorden en haar houding wakkerden zijn woede nog meer aan. Zijn gezicht zag nu helemaal rood en zijn bliksemende ogen vernauwden zich zo erg dat ze nog amper zichtbaar waren. Hij ontplofte. Zijn hand greep haar arm in een ijzeren greep. Voordat ze zich ervan bewust was, had hij haar omgedraaid en haar voorover op zijn bureau gedrukt. Hij hield haar stevig vast zodat ze zich onmogelijk los kon rukken. Ze voelde de eerste klap van zijn riem als een zweepslag op haar rug neerkomen. 'Als het moet dan slá ik het erin,' zei hij heet van woede.

Paulien probeerde tevergeefs onder zijn greep uit te komen, maar zijn kracht was te groot en hij hield haar onwrikbaar tegen het bureau gedrukt terwijl ze de volgende klappen op haar rug voelde neerkomen. Ze gilde het uit van de pijn. 'Zeg dat je met hem zult trouwen,' snauwde hij haar toe. 'Zeg dat je akkoord bent met het huwelijk voordat ik je verrot sla!'

Maar Paulien kon alleen maar het hoofd schudden terwijl de tranen over haar wangen liepen van de pijn en de vernedering. 'Ik wíl niet met hem trouwen!' schreeuwde ze het uit. 'Ik wil terug naar het weeshuis.'

'O, nee, meid. Ik stuur je niet terug. Je denkt toch zeker niet dat je mijn carrière om zeep kunt helpen?'

Hij sloeg haar nog vijf keer met volle kracht voordat hij haar losliet. Paulien gleed als een lappenpop van het bureau op de grond waar ze kreunend bleef liggen.

Hij hijgde zwaar toen hij woedend op haar neerkeek. 'Als je niet met Alberik wilt trouwen, dan sluit ik je nog liever op. Ga naar je kamer en kom er niet meer uit voordat ik het zeg. Ik hoop dat je nog tot bezinning komt, want anders kan ik je niet garanderen dat ik een volgende maal mijn woede op tijd kan stoppen.'

Na deze woorden verliet hij het vertrek en liet hij haar alleen achter.

Paulien trok zich met veel moeite omhoog aan het bureau. Haar rug schrijnde verschrikkelijk en bij elke beweging die ze maakte, sneden er pijnlijke scheuten door haar lichaam. Toch lukte het haar om de twee trappen op te lopen tot bij haar kamertje. Ze was blij dat het avond was en dat ze Claudia of haar tante niet tegenkwam. Ze zou het niet aankunnen om op dit ogenblik te vertellen hoe ze zich voelde. Ze vond het zo beschamend en vernederend. Ze had nooit gedacht dat haar oom op deze wijze zou reageren.

Ze legde zich voorzichtig op haar buik op haar bed en probeerde angstvallig om haar tranen te bedwingen. Maar ze kwamen toch. Eerst zacht en stil, maar al vlug huilde ze tot haar schouders ervan schokten. Ze huilde niet alleen van pijn en vernedering, maar ook om het feit dat haar oom niet van plan was om haar terug te sturen. Nu leek heel hun zorgvuldig opgezet plan in duigen te vallen.

Paulien had zich blijkbaar in slaap gehuild, want toen ze weer wakker werd lag ze nog steeds aangekleed op haar buik op het bed. Ze wou zich oprichten, maar een snijdende pijn herinnerde haar dadelijk aan wat er was gebeurd. Voorzichtig en kreunend stond ze op. Door het raam zag ze dat het nog donker was. Ze had blijkbaar niet zo erg lang geslapen en was van de pijn wakker geworden.

Nu ze de ergste schok wat verwerkt had realiseerde ze zich dat ze hier niet langer kon blijven. Ze was ervan overtuigd dat haar oom het hierbij niet zou laten en dat hij haar zou blijven afranselen tot ze toe zou geven om met Alberik te trouwen. Ze moest hier weg. Maar ze kon onmogelijk bij Betty en Florent gaan wonen. Haar oom was immers haar voogd en dan zou hij haar gewoon terug komen halen. Nee, ze moest ergens onderduiken of ver weg gaan zodat hij haar niet meer kon vinden. Maar waar moest ze dan naartoe? Er was nergens een plaats waar ze terechtkon. Nou, dat kon haar op dit moment weinig schelen. Ze moest hier weg, zo simpel was dat.

Kreunend zette ze zich op de stoel voor haar commode en pakte een blad papier en een pen. Ze zou eerst een briefje schrijven voor Elias' ouders en Nell zodat zij wisten wat er aan de hand was en waarom ze weg was gegaan. Ze drukte hun op het hart om Mattijs zo veel mogelijk te bezoeken en besloot met de woorden dat ze hen kwam opzoeken zodra dat mogelijk was. Ze stopte de brief in een envelop en verbeet de pijn terwijl ze haar weinige bezittingen in een bundeltje bij elkaar bond, haar jas aantrok en naar de deur toe ging. Maar tot haar grote ontsteltenis bleek deze op slot te zijn. Ze trok en rukte aan de klink, maar er kwam geen beweging in. Paulien raakte in paniek. Ze begon met haar vuisten op de deur te slaan en riep om hulp. Ze riep Claudia's naam, ze huilde, smeekte, maar niemand leek het te horen. Ten slotte liet ze zich moedeloos langs de deur naar beneden zakken. Daar bleef ze kreunend zitten als een ineengedoken hoopje ellende.

De volgende ochtend werd ze uit een soort verdoving wakker door een geluid. Ze hoorde dat het slot open werd gedraaid en even later kwam haar oom de kamer binnen. Hij droeg een geëmailleerde emmer in de ene hand en een dienblad in de andere waar op een kan met water stond en wat brood met pruimenjam. 'Ik kom je eten voor vandaag brengen, Paulien. Zie maar dat je het een beetje verdeelt, want meer krijg je niet. Iemand die niet voor rede vatbaar is, hoeft ook zijn buik niet vol te stoppen.'

Hij zette het dienblad op de stoel naast de deur en de emmer ernaast op de grond. 'Hierin kun jij je behoeften doen, want je komt er onder geen beding uit tot je toegeeft aan mijn eisen.'

Paulien keek hem even beduusd aan. 'Waarom sluit u me op?' vroeg ze schor.

'Om er zeker van te zijn dat je nog eens goed zult nadenken, Paulien. Soms is het nodig om vrouwen wat respect bij te brengen, al dan niet met harde hand. Zolang je weigert om met Alberik te trouwen, zul je hier opgesloten blijven. En je hoeft op niemand te rekenen. Ik heb iedereen op de hoogte gebracht dat ze je met rust moeten laten. Bovendien hou ik de sleutel bij me. Je hoeft je dus geen illusies te maken.'

Zonder op haar reactie te wachten, liep hij terug naar buiten en draaide hij het slot weer om.

Paulien ging moedeloos op de rand van haar bed zitten. Ze verbeet de pijn van haar schrijnende rug. Ze hoopte dat Gertrude haar vlug zou missen. Zij zou haar niet in de steek laten, dat wist ze zeker. Het besef dat er iemand was die wel degelijk om haar gaf, monterde haar een beetje op. Maar ze realiseerde zich maar al te goed dat zelfs Gertrude niets aan haar situatie kon veranderen.

'Paulien?' Een fluisterende stem aan de andere kant van de deur, deed haar opkijken.

'Paulien?' De stem klonk wat indringender.

Paulien drukte haar oor tegen de deur. 'Ben jij dat, Claudia?'

'Ja. Papa heeft me uitdrukkelijk verboden om met je te praten, maar ik kan mijn beste vriendin toch niet in de steek laten? Wat heb je gedaan om hem zo te mishagen?'

'Ik heb hem gezegd dat ik niet met Alberik kan trouwen,' fluisterde Paulien terug.

Ze hoorde een verontwaardigd, gedempt kreetje aan de andere kant van de deur. 'En waarom niet? Ik dacht dat je zo gelukkig met hem was?'

'Ik wil hem niet, Claudia. Hij zal me nooit gelukkig kunnen maken. Maar je vader wil dat niet inzien en hij sluit me op tot ik in een huwelijk toestem. Kun jij niet even met hem praten? Ik weet zeker dat hij naar je luistert.'

'Ik durf hem niet tegen te spreken, Paulien. Deze keer meent hij het. Hij dreigde er zelfs mee om mij ook op te sluiten als ik het waagde om zelfs maar even met je te praten. Wees dus maar dankbaar dat ik het toch doe.'

'O, maar daar ben ik je echt heel dankbaar voor, Claudia. Het is zo heerlijk om je stem te horen.' Paulien meende het. Dit was zelfs de eerste keer dat Claudia de trap naar de zolderverdieping nam, dus moest ze zich toch wel echt zorgen gemaakt hebben om haar nichtje.

'Als ik jou was, dan zou ik toch maar met Alberik trouwen,' maande Claudia haar fluisterend. 'Ik begrijp het trouwens niet.

De laatste weken liep je te stralen. Ik had echt het gevoel dat je dol op hem was.'

'Ik denk niet dat er iemand dol op Alberik kan zijn. En natuurlijk was ik gelukkig. Ik was gelukkig met mijn leven hier bij jou. Alberik was gewoon een kwalijk aspect dat ik erbij moest nemen. O, ik heb het heus wel geprobeerd. Ik heb echt gezocht naar zijn goede kanten zodat ik misschien toch van hem zou kunnen houden, maar mijn afkeer voor hem is alleen maar gegroeid.'

'Dat verdient hij niet, Paulien. Alberik is heus niet slecht en papaatje heeft er alles aan gedaan om hem aan jou te binden zodat jij het later goed zult hebben. Je zou hem dankbaar moeten zijn in plaats van te weigeren. Hij heeft zelfs speciaal voor jou een prachtige stof gekocht voor je trouwjurk. Nou, dat zegt toch wel wat?'

Paulien schudde haar hoofd. 'Ik... ik kan het niet. Ik hou echt niet van hem.'

'Ach wat! Denk je nu heus dat liefde erbij hoort? Alberik is de geschikte man voor jou, Paulien. Daarin geef ik papa groot gelijk. Denk er alsjeblieft nog eens goed over na. Je laat me wel in de steek door te weigeren. Nu moet ik de dag zien door te komen zonder iemand tegen wie ik kan praten. Bovendien kan Sarah niet eens meer je kamer in zo lang je zo koppig blijft. Nu moet ze noodgedwongen thuisblijven en zullen onze jurken niet op tijd klaar zijn. Toe, Paulien, zet alles even op een rijtje en dan zul je zien dat het nog niet eens zo slecht is om met hem te trouwen. Laat me hier geen dagen aan één stuk aan mijn lot over.'

Paulien zweeg. Ze liet Claudia's woorden even bezinken en ging verzitten omdat haar rug weer erg begon te schrijnen.

'Ik heb andere plannen, Claudia,' zei ze ten slotte. 'Ik wil mijn broer en zus bij me en daar hoort Alberik niet bij. Bovendien kan ik niet met hem samenleven als ik niet van hem hou. Dat kan ik nu eenmaal niet.'

'Denk er toch maar eens over na, Paulien. Papa is een heel volhardend man. Gelukkig heb ik hem niet verteld waar jij elke middag naartoe gaat. Als hij dat zou weten, dan had hij je al veel eerder opgesloten.'

Paulien keek even verbaasd op. 'Wat bedoel je?'

'Je hoeft je niet van de domme te houden, Paulien. Ik ben je al een paar keer gevolgd nadat ik gemerkt had dat je 's middags altijd verdween. Nou, als papa te weten zou komen dat je achter zijn rug in een naaiatelier werkt, dan zwaait er wat. In loondienst werken is iets heel anders dan hier voor ons wat naaiwerk doen.'

Paulien haalde opgelucht adem nu ze besefte dat Claudia niet eens vermoedde dat het naaiatelier weleens van haar zou kunnen zijn.

'Ik heb hem gevraagd om me terug te sturen naar het weeshuis. Dan hoef ik niet met Alberik te trouwen en kan ik gaan werken zonder dat je vader me daarvoor op mijn vingers tikt.'

'Papa zal je nooit terugsturen. Daar is hij te trots voor. Ik raad je dus aan om hem zijn zin te geven. Des te vlugger ben je uit deze kamer verlost. Ik ben bang dat je papa anders heel boos zult maken. En je weet niet half waartoe hij in staat is als je hem eenmaal woedend hebt gemaakt.'

Paulien wist het maar al te goed. Maar ze zei daar niets over. Ze vond het te beschamend en te vernederend en bovendien wou ze Claudia niet ongerust maken.

Ze schudde echter haar hoofd. 'Ik kán het niet.'

'Nou, je zult wel anders praten wanneer je hier een week zit te verkommeren. En nu moet ik weg voordat papa me voor deze deur ziet staan.'

'Wacht...' riep Paulien vertwijfeld. Ze wou niet dat Claudia wegging. Zij was op dit ogenblik haar enige houvast.

Maar Claudia was al weg. Paulien hoorde haar lichte voetstappen de trap af gaan. Ze kon ook niet zien dat Claudia triomfantelijk glimlachte. Ze wist heel goed waarom haar vader Paulien had opgesloten en ze vond dat hij groot gelijk had. Op dat punt adoreerde ze hem. Net als hij, bleef ook zij op haar standpunten staan. En zij had beslist dat ze Paulien zou laten boeten voor het feit dat zij haar toekomst met David had gedwarsboomd. Ze besefte maar al te goed dat ze haar diep raakte door haar te laten trouwen met een man die ze verachtte. Even werd deze genoegdoening bijna tenietgedaan omdat Paulien echt gelukkig leek. Maar Pauliens woorden van daarnet hadden alles weer goedgemaakt. De wetenschap dat Paulien in het geheim in een naaiatelier werkte, hoefde ze nu niet langer als een stok achter de deur te houden. Na een paar dagen van eenzaamheid en honger zou ze wel toegeven, dat wist ze zeker. En ze wist ook dat haar papaatje haar geen kans meer zou geven om van gedachten te veranderen. Hij zou er wel een oplossing voor vinden, al moest hij de burgermeester naar hier halen om hen op haar zolderkamertje te huwen.

Stil en eenzaam, met een schrijnende, pijnlijke rug en wanhopige gedachten stond Paulien voor het kleine zolderraam naar de lucht te turen. Langzaam gleed de tijd voorbij. De slagen van de kerkklokken lieten haar weten hoe laat het was. Dat was trouwens ook het enige geluid dat ze hoorde, buiten het koeren van een tortelduif die in een boom vlak bij het huis blijkbaar haar nest had.

Ze opende het raam en keek over de raamrand naar de dakgoot en de steile muur daaronder. Even kwam ze in de verleiding om via het raam te ontsnappen, maar bij nader inzien leek haar dat veel te gevaarlijk. De vermolmde dakgoot zou haar nooit kunnen dragen en hoe moest ze dan naar beneden komen? Ze liet dat idee al vlug varen.

Ze vroeg zich af wat ze moest doen. Ze begreep heel goed dat haar oom geen weigering duldde. Ze huiverde wanneer ze aan de afranseling dacht. Ze zou deze vernedering en deze pijn geen tweede keer willen ondergaan. Misschien moest ze toch maar toestemmen en zien wat de toekomst haar zou brengen? Maar toen schudde ze beslist haar hoofd. Nee, nee, dat kon ze niet. Buiten het feit dat ze niet van Alberik hield, wist ze zeker dat hij er niet in zou toestemmen om Nell en Mattijs bij hen te laten wonen. Ze had er al eens met hem over gesproken en uit zijn ontwijkende antwoord kon ze opmaken dat hij daar helemaal niet voor te vinden was. Ze zou zich doodongelukkig voelen als ze met hem trouwde, dat wist ze zeker. Maar wat moest ze dan?

Uitgeput ging ze even op de rand van haar bed zitten. Af en toe at ze een hap van het brood en dronk ze een slok water. Maar ze had niet echt honger. Daarvoor was de onrust te groot. Voortdurend ging ze naar de deur en drukte ze haar oor ertegenaan in de hoop iemand aan de andere kant te horen. Maar het bleef stil tot het donker werd en Paulien van uitputting, pijn en ontreddering in slaap viel.

Ze werd wakker toen het eerste ochtendlicht haar kamertje binnenviel. Stijf en kreunend kwam ze rechtop. De herinnering aan haar ellende kwam dadelijk terug toen ze haar pijnlijke rug voelde. Toch ging ze eerst naar de deur en probeerde deze te openen. Ze hoopte – tegen beter weten in – dat haar oom op andere gedachten was gebracht. Maar ze ondervond al vlug dat deze hoop slechts ijdel was. Ontnuchterd liet ze zich op de stoel neerzakken. De gedachte om nog zo'n troosteloze en eenzame dag door te maken, maakte haar haast misselijk. Ze verborg haar gezicht in haar handen en huilde snikkend tot haar tranen op waren. Daarna liet ze haar handen machteloos in haar schoot vallen en wiegde ze troosteloos heen en weer, tot ze plotseling het slot hoorde en de indrukwekkende gestalte van haar oom het deurgat vulde. Hoopvol keek ze op.

'Wel?' galmde zijn stem. 'Ik hoop dat je tot bezinning bent gekomen, Paulien. Alberik heeft gevraagd of hij je vandaag mag komen bezoeken. Ik heb hem gezegd dat hij hier even met jou alleen mag zijn.'

Paulien keek onwezenlijk naar hem op. 'Hier? Zonder chaperonne?'

Korneel keek haar geïrriteerd aan. 'Je hebt nog altijd niet toegestemd in het huwelijk en zolang je weigert, kom je deze kamer niet uit. Ik hoop dat Alberik je op andere gedachten kan brengen.'

De wetenschap dat ze hier alleen met Alberik zou zitten, maakte dat een huivering over haar rug gleed. Dat was ongepast en onfatsoenlijk en het zou van haar een ontuchtige vrouw maken. Ze begreep dat haar oom hoopte dat hij bepaalde onzedige dingen met haar zou doen. Dan was ze verplicht om met hem te trouwen, dan kon ze niet anders. Ze wist dat Alberik daar best toe in staat was. Ze hoefde maar aan zijn knijpende vingers en zijn zweterige, tegen haar lichaam aanwrijvende lijf te denken om dat te beseffen. Ze schudde dan ook heftig haar hoofd.

'Ik... ik wil terug naar het weeshuis, oom. Ik wil niet met hem praten. Ik wil hem niet meer zien en ik zal nooit met hem trouwen. Nooit!' Ze tilde strijdlustig haar kin op en keek haar oom vast aan.

Haar trotse, standvastige blik maakte Korneel woedend. Zijn gezicht begon weer rood aan te lopen. 'Zo? Je hebt dus niets geleerd?' zei hij zacht, maar met een dreigende ondertoon. 'Ik heb je gewaarschuwd, Paulien. Je weet dat ik geen tegenspraak duld. Alberik komt vandaag, met of tegen je zin, maar voor alle zekerheid zal ik je er nog even aan herinneren wat er gebeurt met vrouwen die mijn eisen niet inwilligen.'

Terwijl hij deze woorden uitsprak, maakte hij zijn broeksriem los en kwam hij dreigend dichterbij. Paulien keek in paniek naar de openstaande deur. Met een katachtige sprong probeerde ze zijn corpulente gestalte te ontwijken. Maar hij kon haar nog net een duw geven zodat ze hard op de grond terechtkwam. De pijn in haar rug maakte dat ze even verkrampt en kreunend bleef liggen. Hij wachtte echter niet tot ze weer opstond. Ze voelde de eerste slag als een mes in haar rug snijden en gilde het uit van de pijn. De wonden werden nog verder opengereten. Maar daar hield Korneel geen rekening mee. Paulien probeerde zich om te draaien en hield haar handen beschermend voor zich uit, terwijl ze krampachtig in de richting van de openstaande deur schoof. Het feit dat Paulien niet smeekte om op te houden, maakte dat zijn woede alleen maar aangewakkerd werd. Hij sloeg haar waar hij haar raken kon, tot een harde stem hem plotseling deed stoppen.

'Laat dat!'

Hij zag Gertrude in de deuropening staan. Ze had een hand geschokt op haar borst gedrukt en keek met een ontzette blik naar Pauliens gestalte op de grond.

Ze was deze ochtend wat vroeger komen werken in de hoop om nog even naar Pauliens kamer te kunnen gaan. Ze wou weten hoe het met haar was. Ze had de ochtend ervoor van Claudia te horen gekregen dat Paulien ziek was en dat ze het liefst met rust werd gelaten. Gertrude was natuurlijk bezorgd en ze wou 's middags dan ook naar haar toe gaan met een dienblad in haar handen, waarop ze een aansterkende bouillon en wat brood had gezet. Maar het leek wel alsof Claudia haar in de gaten hield, want ze had het dienblad uit haar handen gegrist en gezegd dat zij het wel zou brengen.

Na een paar uur had ze het dienblad onaangeroerd teruggebracht met de woorden dat Paulien geen honger had en dat ze alleen maar met rust gelaten wou worden. Die woorden maakten Gertrude nog meer bezorgd. Ze vond het vreemd dat Paulien plots erg ziek was geworden terwijl ze zich de dag daarvoor nog kiplekker voelde. En waarom waarschuwden ze de dokter dan niet? Maar ze slaagde er niet in om de trap onopgemerkt op te gaan. Ze had het gevoel dat Claudia en Korneel haar constant in het oog hielden zodat ze geen kans zag om naar Pauliens kamer te gaan.

Daarom was ze deze ochtend iets vroeger komen werken. Ze wist dat Claudia dan nog sliep en Korneel meestal achter zijn bureau aan het werk was. Ze was dan ook meteen de trap opgegaan, maar toen ze Korneels harde stem boven hoorde, aarzelde ze. Ze hoorde echter wat er werd gezegd en besefte tot haar grote ontsteltenis dat Pauliens ziekte maar een uitvlucht was. Een wanhopige gil had haar ten slotte uit haar verstarring gehaald. Ze liep in paniek de trap verder op en wat ze toen zag deed haar verstomd staan. Ze zag Paulien op de grond liggen, terwijl Korneel haar bedolf onder de slagen.

Met een blik vol haat keek ze naar haar werkgever. 'Durf haar niet nog eens te slaan, Korneel!' beet ze hem toe. Op dit ogenblik voelde ze zich geen dienstmeid, maar zijn gelijke.

Maar Korneel liet zich niet intimideren. 'Ben je misschien vergeten waar je plaats is, Gertrude? Ik heb het recht om haar te straffen. Ik ben nu eenmaal haar voogd.'

'Voogd of niet, je hebt niet het recht om haar halfdood te slaan!' kaatste Gertrude terug. 'Als je het waagt om haar nog eens aan te raken, dan zorg ik ervoor dat heel het dorp te weten komt hoe jij je nichtje behandelt.'

Korneels ogen schoten vuur. Heel even kwam hij in de verleiding om zijn broeksriem ook bij haar te gebruiken, maar hij was verstandig genoeg om te weten dat hij dan de wet overtrad. Het feit dat hij Paulien strafte, was een andere zaak. Hij was nu eenmaal voogd over haar en dan was een harde aanpak soms nodig. Daar had Gertrude helemaal niets over te zeggen en dat beet hij haar dan ook toe.

'Waag het niet om me te zeggen wat ik moet doen of laten, vrouw,' siste hij woedend. 'Maak dat je hier wegkomt en ik wil je nooit meer in mijn huis zien!'

Gertrude deed alsof ze hem niet hoorde. Ze hielp Paulien voorzichtig opstaan en zette haar op de rand van haar bed neer. Ondanks de pijn en ellende maakte Paulien zich zorgen om Ger-

128

trude. Ze wist dat zij het geld van deze baan nodig had en ze was dan ook bang dat ze door haar schuld in de problemen zou komen.

Ze keek Korneel smekend aan. 'Ontsla haar niet, oom. Alsjeblieft.'

Maar Gertrude stelde haar dadelijk gerust. 'Maak je om mij maar geen zorgen, kindje. Ik wíl hier niet eens meer blijven werken. Het is genoeg geweest.'

Ze draaide zich weer om zodat ze in Korneels woedende gezicht kon kijken. 'Ik ga! En met plezier! Maar voordat ik wegga, ga ik de dokter halen. Je kunt niet weigeren om hem binnen te laten, want dan weet hij dadelijk hoe laat het is.'

Ze wachtte niet op een antwoord, maar repte zich de trap af. Ze liet Paulien niet graag alleen, maar ze kon niet anders. Korneel zag eruit alsof hij elk moment uit zijn vel kon barsten. Als ze nog wat langer bleef, dan was hij in staat om haar eigenhandig het huis uit te gooien. Het enige wat ze op dit ogenblik kon doen, was ervoor zorgen dat Pauliens wonden tenminste behoorlijk verzorgd werden.

Roberta en Claudia stonden haar allebei in de deuropening van hun kamer na te kijken toen ze de trap af liep. Ze waren wakker geworden van de harde stemmen. Ze hadden niet alles gehoord, maar genoeg om te weten dat Gertrude niet langer voor hen wilde werken.

Roberta reageerde het eerst. Ze sloeg haar hand voor haar mond bij de gedachte dat ze dan helemaal niemand meer hadden om het huishouden te beredderen. O, hemel, wat moest ze nu doen? Zo vlug zou ze niemand kunnen vinden die net zo goed was als Gertrude. O, wat een ellende. Ze voelde een geweldige hoofdpijn komen opzetten.

Ook Claudia was erdoor ontdaan, zij het dan om een heel andere reden. Ze vond het spijtig dat Pauliens opsluiting al zo vroeg ontdekt was. Maar ze kende haar papaatje en ze wist dat hij zich niet door Gertrude zou laten tegenhouden. Het feit dat hij Paulien geslagen had, juichte ze niet toe. Ze wou alleen maar dat ze met Alberik trouwde. Maar toen haalde ze onverschillig haar schouders op. Ach, dan had ze maar niet zo koppig moeten zijn. Het besef dat Gertrude alles wist, maakte haar helemaal niet bang. Discipline en een ijzeren hand waren soms nodig om opstandige kinderen tot goede volwassenen te maken. En weeskinderen waren opstandig, dat kon haast niet anders. Ze hadden immers geen ouders meer die hun het goede pad konden wijzen. Trouwens: wat waren de woorden van een dienstmeid tegenover de woorden van de notaris én voorzitter van de gemeenteraad? Niets toch? En er waren vrouwen genoeg die Gertrudes plaats maar al te graag wilden innemen. Geeuwend ging ze terug haar kamer in.

Gertrude was dadelijk naar de woning van dokter Cambré gelopen en had hem in allerijl meegenomen naar het huis van de notaris terwijl ze hem uitlegde wat er was gebeurd. Korneel deed de deur zelf open. Hij liet de dokter binnen, maar zij mocht het huis niet meer in.

Ze ijsbeerde daarom maar een poosje voor de gesloten deur. Enkele regendruppels vielen uit de grijze lucht. Het was een koude, natte septemberdag. Maar ze wou niet weggaan voordat ze wist dat alles goed ging met Paulien. Ze wachtte geduldig tot de dokter – eindelijk – weer naar buiten kwam.

'Hoe is het met haar, dokter?' vroeg ze gespannen.

De oude, gezette man keek haar even verontwaardigd aan. 'Nou, ik moet zeggen dat je wel wat overdreven hebt, Gertrude,' zei hij berispend. 'Ik dacht dat je zei dat hij haar halfdood had geslagen? Maar de striemen zijn oppervlakkig en naar de woorden van de notaris te oordelen had ze het best wel verdiend.' Hij keek haar nog even vermanend aan en liep terug in de richting van het dorpsplein.

Gertrude staarde hem gekwetst en ontredderd na. Hoe durfde hij het voor te stellen alsof het de normaalste zaak van de wereld was? Die twee hielden elkaar natuurlijk de hand boven het hoofd. Verslagen liet ze het hoofd zakken. Ze realiseerde zich plotseling dat ze Paulien nu helemaal aan haar lot had overgelaten. Nu ze ontslagen was, kon ze haar niet eens meer een beetje troost of raad bieden. Die gedachte was nog moeilijker te verdragen dan het feit dat ze vanaf vandaag geen werk meer had. Langzaam ging ze de kasseiweg op. Ze moest Elias' ouders en Nell op de hoogte brengen van deze vreselijke gebeurtenis. Dat op zich was al erg genoeg, maar het feit dat zij er al net zomin iets aan konden doen, woog nog veel zwaarder.

Toen ze het huis van Elias' ouders binnenging, trof ze enkel Florent aan. Hij zag dadelijk dat er iets ergs was gebeurd, want Gertrudes ogen waren rood en nat van de tranen die ze onderweg had gestort. Hij bood haar een stoel aan en hinkte daarna zo vlug hij kon naar het naaiatelier waar hij zijn vrouw, Nell en Berthe ging waarschuwen. Berthe, die hoorde dat haar moeder totaal ontredderd hiernaartoe was gekomen, liet haar naaiwerk voor wat het was en liep bezorgd mee naar het woonhuis.

'Wat is er aan de hand, moeder?' vroeg ze dadelijk toen ze haar moeder met betraande ogen op de stoel zag zitten. 'Is er iets met vader?'

Gertrude onderbrak haar echter door heftig met haar hoofd te schudden. 'Nee, kindje, thuis is alles goed. Maak je daarover maar geen zorgen. Het is Paulien over wie ik me zorgen maak.'

Nell hield verschrikt haar adem in, maar ze vroeg of zei niets en luisterde enkel met kloppend hart naar Gertrudes verhaal. Pas toen ze hun de hele gebeurtenis met horten en stoten had verteld, sloeg Nell haar handen voor haar gezicht en begon ze zacht te huilen.

Betty liet verslagen haar hoofd hangen. 'O, God,' bracht ze moeizaam uit. 'En we hadden zo gehoopt dat het allemaal in orde ging komen. Arme, arme, Paulien.'

'We moeten iets dóén,' bracht Nell er snikkend uit. 'We kunnen haar niet in de handen van die woesteling laten.'

Gertrude keek gebroken op. 'We kunnen niets doen, meisje. Wat hebben wij in te brengen bij mensen zoals de notaris? We staan gewoon machteloos.'

Berthe sloeg een arm om haar moeders schouders en drukte haar even troostend tegen zich aan. 'Gelukkig dat je nu niet meer voor hem hoeft te werken, moeder. Ik weet zeker dat je vlug ergens anders terechtkunt.'

'Ik hoop het, kind, en anders is het maar zo. Ik heb lang genoeg ja en amen moeten zeggen. Maar voor Paulien zou ik willen dat ik er kon blijven. Nu heeft ze niemand meer.'

Na deze woorden bleef het een hele tijd stil. Enkel het zachte snikken van Nell was hoorbaar.

'Nou, misschien is het beter dat ik maar eens naar huis toe ga,' onderbrak Gertrude ten slotte de stilte. 'Nu heb ik tenminste tijd om daar de zaken een beetje op orde te stellen en dingen te doen waar ik al lang niet meer aan toe gekomen ben.' Ze forceerde een glimlach terwijl ze opstond. Berthe besloot om haar moeder te vergezellen. Ze wou haar vandaag niet alleen laten. Betty knikte begrijpend. 'Ik weet zeker dat je weer vlug werk zult vinden, Gertrude. Een ervaren en plichtsgetrouwe huishoudster is nu eenmaal moeilijk te vinden. Maar je bent ook altijd welkom om hier in het naaiatelier te komen werken. Het verdient niet zo goed als een huishoudster, maar alle beetjes helpen, nietwaar?' Gertrude keek haar dankbaar aan. 'Bedankt, Betty. Het geeft een goed gevoel dat ik dat weet. Maar ik betwijfel het sterk of Paulien haar naaiwerk zal kunnen hervatten wanneer ze met Alberik getrouwd is.' Na deze zwaarmoedige woorden nam ze afscheid.

Nells tranen waren nu gestopt, maar ze weigerde om zich neer te leggen bij het feit dat ze niets kon doen om haar zus te helpen. Gertrudes woorden dat zij machteloos stonden tegenover invloedrijke mensen zoals de notaris, hadden haar doen nadenken. Om machtige mensen te bereiken, moest ze nog machtigere mensen vinden die haar konden helpen, ging het door haar heen. Ze dacht aan David de Tranoy. Paulien had over hem verteld. Zij had haar geschreven dat hij met haar gedanst had en dat hij zo hoffelijk was geweest om haar naar huis te brengen nadat Alberik haar gedwongen had om hem te kussen. Tussen de regels door had ze kunnen lezen dat die twee elkaar wel mochten. Als er iémand was die haar kon helpen, dan was hij het wel, daar was ze van overtuigd. Maar ze wist niet of hij dat wel zou willen doen. Misschien was hij haar zus allang vergeten? Toch moest ze deze kans aangrijpen, hoe klein die ook was. Ze had immers geen andere keus.

Zonder er verder over na te denken, griste ze haar jas en omslagdoek van de haak.

'Ik... ik moet even weg, Betty,' zei ze meer in gedachten dan dat het de bedoeling was om het hardop uit te spreken. Ze was al door de deur verdwenen voordat Betty om wat meer uitleg kon vragen. Zij en Florent keken even beduusd naar de gesloten deur en ze vroegen zich af wat Nell van plan was.

'Spijtig dat de jongens niet hier zijn, dan hadden we iemand van hen achter haar aan kunnen sturen,' zei Florent. 'Ik ben bang dat ze misschien onbezonnen dingen zal doen.'

Betty knikte al even zorgelijk, maar ze probeerde hem toch gerust te stellen. 'Nell is verstandig genoeg om geen ondoordachte dingen te doen, Florent. Bovendien denk ik dat ze liever alleen gaat, anders had ze Quinten wel met haar meegevraagd. Hij is met de geiten naar de beemd en ze weet waar ze hem kan vinden.'

Maar haar bezorgdheid ging niet alleen uit naar Nell. Ze vroeg zich af hoe Elias zou reageren wanneer hij straks van zijn werk thuis zou komen en het hele verhaal te horen kreeg.

Nell boog haar hoofd tegen een fikse regenbui in. Ze had de omslagdoek om haar hoofd geslagen. Met één hand drukte ze de stof goed tegen haar hals zodat de wind hem niet weg kon blazen. Het was gelukkig maar een korte regenbui, maar de lucht zag grijs en er kon elk ogenblik weer een nieuwe komen. Het kasteel van de De Tranoys lag gelukkig niet zo ver van het dorp verwijderd, maar vanaf het huis van Betty en Florent was het toch een behoorlijke afstand. Ze was dan ook erg nat en verkleumd toen ze het bordes van het kasteel op ging. Ze schikte haar doorweekte sjaal over haar schouders, aarzelde heel even, maar trok toen aan het bellenkoord en wachtte geduldig. Het duurde enkele minuten voordat de deur geopend werd en een dienstbode haar vragend aankeek.

'Ik… ik zou graag jongeheer David de Tranoy willen spreken,' bracht ze er haperend uit.

De huishoudster, een oudere, magere vrouw met een strenge blik, taxeerde het doornatte meisje even. Ze leek net een schichtige, natte kat, ging het door haar heen. 'Zo? En mag ik vragen waarom?' vroeg ze met een misprijzende uitdrukking op haar gezicht.

'Omdat… omdat hij me moet helpen.'

'Dat wil natuurlijk iedereen. Maar jongeheer David is geen liefdadigheidsinstelling, kind. Bovendien heeft hij nu geen tijd. Goedendag.' Na deze woorden werd de deur weer prompt gesloten.

Nell keek even beduusd voor zich uit, maar ze liet zich niet zomaar afschepen. Weer trok ze aan het bellenkoord. Deze keer veel krachtiger en langer. De deur werd nu haast dadelijk opengedaan en dezelfde strenge vrouw keek boos op haar neer. 'Ik heb je toch gezegd dat jongeheer De Tranoy je niet kan ontvangen,' zei ze kortaangebonden. 'Maak dat je wegkomt.'

'Wacht, alsjeblieft,' Nell keek haar smekend aan. 'Ik móét hem spreken. Het is een kwestie van leven of dood.' Ze loog niet. Ze wist dat Paulien langzaam zou sterven als ze gedwongen werd om met Alberik te trouwen.

Maar de huishoudster was niet te overtuigen. 'Nou, dat zeggen ze allemaal. Maar ik zeg je dat jongeheer De Tranoy nu geen tijd voor je heeft.'

'Voor wie heb ik geen tijd?' hoorden ze plots een mannenstem vragen. De huishoudster schrok en keek even achterom. David de Tranoy had net de bibliotheek verlaten en wilde de trap op gaan toen hij de huishoudster bij de deur zag staan. Nieuwsgierig was hij dichterbij gekomen en had nog net haar laatste woorden gehoord.

'Er staat hier een jong meisje dat absoluut met je wil praten, jongeheer David. Ik heb haar al gezegd dat je geen tijd voor haar hebt, maar ze wil niet luisteren.'

Nell profiteerde van deze situatie en ging op haar tenen staan om over de schouder van de huishoudster heen naar binnen te kijken. 'Ik wil u even spreken over mijn zus Paulien, mijnheer,' zei ze vlug. 'U moet haar helpen.'

David kwam naar de deur en keek even naar Nells doorweekte gestalte. 'Waarom zou ik je zus moeten helpen?' vroeg hij.

'Omdat ze u wel aardig vond en omdat u de enige bent die haar kan helpen.'

David kon het even niet volgen. 'Een heleboel vrouwen vinden me wel aardig, maar daarvoor hoef ik hen nog niet te helpen,' grapte hij.

Nells hoop begon af te brokkelen. Ze keek hem wanhopig aan. 'Mijn zus heeft me gezegd dat u zo goed kunt dansen en dat u zo aardig en attent voor haar was, maar blijkbaar heeft ze zich vergist. Als ik niet op uw hulp kan rekenen, dan zal ik haar nooit uit de handen van de notaris kunnen halen.' Met een zwaar hart draaide Nell zich om.

Maar voor ze de trappen kon afdalen, riep zijn stem haar terug. 'Wacht eens even. Bedoel je Paulien die bij de notaris woont?'

Nell draaide zich weer om en knikte. 'Paulien is mijn zus,' zei ze zacht.

David haalde lichtjes zijn wenkbrauwen op en vroeg zich af wat er met haar aan de hand kon zijn. Hij had haar sinds het bal niet meer gezien. Hij was een keer met zijn moeder mee naar het huis van de notaris gegaan in de hoop Paulien nog eens weer te zien, maar volgens de mooie, maar vrijpostige dochter Claudia wou Paulien hem niet meer zien. Hij had zich nog enkele dagen afgevraagd wat hij had gedaan om haar van hem weg te jagen, maar hij had het niet aan zijn hart laten komen. Hij was nu eenmaal geen man die zich lang zorgen maakte. Het leven ging door en er waren nog zo veel mooie vrouwen.

Maar hij moest eerlijk toegeven dat Paulien hem toen intrigeerde. Zij was zo... anders dan de meeste vrouwen die hij tot nu toe had ontmoet. Hij herinnerde zich het bal nog maar al te goed en als hij zijn ogen sloot, kon hij haar nog heel levendig voor de geest halen. Hij had zich goed bij haar gevoeld. Alsof hij haar al jaren kende, terwijl dat zeker niet zo was.

Zijn nieuwsgierigheid werd geprikkeld. Hij wilde best weleens weten wat er met Paulien aan de hand was. 'Kom binnen, meisje. Ik denk dat ik wel wat tijd voor je kan vrijmaken.'

David nam Nell met zich mee naar de bibliotheek, terwijl de huishoudster hen met een afkeurende blik nakeek, de deur sloot en in een gang naast de gigantische trap verdween. David nodigde Nell uit in een van de fauteuils te gaan zitten die vlak bij de brandende open haard waren neergezet. Zo kon haar natte kleding wat drogen. Zelf ging hij in de andere fauteuil zitten en hij keek haar vragend aan.

'Hoe is je naam, meisje?' begon hij het gesprek.

Ondanks haar gespannen zenuwen was de grandeur van het gebouw Nell niet ontgaan. Ze zag de gecapitonneerde stoelen en banken, het met bas-reliëf uitgestoken massieve bureau, de muren die volledig bedekt waren met kostbare, in leder gebonden boeken, de zware brokaten gordijnen voor de hoge ramen, het geschilderde portret boven de open haard waar op een man op een paard stond afgebeeld. Ze slikte even en was zich nu pas bewust hoe verschillend David wel was ten opzichte van hen. Haar hoop sijpelde weg. Hoe had ze ook maar kunnen denken dat een man van zijn stand haar zou willen helpen. Maar toen haalde ze diep adem. Ze móest het proberen. Ze was nu hier en ze was bovendien te bang om onverrichterzake terug te keren. Hij was hun enige hoop.

'Nell, mijnheer,' zei ze dan ook met een klein stemmetje. 'En

dank u wel dat u even naar me wilt luisteren. Het is erg belangrijk.'
'Dat geloof ik best, Nell. Anders zou je hier niet zitten, nietwaar? Nou, begin maar. Ik zal naar je luisteren.'
Nell vertelde hem in grote lijnen over hun verblijf in het weeshuis, over Pauliens inwoning bij hun oom en tante, over haar werk in het naaiatelier en over hun grote plannen om voor altijd bij elkaar te kunnen zijn. Maar toen ze hem vertelde dat Paulien opgesloten en mishandeld werd omdat ze weigerde om met Alberik te trouwen, kon ze haast niet verder spreken omdat haar keel dichtgeschroefd leek.
David had haar laten praten zonder haar te onderbreken. Een paar maal had hij zijn wenkbrauwen opgetrokken, dat was alles. Toen ze uiteindelijk zweeg en hem smekend aankeek, kon hij de tranen in haar ogen zien opwellen.
'Kunt u haar alstublieft helpen, mijnheer?' vroeg ze schor.
Maar David zat nog met een hoop vragen. 'Waarom wil je oom haar dwingen om met Alberik te trouwen?' vroeg hij.
Nell boog lichtjes haar hoofd. 'Hij zegt dat hij in staat is om haar een goed leven te schenken en dat ze daar dankbaar voor moet zijn.'
'Daar heeft hij toch gelijk in, niet? Ik denk dat je Alberik Ipendael bedoelt, een van de zonen van de hoofdonderwijzer. Hij zou inderdaad in staat zijn om je zus goed te onderhouden.'
'Maar Paulien houdt niet van hem, mijnheer. Zij houdt helemaal niet van hem. Het huwelijk zou haar alleen maar verschrikkelijk ongelukkig maken. Ze zal zich nog liever door onze oom laten doodslaan, dat weet ik zeker.' De gedrevenheid waarmee ze deze woorden uitsprak, verraste hem. Maar toen dacht hij aan het feit dat hij Paulien al eens had gered van Alberiks al te aanhalige liefde. Alberik was nu niet bepaald een fijnzinnige en liefdevolle man, dat moest hij toegeven. Het feit dat haar oom haar dwong tot een huwelijk, keurde hij echter niet meteen af. Dat was niet altijd slecht en het gebeurde met de beste bedoelingen. Maar aan de andere kant begreep hij maar al te goed hoe zij zich moest voelen.
Zijn moeder wilde hem immers ook koppelen. Liefst zo vlug mogelijk. En daar kwam hij ook tegen in opstand. Net als Paulien wou hij geen liefdeloos huwelijk. Maar hij was rijk en hoefde niet

te trouwen om in zijn onderhoud te voorzien. Dat was anders bij Paulien. Naar Nells woorden te oordelen had en bezat ze niets en kon Alberik haar welstand bieden, een zekerheid voor de toekomst, een reddingsboei in haar leven. Hij was van mening dat vrouwen deze luxe verkozen boven liefde, maar blijkbaar was Paulien anders. Zelfs deze zekerheid wees ze af in ruil voor ware liefde.

Het feit dat de notaris Paulien had opgesloten en mishandeld om haar tot dit huwelijk te dwingen, bracht een afkeer in hem boven. Dat getuigde van lafheid. Maar hij zag niet in hoe hij Nell hierbij kon helpen.

'Ik ben het helemaal niet eens met zijn werkwijze,' zei hij dan ook eerlijk, 'maar je moet begrijpen dat ik me niet kan mengen in een familiekwestie. Je oom doet het alleen met goede bedoelingen en daar kan ik niet tussenkomen.'

Nell schudde in paniek haar hoofd. 'Alstublieft, mijnheer. Het is een kwestie van leven of dood. Iemand moet mijn oom zeggen dat hij mijn zus moet vrijlaten voordat hij haar doodslaat. U bent de enige die me kan helpen. Ik weet zeker dat mijn oom naar u zal luisteren,' probeerde Nell wanhopig.

Hij haalde diep adem. 'Ik denk niet dat het veel zin heeft, Nell. Ik kan hem niet verbieden om in zijn eigen huis te doen wat hij wil. Hij is nu eenmaal jullie voogd.'

'Maar hij mag haar toch niet slaan? En het heeft geen zin dat hij Paulien dwingt.'

David glimlachte even. Vóór hem zat een kind van amper veertien, met twee vlechten en een onschuldige uitdrukking in haar grote bruine ogen. Hij was ervan overtuigd dat Nell het erger voorstelde dan het was. Hij begreep maar al te goed dat een tik op de vingers voor een kind al een ernstig misdrijf kon zijn. Maar ze was heel volhardend en ze wist goed wat ze wilde. Ze beet zich vast, als een bloedhond.

Hij moest toegeven dat het niet alleen Nells woorden waren die hem ten slotte overhaalden. Hij besefte dat hij zelf ook verlangde om Paulien nog eens weer te zien. Al was het maar om haar te vragen waarom ze hem had vermeden.

'Al goed,' zei hij uiteindelijk. 'Ik zal je raad opvolgen en met mijnheer de notaris én met je zus gaan praten zodat ik met eigen ogen kan zien dat ze het goed maakt. Maar ik kan je niet beloven

dat ik mijnheer de notaris op andere gedachten kan brengen.'
'Nu?' Nell keek hem vragend en hoopvol aan.
'Nou, zo dringend zal het wel niet zijn, Nell. Ik heb vandaag heus nog wel andere dingen te doen.'
'Het ís dringend, mijnheer. Het is echt heel dringend. Alstublieft?' De tranen liepen over haar wangen. Hij móést nu gaan. Ze kon het niet riskeren dat hij van gedachten zou veranderen.
David zuchtte diep en keek even op zijn zakhorloge. Hij voelde zich niet erg genoodzaakt, maar haar volharding deed hem toch vermoeden dat het erger kon zijn dan hij dacht. Ach, hij kon net zo goed nu gaan. Niet dat hij eropuit was om met de notaris te praten. Hij mocht die man niet zo erg. Maar hij zag het wel zitten om Paulien nog eens te zien en hij had nog wel een paar uurtjes voordat hij een afspraak na te komen had.
'Al goed. Ik ga met je mee. Wacht hier even. Ik kom dadelijk terug.' Hij liet haar even bij de warmte van het vuur achter en ging naar de zitkamer waar hij zijn moeder met een naaiwerkje aantrof. 'Ik moet even weg, mama,' zei hij zacht terwijl hij een kus op haar voorhoofd drukte. 'Even naar de notaris van het dorp. Ik ben dadelijk terug.'
De barones keek hem even aan. 'Problemen?' vroeg ze.
Hij schudde zijn hoofd. 'Ik denk niet dat het iets is waarover ik me zorgen moet maken en jij al zeker niet. Zeg maar tegen papa dat ik op tijd terug zal zijn voor de afspraak met de rentmeester.'
Na deze woorden liet hij zijn moeder weer alleen en het duurde nu niet lang meer voordat hij met Nell de richting van het dorp in sloeg.
Nell was vastbesloten om met hem mee naar binnen te gaan. Haar oom kende haar immers niet. Hij had haar nog nooit gezien en voor haar zou het ook de eerste keer zijn dat ze haar oom zou zien. Maar ook al zou hij het weten, dan zou ze nog meegegaan zijn. Ze wilde Paulien zien. Ze wilde weten hoe het met haar zus was en haar oom zijn ogen uitkrabben omdat hij haar pijn had gedaan. Maar de situatie liep helemaal anders dan ze had gedacht.
Dat kwam omdat Elias ondertussen thuisgekomen was. Betty had even overwogen om het hem niet te vertellen. Ze was alleen thuis en dus was er niemand die haar kon helpen om hem tot rede te brengen indien dat nodig mocht zijn. Maar ze wist dat

hij het haar erg kwalijk zou nemen als hij het pas later te weten zou komen. Dus stelde ze hem voorzichtig op de hoogte van de gruwelijke feiten die Gertrude hun had verteld.

Ze was terecht bang geweest voor zijn reactie, want nog voor ze helemaal was uitgepraat, had hij zijn jas gegrepen en was hij woedend het huis uit gestormd. Ze had nog geprobeerd om hem tegen te houden, ze had hem nageroepen en gesmeekt om geen domme dingen te doen, maar het leek wel alsof hij niets meer hoorde. Bevend had ze zich op een stoel laten zakken en ze had haar handen kreunend voor haar gezicht geslagen.

Verbeten en met een vastberaden gloed in zijn ogen rende Elias dwars door de velden heen naar het dorp. Hijgend bereikte hij het huis van de notaris. Hij liep dadelijk achterom zoals hij dat gewoon was en ging langs de keuken naar binnen. Het huis kende voor hem al lang geen geheimen meer. Hij rende dan ook de eetkamer door en liep snel de trappen op. Zonder zelfs maar één seconde te aarzelen begon hij de deur van Pauliens kamer in te beuken.

'Paulien!' riep hij met overslaande stem. 'Paulien! Is alles in orde?' Na een paar fikse trappen vloog de deur krakend uit het slot. Hij zag haar met grote ogen en een geschrokken blik op het bed zitten. Een rode striem liep van haar oor naar haar neus en ook op haar handen zag hij felrode afdrukken van de slagen. Hij kreunde. 'Ik kom je halen,' zei hij kort. 'Hier kun je geen moment langer blijven.'

Maar Paulien keek hem angstig aan. Ze was bang voor haar ooms reactie. 'O, Elias, mijn oom. Hij zal...'

'Je oom kan verrekken, Paulien,' onderbrak hij haar woedend. 'Ik zal ervoor zorgen dat hij je nooit meer kan vinden.'

Zonder op haar antwoord te wachten, greep hij haar arm vast. Paulien kreunde toen ze de kamer uit werd getrokken, maar voelde zich ook opgelucht om hier weg te kunnen. Ze was bang en hoopvol tegelijk.

Toen ze de trappen waren afgedaald probeerde Elias de voordeur, maar deze was op slot. 'Mijn tante,' hijgde Paulien lichtjes. 'Mijn tante heeft de sleutel.' Ze wist het van Gertrude. Als de bel ging, dan moest ze altijd eerst de sleutel bij Roberta gaan halen. Dan kon ze haar gelijk wakker maken als ze sliep en kon Roberta zich een beetje presentabel maken voor het bezoek.

Maar Elias stopte niet eens. Dan konden ze net zo goed via de keuken verdwijnen. Hij trok Paulien met zich mee door de deur van de eetkamer. Maar tot zijn grote ontsteltenis stonden Korneel en Claudia hen daar op te wachten.

Het was Claudia die haar vader op de hoogte had gebracht. Ze zat op haar kamer toen ze het tumult boven haar hoorde. Voorzichtig was ze de trap op gegaan en ze had gezien dat Elias de deur aan het intrappen was. Daarna had ze zich vliegensvlug omgedraaid om haar vader te waarschuwen. Ze had gezien dat haar vader gevaarlijk rood aan liep en dat hij iets uit een schuif van zijn bureau haalde voordat hij woedend de deur uit liep. Zo te zien waren ze net op tijd. De vogels waren bijna gevlogen.

'Halt!' riep Korneel met bulderende stem zodra hij de twee jonge mensen door de deur zag komen.

Elias liet zich echter niet intimideren. 'Laat ons door,' gromde hij met een dreigende ondertoon.

'Geen sprake van!' Korneels wangen waren rood aangelopen en zijn dubbele onderkin trilde van woede. ' Laat haar los. Dit zal je berouwen, Elias. Ik zal zorgen dat de veldwachter gehakt van je maakt. Je mag de rest van je leven in de gevangenis slijten, daar mag je donder op zeggen.'

Zijn woorden leken op Elias geen vat te hebben, maar toch stond hij in tweestrijd. Hij wilde de notaris maar al te graag een welgemikte vuistslag verkopen voor alles wat hij Paulien had aangedaan en dan nog een zodat hij hen doorliet. Hij wou dat zijn dikke, vadsige lijf dezelfde pijn zou voelen als Paulien. Maar daarvoor moest hij Pauliens arm loslaten en dat wilde hij liever niet.

'Er is hier maar één iemand die in de gevangenis thuishoort en dat ben jij. Laat me nu door voordat ik geweld moet gebruiken,' snauwde Elias terug.

'Dat zou ik maar niet doen als ik jou was,' zei Korneel spinnijdig terwijl hij een pistool achter zijn rug vandaan haalde en het op Elias richtte. 'Laat haar los, zeg ik je. Ik zal niet aarzelen om te schieten. Ik kan bewijzen dat je een dief bent. Je hebt mijn deur ingetrapt en wilt mijn nicht ontvoeren.'

Paulien staarde verschrikt naar het pistool. 'Doe wat hij zegt, Elias,' zei ze doodsbang. 'Alsjeblieft.' Ze probeerde angstvallig zijn vingers rond haar arm los te wrikken. Ze was verschrikkelijk bang dat Korneel Elias iets zou aandoen.

Korneel grinnikte. Hij genoot van zijn macht op dit ogenblik. 'Je hoort wat ze zegt, Elias. Paulien blijft liever hier. Laat haar los of ik schiet en wees er maar van overtuigd dat het geladen is.' Claudia maakte gebruik van deze situatie door Paulien bij haar andere arm te grijpen. Ze probeerde om Paulien bij hem weg te trekken. Daardoor werd ze met haar rug tegen de muur gedrukt zodat ze de striemen extra voelde. Paulien slaakte een pijnlijke gil waardoor Elias haar geschrokken losliet. Maar zijn vastberadenheid om haar hier weg te halen werd daardoor alleen maar groter. Zonder waarschuwing vloog hij op de corpulente gestalte van de notaris af. Net op het moment dat hij Korneel een klap gaf ging het pistool af...

Op dat ogenblik had Roberta net de deur opengedaan en ze liet David de Tranoy en een vreemd meisje binnen. Toen ze de bel hoorde had ze zich verbaasd afgevraagd wie er aan de deur kon zijn. Met de gedachte dat Gertrude er nu niet meer was om open te doen, was ze zelf opgestaan en ze was verheugd geweest om David de Tranoy te zien. Ze vroeg zich af waaraan ze zijn bezoek te danken had. Maar voor wie anders kon hij hier zijn dan voor haar dochter? Ze vond het spijtig dat ze nu zelf de deur open had moeten doen. Wat moest jongeheer David nu wel denken? Ze voelde haar hoofdpijn weer heviger opkomen bij de gedachte aan Gertrudes ontslag, maar ze probeerde dit ongemak weg te stoppen.

'Jongeheer David,' zei ze opgewonden. Ze keek niet eens naar Nell die naast hem stond. 'Wat heerlijk om je weer te zien.'

Ze wou net vragen waarmee ze hem van dienst kon zijn, toen ze een knal hoorden en dadelijk daarna een luide gil. David herkende het geluid van het schot ogenblikkelijk en besefte direct dat hier iets ergs aan de hand moest zijn. Geschrokken liep hij in de richting van het geluid, op de voet gevolgd door Nell en Roberta.

Nells gil sneed door merg en been, toen ze zag dat haar zus op de grond lag. Een rode bloedvlek werd langzaam groter op haar bloes. Deze keer was het gezicht van de notaris bleek weggetrokken. Hij hield het pistool nog altijd in zijn hand en keek met een blik vol ongeloof naar Pauliens gestalte op de grond. Elias liet zich net op zijn knieën neerzakken, zijn gezicht verwrongen van verwarring en angst.

Claudia was geschrokken, maar nu ze David de kamer zag binnenkomen, vlijde ze zich in een soort katzwijm tegen hem aan. David had nu echter geen tijd voor haar. Hij zette haar op een stoel waarna Roberta zich verder over haar bekommerde. Daarna gebood hij de notaris om het pistool weg te leggen. Hij zag dat Nell Pauliens hoofd tegen zich aandrukte terwijl ze huilend heen en weer wiegde. Elias zat aan de andere kant. Hij schudde ongelovig zijn hoofd alsof hij nog altijd niet kon bevatten wat er was gebeurd. 'Dit is mijn schuld,' mompelde hij voordurend. 'O God, dit is mijn schuld.'

David begreep dat hij hier beter het heft in handen kon nemen. Zo te zien waren ze allemaal in shock en niet in staat om deskundig te reageren. Hij nam Pauliens pols vast en constateerde tot zijn opluchting dat hij nog een hartslag voelde. Aan de wond te oordelen, was de kogel niet op een dodelijke plaats ingeslagen, maar zeker daarvan was hij natuurlijk niet. Hij was nu eenmaal geen dokter. Hij zag nu ook de rode striemen op haar gezicht en armen en keek even met een blik vol walging naar de bleke gestalte van de notaris. Nell had gelijk gehad, ging het door hem heen. De notaris had haar veel harder aangepakt dan hij vermoedde. Maar hij had nu geen tijd om hem op zijn plaats te zetten. Hij keek Nell vast aan.

'Ren naar de dokter, Nell,' commandeerde hij. 'Zeg dat hij vlug moet komen en dat ik je gestuurd heb. Ik blijf ondertussen op je zus passen. Ga!' Hij vond het raadzamer om Nell te sturen. Zo lang hij niet wist wat hier allemaal aan de hand was, kon hij het niet riskeren om deze mensen weer alleen te laten.

Nell wiste de tranen van haar wangen en knikte terwijl ze het hoofd van haar zus voorzichtig neerlegde. Daarna rende ze het huis uit. Ze hoopte vurig dat de dokter thuis zou zijn, want anders zou ze niet stoppen voordat ze hem gevonden had. O, ze hoopte zo dat hij nog op tijd zou zijn. O, alstublieft, God, laat haar leven, laat mijn zus leven.

Toen Nell weg was, beval David Roberta en Claudia om enkele natte lappen te brengen in de hoop om Paulien weer bij te kunnen brengen. Hij keek even naar Elias die nog altijd totaal ontredderd naar Paulien staarde. Elias voelde zich zo verschrikkelijk schuldig. Paulien zou nooit geraakt zijn als hij de notaris niet had aangevlogen. 'Het is mijn schuld,' mompelde hij nog steeds.

'Heb jij dan geschoten?' vroeg David. 'Ik zag toch echt dat de notaris het wapen vasthad.' Elias schudde zijn hoofd, maar de notaris zag zijn kans schoon. 'Ja, het is zíjn schuld! Hij viel me aan zodat het wapen af ging.'

David deed echter alsof hij het niet hoorde. Zo lang hij de ware toedracht niet kende, kon hij moeilijk een oordeel vellen. Hij besloot om dit onderwerp nog even te laten rusten. Paulien was nu zijn grootste zorg. Zij moest deskundig behandeld worden zodat ze er weer helemaal bovenop kwam.

'Ik heb je al een paar keer op het kasteel gezien,' zei hij tegen Elias. 'Jij bent toch Elias, onze automecanicien, niet?' Elias knikte afwezig. 'Ik veronderstel dan ook dat je kunt rijden. Ren naar het kasteel en zeg dat je de auto van de baron komt halen. Zo te zien zal Paulien naar het ziekenhuis vervoerd moeten worden en ze is nu niet in staat om de trein of de tram te nemen. Nou, waar wacht je op?'

Het duurde even voordat Elias uit zijn trance ontwaakte. Hij wou niet weg. Hij wou hier bij Paulien blijven. Maar aan de andere kant wilde hij ook dat Paulien zo vlug mogelijk geholpen zou worden. Hij knikte ten slotte en stond op.

Maar dat was tegen de zin van de notaris. 'Wat? Laat je hem zomaar gaan? Hij is een dief en een moordenaar. Hij is mijn huis binnengedrongen en heeft mijn nicht willen ontvoeren en doden.'

'Ik veronderstel niet dat hij zal vluchten, mijnheer de notaris. Ik pleit hem niet onschuldig, maar híj was het niet die het pistool vasthield. En hier voor mij ligt een jonge vrouw die is neergeschoten en die bovendien overdekt is met striemen en verwondingen die ze blijkbaar niet aan zichzelf heeft toegebracht. Ik zou me dus maar heel rustig houden, als ik jou was.'

De notaris was ziedend toen hij zag dat Elias het huis verliet. 'Hij zal boeten, wees daar maar zeker van,' siste hij woedend.

Toen dokter Cambré hoorde dat Paulien neergeschoten was en dat David de Tranoy hem dringend liet komen, vermoedde hij het ergste en was hij vlug met Nell meegegaan naar het huis van de notaris. Hij trof er Paulien nog altijd bewusteloos aan. Hij onderzocht voorzichtig haar wond en constateerde tot zijn opluchting dat er geen slagader geraakt was.

'Je moet haar zo vlug mogelijk naar het ziekenhuis brengen,' zei hij gedecideerd, terwijl hij opstond en David aankeek. 'Een operatie is onvermijdelijk. Pas dan kan men zien wat er binnenin beschadigd is, en bovendien moet de wond ontsmet en verzorgd worden. Ik kan spijtig genoeg niet met je mee. Ze hebben me nodig bij een bevalling. Kun jij haar wegbrengen met je vaders auto?'

David knikte. 'Die is al onderweg, dokter. Ik heb Elias naar het kasteel gestuurd en ik vermoed dat hij dadelijk hier zal zijn.'

Davids woorden waren nog niet koud toen Elias met de auto voor het huis stopte. David tilde Paulien voorzichtig op en legde haar op de achterbank. Zelf ging hij naast haar zitten om haar hoofd te ondersteunen. Nell ging aan de andere kant zitten en hield Pauliens rechterhand vast. Het lag op het puntje van Davids tong om haar terug te sturen, maar hij zweeg. Hij begreep maar al te goed dat ze niet eens naar hem zou willen luisteren. 'Jij rijdt,' zei hij kort tegen Elias die nog altijd achter het stuur zat alsof het de doodnormaalste zaak van de wereld was. De dokter gaf nog vlug enkele richtlijnen mee en liep daarna weer in de richting van het dorp.

'Wacht!' Claudia kwam het huis uit gelopen en gaf David eindelijk de natte compressen die hij haar gevraagd had. Zij en haar moeder hadden lang moeten zoeken om het nodige te kunnen vinden. Het gemis van Gertrude woog zwaar. 'Kom je me straks even vertellen hoe het allemaal is verlopen?' vroeg ze David met een poeslief stemmetje.

Maar hij negeerde haar woorden en tikte Elias op zijn schouder. 'We mogen geen tijd verliezen. Vertrek!' commandeerde hij enkel. Claudia kon hen alleen nog maar nakijken, haar blik vol afgunst en wrok. Het feit dat hij naar hen toe was gekomen, kon alleen maar betekenen dat hij voor haar kwam en nu had die vreselijke Paulien alles weer in de war gestuurd. Erger nog: ze ging weer met Davids volledige aandacht aan de haal. Ze stampte woedend met haar voet op de grond en stormde het huis weer in.

Elias reed zo vlug en zo voorzichtig hij kon. Hij was doodongerust dat haar toestand erger zou worden door de schokken, maar hij was ook vastberaden om haar zo vlug mogelijk naar het ziekenhuis te brengen. Toen ze daar eenmaal aankwamen, werd Paulien – na Davids accurate beschrijving van de gebeurtenis en de inlichting dat hij borg voor haar stond en de kosten op zich zou nemen – vrij snel meegevoerd naar de operatiekamer.

Elias, Nell en David bleven achter, elk met hun eigen vragen en zorgen. Nell snikte zacht. Haar smalle gezichtje stond gespannen en zorgelijk. David keek even naar Elias die apatisch voor zich uit staarde. 'Kun je me vertellen wat er precies is gebeurd?' vroeg hij.

Elias keek David even dof aan. 'Het is mijn schuld,' zei hij enkel. 'Ik had haar daar niet mogen weghalen.' Hij begreep maar al te goed dat hij in de gevangenis zou belanden en dat zijn lang gekoesterde toekomstdromen in rook zouden opgaan. Maar dat was nog niet zo erg als het besef dat hij haast Pauliens dood op zijn geweten had.

'Het kan misschien wel waar zijn dat Paulien door jouw tussenkomst werd geraakt, Elias, maar het was wel de notaris die het pistool vast had. Bovendien heeft Nell me verteld over de klappen die Paulien moest incasseren en over het feit dat ze opgesloten zat. Maar ik kan wel met zekerheid stellen dat dit niet de juiste aanpak was. Het verbaast me dat je Paulien met je meekreeg. Ik herinner me dat ze een goed stel hersens heeft.'

Elias keek hem nu een beetje verbaasd aan. 'Kent u haar dan?'

'Nou, kennen is een groot woord. Laat ons zeggen dat het lot ons bij elkaar heeft gebracht. Daarom ben ik Nell ook gevolgd toen zij mijn hulp kwam inroepen. Net als jij wou ze haar zus bevrijden, maar ze heeft het niet zo drastisch aangepakt.' Hij keek Elias even beschuldigend aan. Maar toen zuchte hij diep. Zo te zien aan de ellende die uit Elias' houding sprak, hoefde hij niet nog meer zout in de wonde te strooien.

'Ik wilde Paulien nog weleens weerzien,' ging hij zachter verder. 'Maar ik had nooit verwacht dat het in deze omstandigheden zou zijn. En jij? Ken jij Paulien goed?'

Elias knikte traag. 'Wij zijn vrienden,' zei hij schor.

David keek hem even stilzwijgend aan. Maar hij besloot om het te laten rusten. Zo te zien lag het erg gevoelig.

Elias' verwarde brein werd nog meer overhoop gehaald door Davids woorden. Hij wist niet dat David en Paulien elkaar kenden. Paulien had hem daar nooit iets over gezegd. Wel over het bal natuurlijk, maar niets over het feit dat ze David daar had leren kennen. En toch moesten ze elkaar vrij goed kennen, anders was hij haar toch nooit komen helpen?

Even welde een gekmakende jaloezie in hem op, maar toen boog hij berustend zijn hoofd. Het was misschien beter zo. David kon ervoor zorgen dat Paulien weer met haar zus en broer verenigd kon worden. Hij had er de macht en het geld voor. En wou hij niet altijd dat ze gelukkig was? Bovendien was hij ervan overtuigd dat hij voor lange tijd in de gevangenis zou belanden, en dan kon hij helemaal niet voor haar zorgen. Bovendien was het zijn schuld dat ze gewond was geraakt. Hij zou haar niet eens meer onder ogen durven komen. Het was beter dat hij haar uit zijn hoofd zette.

Elias zuchtte even kreunend. Het zou hem moeilijk vallen, maar dat was het beste wat hij voor haar kon doen. Hij keek David met een gekwelde uitdrukking aan. 'Zorg alsjeblieft dat ze weer beter wordt,' zei hij zacht. 'Ik neem de trein wel terug en ik zal de straf aanvaarden die ze me opleggen.'

David aarzelde heel even, maar knikte ten slotte. Hij was ervan overtuigd dat Elias niet zou vluchten, want dan had hij dat al gedaan toe hij hem voor de auto wegstuurde. 'Ik zal deze zaak op de voet volgen,' zei hij.

Daarna liep Elias naar Nell die nog altijd op een stoel zat te snikken. De zorgen om haar zus waren zo groot, dat ze het zachte gesprek tussen de twee mannen niet gevolgd had. Hij drukte haar even troostend tegen zich aan. 'Het spijt me, Nell,' zei hij zacht. 'Ik wou je zus daar weghalen, maar het is anders verlopen. Ik... ik hoop dat alles weer goed komt. Doe haar de groeten van me.'

'Ga je weg?' Nell keek hem met grote, betraande ogen aan. 'Maar Paulien zal je willen zien.'

Elias schudde zijn hoofd. 'Ik kan niet anders, Nell,' antwoordde hij zacht. 'Als ik nog langer wacht, zal de notaris de veldwachter naar mijn huis sturen en ik wil niet dat mijn ouders in paniek raken omdat ze niet weten waar ik ben. Ik kan het hun beter zo vlug mogelijk zelf vertellen.' Hij begreep maar al te goed dat dit niet de eigenlijke reden was, maar hij sprak wel de waarheid. Daarna draaide hij zich om en liep hij de ziekenhuisgang door om even later uit haar zicht te verdwijnen.

Nell bleef hem nog lang, door een waas van tranen, nakijken, ook al zag ze hem niet meer. Door haar zorgen om Paulien had ze niet eens stilgestaan bij de mogelijke gevolgen van Elias' daad. De gedachte dat hij als een ordinaire boef in de gevangenis gestopt zou worden, schroefde haar keel nog wat verder dicht. Haar kleine, tengere lichaam schokte door alle ellende die op dit ogenblik op haar fragiele schouders gedrukt werd.

HOOFDSTUK 12

Gelukkig had de kogel geen belangrijke organen geraakt, maar Pauliens sleutelbeen was gebroken door de inslag. Haar linkerarm zat nu stevig met een verband tegen haar lichaam gedrukt, zodat de breuk kon genezen. De wond was gereinigd, gehecht en verbonden en ook de striemen op haar rug, armen en gezicht waren met een verzachtende zalf ingesmeerd. Het enige wat haar restte was een aantal dagen in het ziekenhuis blijven, de pijn verbijten en rusten.

Het had even geduurd voordat ze zich kon herinneren wat er allemaal was gebeurd. Het leek wel alsof ze in een roes was geweest. Maar toen realiseerde ze zich dat ze voor het ongeluk bijna twee dagen niets had gegeten en dat de pijn van de klappen haar slapeloze nachten had bezorgd. Geen wonder dat ze zich alles niet zo helder voor de geest kon halen. Maar het kwam. Bij stukjes en beetjes.

Ze herinnerde zich dat ze blij en bang tegelijk was toen Elias haar uit haar gevangenis kwam bevrijden en dat ze ontzettend schrok toen ze het wapen in haar ooms handen zag. Toen Claudia haar weg wou trekken en de pijn op haar rug haar naar adem deed happen, had ze een hard geluid gehoord en daarna was het donker geworden. Ze moest het bewustzijn verloren hebben, want vanaf dat punt kon ze zich niets meer herinneren.

Ze vroeg zich bezorgd af wat er nadien was gebeurd. Vooral met Elias. Ze had van een verpleegster te horen gekregen dat ze binnengebracht was door een jongeman en een meisje. Ze was ervan overtuigd dat het Elias en Nell waren, ze zou niet weten wie het anders konden zijn. En daar was ze verschrikkelijk blij om. Dat betekende dat hij het goed maakte. Al kon ze zich niet voorstellen hoe ze hier terecht was gekomen? En hoe haar oom op dit alles gereageerd had. De gedachte alleen al deed haar huiveren.

Ze had gehoopt om Nell en Elias diezelfde dag nog te zien, maar uit dezelfde bron had ze vernomen dat ze naar huis gestuurd waren omdat zij haar rust meer dan nodig had. Ze hadden de raad gekregen om de volgende dag terug te komen. Zo te horen was het heel moeilijk geweest om Nell naar huis te laten gaan. Ze wou niet weg voordat ze wist hoe het met haar zus ging. De ver-

pleegster had haar verteld dat de operatie heel goed was verlopen, maar dat haar zus nog sliep en pas de volgende dag bezocht
kon worden. Maar Nell had geen duimbreed toegegeven. Ze wou
niet vertrekken voordat ze haar zus gezien had. Ten einde raad
kon de verpleegster niet anders dan haar even met zich meenemen naar Pauliens bed zodat ze met eigen ogen kon zien dat
Paulien rustig sliep. Zodra Nell zag dat alles in orde was, was ze
zonder protest met de jongeman meegegaan.
Paulien glimlachte bij die gedachte. Kleine, moedige Nell. O, ze
verlangde er zo naar om haar te zien. Ze kon haast niet wachten
om Nell gerust te stellen. Maar ze verlangde al even sterk naar
antwoorden op haar vele prangende vragen.
Na een haast slapeloze nacht, telde ze de uren af tot het bezoek
werd toegelaten. Ze keek onophoudelijk naar de deur van de ziekenzaal en lachte verheugd toen ze Nell, samen met Betty, eindelijk zag binnenkomen.
Nell liep dadelijk naar het bed waarin Paulien lag en sloeg haar
armen voorzichtig om haar heen. 'O, Paulien, ik was zo bang dat
ik je nooit meer zou zien. Ik ben zo blij dat je het goed maakt.'
'Ik ben net zo blij om jou te zien, Nell. Maar je hoeft je om mij
heus geen zorgen te maken. Ik ben hier in goede handen, zoals
je ziet.'
Ondertussen was Betty ook dichterbij gekomen. Ze zag het verband om Pauliens schouder en de rode striem op haar wang.
Ze sloeg ontdaan een hand voor haar mond. 'O, wat vreselijk,
Paulien. Had ik Elias toch maar niets verteld, dan was dit alles
ons bespaard gebleven.' Ze nam een zakdoek uit haar handtas
en depte de opkomende tranen.
Paulien voelde zich ongemakkelijk worden. Ze keek even langs
Betty heen. 'Waar is Elias?' vroeg ze met een bang voorgevoel.
'Kon hij niet met jullie meekomen?'
Betty schudde haar hoofd, maar was even niet in staat om te
antwoorden.
'Elias zit in de gevangenis, Paulien,' zei Nell ten slotte in haar
plaats. 'De veldwachter heeft hem meegenomen en in het hok op
het dorpsplein opgesloten tot hij voor de rechter moet verschijnen.
Betty knikte. Ze huilde wanhopige tranen. 'En wat hebben wij
in te brengen tegen de woorden van de notaris?' snikte ze. 'O, ik

weet zeker dat ze mijn jongen voor lange tijd zullen opsluiten, terwijl hij alleen maar goed wilde doen.'

Paulien was onthutst. Ze kreunde en liet haar hoofd verslagen hangen. 'Het spijt me, Betty. Het spijt me zo,' zei ze haast fluisterend. 'Het... het is allemaal mijn schuld. Ik had niet met hem mee moeten gaan. Maar ik was zo blij dat ik uit die gevangenis weg kon.'

'Nonsens, kind,' zei Betty door haar tranen heen. 'Wat gebeurd is, is gebeurd, dat kunnen we niet meer terugdraaien. Ik hoop alleen maar dat mijn Elias niet gestraft wordt voor iets waar hij geen schuld aan heeft.'

'Misschien kan David de Tranoy ons daarbij helpen?' bracht Nell ertussenin. 'Hij heeft me ook geholpen door met mijn oom te willen praten. Spijtig genoeg waren we juist te laat en heeft hij je alleen nog maar naar het ziekenhuis kunnen brengen.'

Paulien keek haar vragend aan. Ze kon het even niet volgen. 'Wat heeft David met dit alles te maken?' vroeg ze in verwarring. Nell haalde even lichtjes haar schouders op. 'Een heleboel, eigenlijk,' begon ze voorzichtig. Ze vertelde Paulien alles over haar bezoek aan het kasteel tot ze hier in het ziekenhuis werden weggestuurd. 'Hij heeft me netjes naar huis gebracht en hij heeft me gezegd dat hij je nog wel een bezoek zou brengen. Maar ik weet zeker dat hij ons wil helpen om Elias vrij te krijgen.'

Betty keek haar echter droevig aan. 'Zelfs al zou hij dat willen, dan kan hij dat nog niet, Nell. Maar het is fijn om hoop te hebben. We kunnen het altijd proberen.'

Nell keek haar zus echter verwachtingsvol aan. 'Zeker als jij met hem praat, Paulien. Hij was je nog altijd niet vergeten en zo te zien mag hij je wel.'

Nu was het Betty's beurt om Paulien verbaasd aan te kijken. 'Kennen jullie elkaar dan al?' vroeg ze terwijl ze haar tranen wiste.

Paulien schudde zacht haar hoofd. 'Kennen is een groot woord, Betty. Ik heb hem nog maar één keer gezien op het bal in het kasteel. Hij heeft me toen uit de grijpgrage handen van Alberik gered. Ik was hem er erg dankbaar voor en ik vond hem inderdaad aardig, maar daarna heb ik hem niet meer gezien.'

'Nou, het heeft er in ieder geval voor gezorgd dat hij me wou helpen. Je moet dan toch een diepe indruk op hem gemaakt hebben,' zei Nell wijs.

Paulien zette haar echter dadelijk op haar plaats. 'Dan zal het toch alleen maar bij een diepe indruk blijven, Nell. Ik ben nu eenmaal geen partij voor de zoon van een baron.'

Betty was nu een en al oor. Alles wat kon helpen om haar zoon uit de gevangenis te halen was nu belangrijk, en het feit dat David nog eens op bezoek zou komen was een kans die ze met twee handen moest grijpen.

'Nou, Nell heeft gelijk, Paulien. Als iémand mijn zoon kan helpen, dan is het de baron. Alsjeblieft, probeer hem te overtuigen. Het is onze enige kans.'

Paulien knikte. Natuurlijk wilde ze dat doen. Ze wou Elias maar al te graag uit de gevangenis helpen. Maar ze twijfelde eraan of ze David ooit nog terug ging zien. Ze sprak deze twijfel echter niet uit. Ze wou de hoop die in Betty's ogen gloorde, niet wegnemen. Ze ging een beetje verzitten waardoor een scherpe pijn door haar schouder sneed. Ze kreunde en sloot even haar ogen.

Betty vatte dat echter verkeerd op. 'Ach, we vermoeien je te zeer,' zei ze met een schuldgevoel.

'Waar zijn toch onze manieren. Natuurlijk voel jij je nog gauw moe. En wij willen niets liever dan dat je zo vlug mogelijk weer de oude bent. Kom, Nell, je zus moet rusten. Maar we beloven je dat we morgen terugkomen. Dan zul jij je beslist alweer wat beter voelen. O ja, en Gertrude komt dan ook met ons mee. Vandaag kon ze niet weg, maar we moesten haar groeten overbrengen en je zeggen dat je flink moet rusten zodat je weer gauw beter wordt. En natuurlijk krijg je ook de groeten van Florent, Walter, Peter en Quinten.'

Paulien glimlachte. 'Zeg hun maar dat ik het goed maak, Betty, en dat ze zich geen zorgen hoeven te maken.'

Toen ze zag dat Betty knikte en zich wou omdraaien, drukte ze zacht haar hand op Betty's arm zodat deze even wachtte. 'Groet vooral Elias van me, Betty,' zei Paulien zacht. Ze wist dat Betty haar zoon zo veel mogelijk zou gaan opzoeken. 'En zeg hem dat ik hem dankbaar ben en dat ik alles zal doen om hem te helpen.'

Betty gaf een zacht klopje op haar hand. 'Ik zal het hem zeggen, Paulien.'

Nell omhelsde haar zus en keek haar even bezorgd aan. 'Ik hoop dat je wat kunt rusten,' vroeg ze terwijl ze naar de vele gevulde bedden keek die in rijen naast elkaar stonden. De geur van ether, zweet en een licht geroezemoes van bezoekende en pratende mensen vulde de ruimte.

Paulien forceerde een glimlach. 'Voor je het weet ben ik weer als nieuw,' probeerde ze haar zusje gerust te stellen.

Even later keek ze hen na tot ze door de deur verdwenen waren. Het bezoek had haar inderdaad vermoeid. Maar de toenemende druk in haar binnenste was te groot om te kunnen rusten. De gedachte dat Elias gevangen zat, overweldigde haar en dan was er nog de vraag waar ze heen moest wanneer ze eenmaal voldoende hersteld was. Ze was ervan overtuigd dat haar oom niet van gedachten zou veranderen en de wetenschap dat ze naar hem terug moest gaan, deed haar gruwen. Ze kon natuurlijk ergens onderduiken tot ze meerderjarig was, ver weg uit de buurt van haar oom. Maar dat was een grote belemmering om aan haar toekomst te werken, en vooral om hen alle drie weer samen te brengen.

Ze kreunde even en sloot haar ogen in een poging om al deze nare gedachten van zich af te zetten.

Ze moest ten slotte toch even weggedommeld zijn, want ze schrok wakker van de stem van een verpleegster. 'Gaat u hier maar even zitten, mijnheer de baron,' hoorde ze zeggen. Paulien zag dat er een stoel naast het bed gezet werd en toen pas zag ze David de Tranoy. Hij keek bezorgd op haar neer terwijl hij ging zitten. 'Hoe gaat het met je, Paulien?'

Paulien kwam moeizaam overeind en glimlachte hem verrast toe. Ze had nooit gedacht dat ze hem weer zou zien, maar het verheugde haar des temeer. 'Ik maak het goed, David. Dank zij jou, blijkbaar. Mijn zus Nell heeft me verteld dat jij me met de auto naar het ziekenhuis hebt gebracht. Spijtig dat ik buiten westen was. Dat was de eerste keer dat ik in een auto zat en nu heb ik nog alles gemist.'

Hij lachte uitbundig. 'Als ik je daarmee een plezier kan doen, dan kan ik je alvast een autorit beloven wanneer je uit het ziekenhuis onslagen wordt.' Maar direct daarna werd hij weer ernstig. 'Ik ben blij dat alles goed gaat. Ik heb net met de dokter gesproken en hij vertelde me dat je veel geluk hebt gehad. Een beetje lager en de kogel had je long doorboord. Nu is het een kwestie van goede verzorging en rust. Hij wil je nog een paar dagen in het ziekenhuis houden tot de wond dicht is, maar daarna kun je naar huis om verder te herstellen.'

Paulien sloeg haar ogen neer. Ze besefte maar al te goed dat ze haar uitstekende verzorging vooral aan hem te danken had. De baron en zijn familie stonden nu eenmaal hoog op de hiërarchische ladder. Ze was hem daar ook erg dankbaar voor, maar de gedachte om terug naar haar oom en tante te moeten maakte haar opstandig. 'Ik kan en wil niet meer terug naar mijn oom,' zei ze dan ook vastberaden.

Hij trok een wenkbrauw op. 'Ik denk wel dat de notaris zijn lesje geleerd heeft, Paulien. Je hoeft niet meer bang te zijn. Hij is nu eenmaal je voogd, daar kun je niet onderuit. Bovendien kun je nergens anders heen.'

Ze keek hem echter vast aan. 'Hij zal niet ophouden voordat ik met Alberik getrouwd ben en ik wil onder geen beding met hem trouwen. Ik kán het niet, David. Ik kan het gewoonweg niet. Maar je vergist je wanneer je zegt dat ik nergens anders heen kan. Ik wil dat hij me terugstuurt naar het weeshuis.'

'Naar het weeshuis? Ik kan me niet voorstellen dat je het daar beter zult hebben dan bij je oom.'

Paulien schudde haar hoofd. 'Het is niet de bedoeling om daar te blijven, David. De zusters zullen me uit werken sturen. Maar ik weet waar ik wil werken en wat ik wil bereiken. Van daaruit kan ik aan mijn eigen toekomst werken en dat kan ik niet bij mijn oom.'

'Je eigen toekomst? Het lijkt wel alsof jij je plannen al gemaakt hebt?'

Paulien knikte. Ze aarzelde even, maar besloot toen toch om het hem te vertellen. Wat gaf het? Morgen was David misschien alweer uit haar leven verdwenen. 'Ik wil een naaiatelier beginnen,' begon ze enthousiast. 'Ik wil confectiekleding maken, David. Jurken, rokken en jassen naar de ontwerpen van bekende modeontwerpers, maar naar eigen ideeën aangepast en voor iedere maat. Ik wil dat vrouwen mijn kleding kunnen passen en kopen zonder dat ze daarvoor eerst hun maten moeten laten nemen. Nu de economie stilaan op gang komt, hoor ik dat steeds meer jonge vrouwen in een fabriek gaan werken om het financieel een beetje beter te hebben. Het zal gemakkelijker voor hen zijn wanneer ze hun kleding alleen maar moeten kopen. En bovendien zien ze al direct het kant-en-klare product. Ze moeten kunnen kiezen tussen verschillende motiefjes en stoffen en tussen jurken en rokken en bloezen. O, ik ben er zeker van dat het zal lukken. Iedere vrouw verlangt naar iets nieuws om te dragen, iets wat betaalbaar is en toch mooi. Daar wil ik aan voldoen en daar wil ik hard voor werken tot het genoeg zal opbrengen om voor altijd voor mijn zus en broer te kunnen zorgen.'

David keek haar een ogenblik bedenkelijk aan. Hij had met verbazing naar haar toekomstdromen geluisterd en moest toegeven dat haar enthousiasme en idealisme hem intrigeerden. Hij kon niet anders dan dat hij Paulien hierom bewonderde. Zij was nog zo jong en bezat niets, maar sprak met een scherp zakelijk inzicht en een doelgerichtheid die hij bij vrouwen niet voor mogelijk hield. Toch kon hij zich niet voorstellen dat kleding gemaakt zou kunnen worden zonder dat het aangepast en opgemeten werd. In zijn ogen kon een broek of vest dan nooit goed zitten.

'Ik ben ervan overtuigd dat er inderdaad veel vraag is naar kleding, Paulien,' begon hij dan ook voorzichtig. 'Als ik mijn moeder en mijn tantes hoor, dan gaat het voortdurend over mode, haardracht en accessoires. Maar ik weet niet of kleding op grote schaal wel een goed idee is. Iedere vrouw of man is anders, weet je. Bovendien mag je niet vergeten dat je geld nodig hebt om een naaiatelier te beginnen. En mensen die voor je werken, want in je eentje kun je dit nooit klaarspelen.'

Paulien aarzelde even, maar keek hem toen vast aan. 'Waar een wil is, is een weg, David,' zei ze ten slotte zacht. 'Met Elias' hulp ben ik een naaiatelier begonnen in de schuur van zijn ouders. We vermaken er oude kleding en ontwerpen nieuwe kleding uit niet meer gebruikte gordijn- of andere stoffen. Ik heb twee jonge vrouwen die voor me werken en ook mijn zus Nell help me sinds kort. We maken jurken, rokken en bloezen in verschillende maten en modellen. Het concept loopt uitstekend. Dat heeft me ertoe aangezet om het op grotere schaal te proberen. Tot hiertoe bracht het voldoende op om de naaisters en wat materiaal te betalen en zelfs om een beetje te sparen tot ik voldoende heb om stoffen mee aan te kopen. Hier zit echt wel een toekomst in, David.'

David sperde zijn ogen wijd open en floot zachtjes. Zijn achting voor haar steeg zienderogen. 'Zo te horen heb je niet stilgezeten! Maar als je oom weet dat je in je eigen onderhoud kunt voorzien, waarom wil hij je dan nog dwingen om met Alberik te trouwen?'

Paulien schudde haar hoofd. 'Hij weet het niet. Ik ben ervan overtuigd dat hij het me zal verbieden. Hij zal nooit toelaten dat ik hetzelfde doe als wat mijn vader deed. Hij verafschuwde mijn vader omdat hij, in zijn ogen, maar een simpele kleermaker was. Maar vader was een goede man, en een uitstekende ontwerper en kleermaker. Ik weet zeker dat mijn oom alles in het werk zal stellen om me te dwarsbomen wanneer hij te weten komt wat ik doe. Maar ik heb ook de koppigheid van mijn moeder geërfd en ik zal en wil mijn eigen weg gaan. Bovendien heb ik haar de belofte gedaan dat ik alles zal doen om mijn broer en zus een gezellige thuishaven te geven. En die belofte wil ik zo vlug mogelijk inwilligen.'

David keek haar onthutst aan. Hij zag een fragiele, gewonde, mooie, jonge vrouw van amper achttien, maar de gedrevenheid waarmee ze haar woorden uitsprak getuigde van een vastberadenheid en een wijsheid die ver boven haar leeftijd uit ging. Hij kon niet anders dan haar hiervoor bewonderen en zijn achting voor Paulien steeg nog steeds. Hij kon zich niet voorstellen dat alle andere vrouwen die hij had gekend, zich op deze manier zouden uiten. Zij hadden nooit gepraat over zaken, zelfs niet over werken of opoffering voor anderen. Nee, zij konden alleen maar praten over mode en haardracht. En uitgaan natuurlijk, zodat ze deze jurken konden laten zien en andere vrouwen jaloers konden maken. Paulien leek erg goed te weten wat ze wou en bovendien had ze haar weg al uitgestippeld. Ze wist waar ze aan begon en wat ze kon verwachten. Zij had een neus voor zaken, ook al was ze een vrouw.

In zijn achterhoofd groeide ook nog een ander plan. Ondanks zijn gevoelens voor Paulien, liet zijn eigen zakelijke instinct hem niet in de steek. Hij besefte nu dat Pauliens aanpak weleens vruchten kon afwerpen en hij wou hier ook wel een graantje van meepikken. Hij hoefde niet eens risico's te nemen. Het was voldoende om haar wat op weg te helpen en af te wachten wat de toekomst bracht. In het gunstigste geval kon hij daarna nog altijd mee op de kar springen. Maar dan moest hij haar eerst de kans geven om zich te bewijzen en dat ging niet wanneer de notaris er een stokje voor stak.

'Ik bewonder je aanpak, Paulien,' zei hij ten slotte. 'En het zou zonde zijn wanneer je oom je deze kans niet gaf. Als je wilt, dan

kan ik dit probleem aan mijn vader voorleggen. Als burgemeester legt hij meer gewicht in de schaal dan ik. Misschien kan hij je oom ompraten zodat deze je niets meer in de weg zal leggen.'
Het feit dat hij haar wou helpen deed Pauliens gezicht stralen.
'Zou je dat willen doen?'
'Natuurlijk. Ik heb je toen uit Alberiks handen gered, ik kan je er nu toch niet in terug drijven? Maar ik kan je nog niets beloven. Ik moet er eerst met mijn vader over praten.'
Paulien drukte zacht haar hand op zijn arm. 'Je geeft me hoop, David. Dat is al heel veel. Je maakt me zo gelukkig. Maar je zou me nog gelukkiger maken als je ook een goed woordje voor Elias kon doen.'
'Elias? Waarom zou ik een goed woordje voor hem moeten doen?'
Paulien boog even haar hoofd. 'Door mijn schuld zit hij opgesloten. De veldwachter heeft hem in het hok gestopt tot grote schande voor hem en zijn familie. Heel het dorp kijkt nu op hen neer terwijl hij alleen maar probeerde om me te helpen.'
David keek ernstig. 'Hij hoefde geen deur in te trappen om je te helpen, Paulien. Hij beseft ook wel dat hij zal moeten boeten voor zijn daden.'
'Maar mijn oom zal hem met de grond gelijkmaken, David, en ik... ik zou het niet kunnen verdragen dat hij door mijn schuld voor jaren achter de tralies moet.'
'Het was niet jouw schuld.'
Paulien keek hem nu smekend aan. 'Het was wél mijn schuld. Ik had niet met hem mee mogen gaan. Ik had hem moeten ompraten. Maar de gedachte om weg te kunnen, om vrij te zijn, was sterker dan ikzelf. O, alsjeblieft, doe ook een goed woordje voor hem. Hij en zijn ouders, Betty en Florent, hebben me geholpen om mijn naaiatelier op te richten. En bovendien verdient Elias dit niet.'
David zuchtte diep. 'Nou, goed, ik zal zien wat ik kan doen,' zei hij om haar gerust te stellen.
'Dank je, David.'
'Bedank me maar niet te vroeg, Paulien. Ik moet eerst mijn vader nog overtuigen.' Maar toen glimlachte hij even geruststellend. 'En nu moet er beslist gerust worden. Ik zie dat het bezoek al zo goed als verdwenen is.' Hij keek even de zaal door waar het geroezemoes van stemmen nu vervangen was door een licht

gekreun en gejammer van mensen die pijn leden. 'Straks word ik hier zonder pardon de deur uit gezet en dat wil ik niet op mijn geweten hebben. Ik beloof je dat ik binnen een aantal dagen nog eens terugkom en ik hoop dat ik je dan positief nieuws kan brengen. Maak je in ieder geval nog geen illusies, want zoals ik je al zei: ik kan je nu nog niets beloven.'

Paulien schudde haar hoofd. 'Ik begrijp het. Maar het feit dat jij voor mij en Elias wil opkomen betekent al heel veel voor me.'

Hij knikte enkel kort na deze woorden, draaide zich om en verliet de ziekenzaal.

Paulien keek hem na tot hij de zaal verlaten had. Daarna draaide ze zich kreunend op haar zij. Ze was doodop. Maar in tegenstelling met een uur geleden was er een grote last van haar schouders gevallen. Nu ze wist dat David zich met deze zaak ging bemoeien, leek het wel alsof ze gerustgesteld was dat alles in orde ging komen. Toen de pijn van de beweging wat weggeëbt was, sloot ze haar ogen en viel ze uiteindelijk in een diepe, herstellende slaap.

HOOFDSTUK 13

David besloot om er niet te lang mee te wachten. Toen de baron een paar dagen later na het eten de zitkamer op zocht voor een sigaar en zijn dagelijkse cognac, ging hij met hem mee en stelde hij zijn vader op de hoogte van de tragische gebeurtenissen bij de notaris, van Pauliens opsluiting en mishandeling en haar opname in het ziekenhuis.

Baron De Tranoy was een gemoedelijk man, een beetje gezet, maar met een heldere blik in zijn ogen. Hij had rustig naar zijn zoon geluisterd en gewacht tot er een stilte viel voordat hij reageerde. 'Nou, daar valt niet veel over te zeggen, niet?' zei hij nadat hij een wolk sigarenrook had uitgeblazen. 'Je zegt zelf dat hij voogd is over haar en dat hij het allemaal deed om haar een goede toekomst te geven. De zoon van schoolmeester Ipendael is inderdaad in staat om haar méér dan goed te onderhouden. Je zegt dat ze niet van hem houdt. Maar dat is geen reden om een goede partij af te wijzen. En wat die schietpartij betreft: die jongen, Elias, had helemaal niet het recht om zijn huis binnen te dringen.'

'Daar ben ik het volkomen mee eens, papa,' reageerde David. 'Maar het feit dat Paulien een eigen zaak aan het oprichten is, pleit dan weer in haar voordeel. De notaris hoeft haar toekomst niet te regelen, dat kan ze zelf ook.'

Deze keer vertelde hij hem alles in verband met haar naaiatelier en haar grote plannen die nu al een aanloop namen. Hij vertelde zijn vader ook hoe hij daar zelf tegenover stond en over de eventuele gunstige belangen die zij daarbij weleens konden hebben. Hij stelde ook de relatie tussen Paulien en de notaris aan de orde en het feit dat hij haar geen eigen toekomst gunde.

Deze keer duurde het een beetje langer voordat zijn vader antwoordde. Hij trok een paar keer aan zijn sigaar en nipte even nadenkend van zijn cognac. Net zoals zijn zoon, zag hij helemaal niet in dat kleding gemaakt kon worden zonder ze eerst op te meten en aan te passen. Maar hij zag wel in dat zijn zoon ervoor openstond en hij wist dat David geen man was die over één nacht ijs ging. 'Als jij erachter staat en denkt dat er wel iets inzit, dan ga ik ermee akkoord dat je haar een duwtje in de rug geeft. Maar ik zou je toch aanraden om het zo bescheiden mogelijk te houden. Stop er niet te veel in voordat je weet dat het rendabel is. Ik heb er zo mijn bedenkingen over, weet je.'

David knikte, blij dat zijn vader het niet gewoon afwees. 'Maar dan moeten we ervoor zorgen dat de notaris haar met rust laat, papa. Kun jij niet even met hem praten? Hij zal meer naar jouw raad luisteren dan naar de mijne.'

De baron keek even verveeld op. Hij had niet veel zin om met de notaris te praten. Als hij heel eerlijk was, mocht hij deze man niet zo. Maar het was ook niet de bedoeling dat hij iedereen mocht. Als ze hun werk maar goed deden en het dorp ten dienste stonden, dan was hij al tevreden. Maar hij wou zijn zoon niet teleurstellen. David was zijn oogappel, zijn steun en toeverlaat. Bovendien had David al een paar keer bewezen dat hij over een dosis gezond verstand beschikte en een behoorlijk gevoel voor zaken bezat. De transacties die hij de laatste jaren had opgezet, bleken erg winstgevend te zijn. Daarom had hij ook nu toegegeven, ook al zag hij niet in wat dat meisje met haar kledingzaak kon beginnen. En ook daarom voelde hij zich nu min of meer verplicht om met de notaris te praten. Ach, het kon niet zo moeilijk zijn om hem ervan te overtuigen om zijn nichtje haar eigen gang te laten gaan. Volgens zijn zoon had hij het meisje neergeschoten. Weliswaar door de schuld van die jongeman, maar toch had hij het wapen gehanteerd. Bovendien had hij haar mishandeld en daar waren ook bewijzen en getuigen van. Allemaal aantijgingen die in zijn nadeel gebruikt konden worden.

Hij zuchtte ten slotte diep en knikte. 'Nou, goed. Ik zal na de gemeenteraadsvergadering wel even met hem praten. Ik kan hem op zijn schuld wijzen en op de gevolgen daarvan wanneer de zaak voor de rechter komt. Ik zal hem voorstellen dat het beter is dat hij alles in der minne schikt en dat hij, voor zijn eigen welzijn en voor zijn plaats in de gemeenteraad, zijn nichtje voortaan met rust laat en haar haar eigen gang laat gaan. Ik vermoed dat ik hem wel zover zal krijgen. Zijn reputatie en zijn positie in de gemeenteraad zijn hem heilig. Maar als hij zijn aanklacht intrekt, dan gaat die jongeman vrijuit. En hij is niet helemaal onschuldig, weet je. Ik hoop dat hij zijn lesje toch geleerd heeft.'

David knikte. Het interesseerde hem niet erg wat er met Elias gebeurde. Hij kende hem amper. Maar voor Paulien zou het een meevaller zijn en voor zijn vader misschien ook wel. Goede monteurs waren nu eenmaal moeilijk te vinden en het gebeurde regelmatig dat de Daimler het begaf door een of ander mankement. Het feit dat zijn vader met de notaris ging praten, was een pak van zijn hart. Nu was hij er bijna zeker van dat alles in orde ging komen en dat hij Paulien vlug kon vertellen dat ze aan haar eigen toekomst kon beginnen.

Hij verbaasde zich erover dat hij zo begaan was met haar lot. Maar toen gleed er een glimlach om zijn lippen. Wie zou dat niet? Paulien was geen vrouw die men zomaar vergat. Ze liet een diepe indruk achter bij al degenen die haar ontmoetten, daar was hij van overtuigd. En hij had nu eenmaal het voorrecht gekregen om haar pad te kruisen.

David had gelijk. Onder druk van de baron was de notaris vrij vlug bezweken. Hij had beloofd dat hij Paulien niets meer in de weg zou leggen, maar dan wilde hij haar ook nooit meer zien. Nou, David begreep ook wel dat het gesprek niet van harte was gegaan. Maar het had zijn doel bereikt.

Met deze wetenschap ging hij terug naar het ziekenhuis. Het bezoekuur was nog niet aangebroken, maar David had lak aan de regels. Hij wist dat hij nu eemaal bepaalde privileges kreeg waarop anderen geen recht hadden en hij greep deze dan ook zonder schuldgevoel aan. Paulien was dan ook aangenaam verrast toen ze hem aan haar bed zag verschijnen.

'David!' glimlachte ze blij terwijl ze het boek dat Nell voor haar had meegebracht weglegde. 'Wat heerlijk om je weer te zien.' Ze keek even langs hem heen naar de verpleegsters die hier en daar druk bezig waren met bedden te verschonen en patiënten te verzorgen. Ze begreep dadelijk dat hij de enige bezoeker was en dat deed haar vermoeden dat hij zijn belofte was nagekomen en dat hij met zijn vader gesproken had. Ze keek dan ook met een zekere spanning naar hem op. 'Ik... ik hoop dat je goed nieuws voor me hebt?'

Hij knikte, haast nog voordat Paulien was uitgesproken. 'De notaris zal je geen duimbreed meer in de weg leggen, Paulien. Hij heeft ook zijn aanklacht tegen Elias ingetrokken. Tenminste, in ieder geval zijn aanklacht voor poging tot moord. Het feit dat hij vernielingen heeft aangebracht en dat hij ongevraagd zijn huis is binnengedrongen, blijft gelden. Dat betekent dat de rijks-

160

wachters hem niet komen halen en dat hij hier in het dorp berecht zal worden. Ik verwacht dan ook dat rechter Schoors een minnelijke schikking zal voorstellen en dat die jongeman weer vlug van zijn vrijheid zal kunnen genieten.'

Paulien was even sprakeloos. Als door een waas keek ze naar David op. Ze pakte zijn hand en trok hem zachtjes naar beneden tot ze een kus op zijn wang kon drukken. 'Dank je, David,' fluisterde ze glimlachend.

David grimaste een beetje onwennig. Als ze niet gewond was, dan zou hij van deze situatie geprofiteerd hebben om haar eens goed tegen zich aan te drukken. O, hij wist maar al te goed dat Paulien geen partij voor hem was. Dat zouden zijn ouders nooit toelaten. Maar ze was een vrouw waarbij hij zich goed voelde en waarmee hij een prettige conversatie kon voeren. Maar hij had nog tijd genoeg om haar het hof te maken. Hun gezamenlijke zakelijke belangen zouden hen immers nog veel samen brengen. Op dit ogenblik was haar herstel het belangrijkste. Hij haalde diep adem en keek haar ernstig aan.

'Je oom heeft ook gezegd dat hij je nooit meer wil zien. Ik ben bang dat je inderdaad terug naar het weeshuis zult moeten gaan.'

Paulien knikte. 'Daar zal niets anders op zitten, David. Ik wil natuurlijk liever dadelijk naar mijn naaiatelier gaan. Betty en Florent hebben ervoor gezorgd dat ik daar een eigen slaapkamer heb, maar ik kan beter zorgen dat alles wettelijk in orde is in geval mijn oom me toch nog wil dwarsbomen.'

'Zo? Maar dat verandert de zaak. Ik dacht dat je helemaal geen onderkomen had. Als Betty en Florent je onder hun hoede nemen, dan hoef je toch niet terug?'

'Ik ben nog niet meerderjarig, David. Als mijn voogd me niet wil onderhouden, dan moeten de zusters me onderhouden of me ergens plaatsen.'

'Maar je staat er nu niet meer alleen voor, Paulien. Nu ik weet dat je een onderkomen hebt, wil ik me gerust garant voor je stellen.'

Paulien keek hem nu sprakeloos aan. 'Wil... wil je dat echt voor me doen, David?' vroeg ze schor.

'Natuurlijk! Waarom niet? Ik heb je niet uit de handen van de notaris gered om nu het risico te lopen dat de nonnen je ergens

161

anders heen sturen dan naar je naaiatelier! Ik weet zeker dat je het zult maken, Paulien, maar dan moet je ook de kans krijgen om er zo vlug mogelijk aan te beginnen.'

Pauliens keel leek dichtgeschroeft. David was een engel, een engel in de vorm van een knappe, invloedrijke jongeman. Waaraan had ze hem verdiend? Maar ze was blij om hem te kennen. Ontzettend blij.

'O, David,' zei ze dan ook. 'Je bent zo lief en aardig. Wat had ik moeten beginnen zonder jou.'

Hij lachte even kort. 'Nou, ik ben ervan overtuigd dat niemand je kan tegenhouden. Zelfs zonder mijn hulp had jij je doel bereikt, daar ben ik zeker van. Maar nu laat ik je nog even rusten. Voordat ik naar je toe kwam, heb ik de dokter nog gesproken. Hij vertelde me dat je, als je onderzocht bent en je het goed maakt, vandaag nog naar huis mag. Gedaan dus met luieren en lekker niets doen.' Hij grinnikte en vervolgde: 'Ik moet nog een boodschap doen hier in de stad. Daarna zal de dokter wel geweest zijn en dan kom ik je ophalen om je, zoals beloofd, in mijn auto naar je naaiatelier te brengen.'

Hij knipoogde nog even, draaide zich om en ging de ziekenzaal uit.

Paulien keek deze keer nog een hele tijd naar de deur waardoor hij al lang was verdwenen. Een warm en blij gevoel overspoelde haar en dat had ze allemaal aan hem te danken. O, ze was zo blij dat ze hem op het bal had leren kennen, anders was hij beslist nooit met Nell meegekomen. Of toch? Zou David echt zo aardig zijn om zelfs voor een wildvreemde op te komen? Ze haalde haar schouders op. Hij was er, dat was het enige wat telde. Hij was er en hij had er alles aan gedaan om haar te helpen, om haar uit de ellende te helpen waarin ze ondergedompeld was. Haar dankbaarheid groeide en deed haar hart sneller kloppen wanneer ze aan zijn mannelijke, knappe gezicht dacht en de zachtheid die erin verscholen lag. Ze keek voor het eerst niet alleen met haar ogen naar David, maar ook met haar hart. En ze ondervond dat het prettig was.

Een uur later bracht David haar naar het huisje van Betty en Florent, waar ze dadelijk door Nell en Betty verplicht werd om in de gemakkelijke fauteuil plaats te nemen. Ze waren al op de hoogte dat ze zou komen. Nell, Quinten, Betty en Gertrude hadden haar in het ziekenhuis bezocht kort nadat David op bezoek was geweest en Paulien had hun alles vol vuur verteld.

Betty was zo blij toen ze hoorde dat haar oudste zoon met grote waarschijnlijkheid vrij zou komen, dat haar tranen de hele dag waren blijven lopen. Nu ze haar weldoener voor zich zag, vergat ze voor even wie hij was en drukte ze een stevige zoen op Davids wang. 'Dank je,' zei ze oprecht. Meer kon ze niet zeggen. Haar keel zat dicht van de emoties.

Florent drukte hem dankbaar de hand en ook Quinten en Peter die al thuis waren van hun werk, betuigden hem op deze manier hun dankbaarheid. David voelde zich even onwennig. Het was nooit zijn bedoeling geweest om Elias vrij te krijgen, maar nu hij al deze blije gezichten voor zich zag, was hij toch tevreden dat het zo gelopen was.

'Waarschijnlijk zal hij een dezer dagen voor rechter Schoors moeten verschijnen,' zei hij met een goed gevoel in zijn binnenste. 'Maar dat kun je zien als een formaliteit.'

Na deze woorden besloot hij om verder te gaan. Nu hij Paulien veilig en wel naar huis had gebracht, had hij hier niet veel meer te zoeken. Maar voordat hij wegging, keerde hij zich nog even tot Paulien. 'Wanneer je weer hersteld bent, wil ik je naaiatelier weleens zien, Paulien,' zei hij zacht. 'En als je graag naar een weeffabriek gaat om enkele rollen stof aan te kopen, dan wil ik je daar met plezier naartoe brengen.'

Paulien schudde echter haar hoofd. 'Dat is heel lief van je, David, maar ik ben nu nog niet in staat om veel aan te kopen en ik wil me ook niet in de schulden steken.'

'Dat is heel verstandig van je en dat waardeer ik. Maar nu laat ik je alleen. Je zult je rust nog goed kunnen gebruiken.' Na deze woorden knikte hij even als groet naar de rest van het gezelschap en verliet daarna het huis.

Paulien bleef even beduusd zitten. Ze moest nog bekomen van de vermoeidheid van de rit. Maar Betty trok haar al vlug terug naar de werkelijkheid. 'Hemeltjelief,' zuchtte ze opgewonden. 'Ik kan het nog altijd niet geloven. Het lijkt wel alsof ik droom. Hij heeft ervoor gezorgd dat Elias weer vrijkomt en nu wil hij Paulien ook nog helpen. O, lieve God, wat een heerlijke dag!' Ze sloeg haar handen in elkaar en keek dankbaar naar boven alsof ze God op deze manier haar dankbaarheid kon laten zien. Maar dadelijk daarna ging ze weer over tot de orde van de dag. 'Maar waar zijn mijn gedachten,' verweet ze zichzelf. 'Ik ga thee zetten. Daar zul je nu wel aan toe zijn, is het niet?' vroeg ze met een gelukkige glimlach terwijl ze naar Paulien keek.

Na de thee, waarbij ze gezellig met zijn allen rond de tafel zaten en de gebeurtenissen van die dag nog eens bespraken, kon Paulien echter niet langer wachten om Elias te bezoeken. Het was nu vijf dagen geleden dat hij haar was komen bevrijden, en ze popelde om hem te zien en om hem het goede nieuws van deze heuglijke dag te vertellen.

Ze wist wel dat Betty hem al verteld had dat hij weldra vrij zou komen. Dat had ze dadelijk gedaan nadat ze het nieuws van Paulien had gehoord. Maar ze wou het hem zelf nog eens vertellen. Ze wou hem zien, zijn stem horen en weten hoe het met hem was. In eerste instantie wou Betty haar tegenhouden. Ze moest het bed in en rusten. Maar Paulien wou niet rusten. Bovendien had ze al meer dan voldoende gerust en was de pijn best draaglijk als ze haar arm niet te veel bewoog. Betty kon niet anders dan toegeven, maar zij en Nell besloten met haar mee te gaan. Betty nam nog wat voedsel en een extra deken mee, want de nachten begonnen al behoorlijk koud te worden.

Veldwachter Torfs maakte er geen punt van om het hok een klein stenen, vierkant gebouw met een getralied raam en een stevige deur, dat vlak naast het gemeentehuis stond open te doen zodat de vrouwen naar binnen konden gaan. Hij kende Elias en zijn familie maar al te goed. Hij kende trouwens iedereen in het dorp en de omgeving en hij wist dat deze hardwerkende mensen helemaal niet kwaadaardig of opvliegend waren.

Elias was zich trouwens zelf komen aangeven. Even daarvoor had hij een rood aangelopen notaris aan zijn deur gehad die hemel en aarde bewoog om hem te dwingen naar het huis van Betty en Florent te gaan zodat hij Elias daar kon oppakken voordat hij het hazenpad koos. Hij moest ervoor zorgen dat die moordenaar niet kon ontsnappen. Dat uitschot was zijn huis binnengedrongen en had een moord begaan, had hij gezegd. Nou, voor een dode zag Paulien er nog heel goed uit.

De veldwachter grinnikte inwendig toen hij aan het woedende gezicht van de notaris dacht toen hij hem heel rustig vertelde dat hij nu geen tijd had, maar dat hij later op de dag weleens langs hun huis zou gaan. Even later was Elias zichzelf komen aangeven en had hij uit zijn mond een heel andere versie van het verhaal gehoord. Nou, ja, het was zijn zaak niet om te beslissen wie de schuldige was, maar als hij één ding mocht zeggen, dan was het dat Elias een van de laatste jongeren was die hij ervan zou verdenken om een misdaad te plegen. Daar was hij veel te zachtaardig en te verstandig voor. En zijn gevoel bleek juist te zijn, want hij had net te horen gekregen dat de notaris zijn aanklacht voor poging tot moord had ingetrokken en dat de rest met een minnelijke schikking afgehandeld zou worden. Gelukkig maar. Maar hij had nu eenmaal zijn werk moeten doen en Elias moeten opsluiten.

'Nou, maak het niet te lang, dames,' zei hij terwijl hij de vrouwen binnenliet. 'Het zal bovendien de laatste keer zijn, want ik heb vernomen dat hij morgen voor de rechter zal moeten verschijnen.'

Betty haalde opgelucht adem. 'Hoor je dat?' vroeg ze aan Elias. 'Morgen kom je terug naar huis.'

De veldwachter deed de deur dicht en bleef ervoor staan. Hij wist dat Elias geen poging zou ondernemen om te ontsnappen. Maar hij nam zijn werk serieus en plicht was nu eenmaal plicht.

Paulien had de woorden maar half gehoord. Ze had alleen maar oog voor Elias die als een zielig hoopje ellende op een soort brits zat. Toen hij Paulien zag, leken zijn ogen wat op te lichten, maar dat was maar een flits. Daarna wendde hij zijn blik naar de grond. Hij leek nog maar een schim van zichzelf. Zijn haar zat in de war, zijn wangen waren ingevallen en hij had donkere kringen onder zijn ogen.

'O, Elias,' kreunde Paulien terwijl ze naast hem ging zitten en haar hand even meelevend op zijn arm drukte. 'Het spijt me zo dat ik je in deze situatie gebracht heb.'

Hij keek haar aan. 'Het was niet jouw schuld, Paulien,' zei hij zacht. Hij sloot even zijn ogen en hoorde het schot weer afgaan. Hij zag haar vallen en haar bloes rood kleuren. De angst dat ze dood zou zijn, dat hij door zijn tussenkomst haar leven in gevaar had gebracht, was haast te veel om te dragen. Zelfs nu hij met eigen ogen kon zien dat ze het goed maakte, kon hij dat beeld niet van zich af zetten. Het verstikte hem, het verlamde hem en het maakte hem langzaam maar zeker verbitterd.

'Ik ben blij dat je weer helemaal de oude lijkt te zijn,' vervolgde hij ten slotte.

Paulien knikte. 'Dat heb ik voornamelijk aan David te danken, Elias.' Ze vertelde hem over zijn bezoeken in het ziekenhuis, over zijn hulp om Elias weer vrij te krijgen en over het feit dat hij haar wou helpen met haar naaiatelier.

'Daar... daar ben ik blij om. Zo te horen kunnen jij en David het wel goed met elkaar vinden.' Elias keek haar niet aan toen hij deze vraag stelde.

Paulien knikte. 'O, ja. David is best aardig. Als hij er niet was geweest, was alles beslist helemaal anders verlopen. Ik ben hem vreselijk dankbaar, Elias.'

Nu mengde Betty zich ook in het gesprek en ze vertelde haar zoon alles van zijn bezoek aan hun huis en hoe geweldig ze David vond. Zelfs Nell deed er een schepje bovenop door hem te vertellen hoe knap ze hem vond en hoe bezorgd hij wel was om Pauliens welzijn.

Elias hield zijn blik op de grond gericht en liet al deze woorden over zich heengaan. Het feit dat Paulien en David zo goed met elkaar overweg konden, kerfde en sneed in zijn hart. Maar als hij het beste voor Paulien wou, dan kon hij niet anders dat dit toejuichen. Als er iémand was die haar financieel met het naaiatelier kon helpen, dan was het David de Tranoy. Maar de gedachte dat die twee...

Hij verwierp deze gedachte echter meteen. Ach, het was beter zo. Zelfs als Paulien ooit van hem zou kunnen houden, dan kon hij haar toch nooit geven wat ze nodig had. Bovendien was hij het niet waard om van haar te houden. Hij had haar bijna gedood. Door zijn ondoordachte handeling had hij haar bijna van het leven beroofd. Nee, hij kon haar maar beter uit zijn hoofd zetten. Paulien verdiende een beter iemand. Iemand zoals David. Maar de gedachte daaraan deed zijn hart samenkrimpen en maakte dat hij stil en afwezig voor zich uit bleef kijken.

Het was Paulien natuurlijk opgevallen dat hij er niet goed uitzag en dat hij stil en gesloten was. Ze veronderstelde echter dat het met zijn gevangenschap te maken had. De gedachte dat hij daar erg onder leed drukte zwaar op haar. Ze hoopte dat alles vlug in orde zou komen zodra Elias weer vrij zou zijn. Ze liet hem dan ook met een zwaar gemoed achter toen de veldwachter even bescheiden kuchte om aan te geven dat het nu wel welletjes was geweest. Maar met een verlicht hart bij de wetenschap dat dit de laatste keer was dat zij naar hier moesten komen, namen de vrouwen afscheid en ze probeerden Elias moed in te praten door hem te zeggen dat hij nog maar één nacht hier zou moeten doorbrengen.

Op de terugweg kon Paulien haar gedachten niet langer voor zich houden. 'Hij zag er zo kwetsbaar uit, Betty. Dat hok maakt hem ziek,' zei ze bezorgd.

Betty knikte terwijl ze troosteloos voor zich uit staarde. 'Sinds hij opgesloten zit, zegt hij haast geen woord meer en hij eet amper. O, ik ben zo blij dat de notaris zijn aanklacht voor doodslag heeft ingetrokken. Het zou zijn dood betekend hebben als hij voor jaren achter de tralies moest.'

Paulien schudde haar hoofd. 'O, waarom ben ik toch met hem meegegaan. Ik had zo veel onheil kunnen voorkomen.'

'Kop op, kind. Denk je dat je Elias kon tegenhouden? Kijk, ik ken mijn zoon door en door. Als hij iets onrechtvaardig vindt, dan kan niets hem tegenhouden om dat recht te zetten. Zelfs ik niet. Dus hoef jij jezelf niet de schuld te geven.'

'Betty heeft gelijk, zus,' bracht Nel hiertussen. 'Er is maar één persoon schuldig en dat is onze oom.'

Betty legde haar arm even moederlijk om Pauliens schouder. 'Pieker maar niet te veel, Paulien. Zodra hij naar huis komt, zal hij weer vlug de oude worden.'

De volgende dag was het zover en kwam de veldwachter Elias uit het hok halen om hem naar het gerechtshof te brengen. Iedereen was er. Betty, Florent, Quinten, Peter en Walter, Nell en Paulien – die nog altijd een verband om haar schouder droeg – Gertrude, zelfs Berthe en Sarah, die hun naaimachine in de steek hadden gelaten, en nog vele anderen. Kortom: het halve dorp was er om naar het vonnis van de rechter te luisteren. Ook Alberik en Edward en hun vader, hoofdonderwijzer Ipendael. Iedereen was al op de hoogte dat de notaris zijn zwaarste aanklacht had ingetrokken want een dorp is nu eenmaal als een bijenkorf waar niets kan gebeuren zonder dat iedereen het weet. Ze waren nu benieuwd wat de rechter zou beslissen inzake de aanklacht die hem nog restte.

Toen de veldwachter Elias binnenbracht, werd het plots stil. Iedereen kon zien dat hij erg onder de gevangenschap geleden had. Betty voelde haar keel dichtschroeven toen ze haar zoon zo zag. Paulien kon haar blik niet van hem afhouden. Ze voelde zich week worden en sloeg een hand tegen haar mond om de onrust te onderdrukken die ze voelde bovenkomen.

Helemaal vooraan zag ze haar oom zitten. Zijn dubbele onderkin strijdlustig de hoogte in en zijn priemende blik strak op Elias gericht. Ze was bang dat hij toch nog van gedachte zou veranderen, dat hij zijn aanklacht niet langer meer wou intrekken. Ze was zich er drommels goed van bewust dat hij daar best toe in staat kon zijn. Haar tante was nergens te bespeuren. Waarschijnlijk was ze te ziek om het huis te verlaten. Naast hem zat Claudia. Prachtig zoals altijd, haar kleding en kapsel als om door een ringetje te halen.

Claudia was zich er van bewust dat iedereen haar goed kon zien. Dat maakte dat ze bevallig haar hoofd de hoogte in stak en wat draaide zodat ze haar perfecte, volmaakte vormen op hun best konden zien. Toen Claudia David de Tranoy zag binnenkomen, lachte ze verheugd. Ze moest zich dwingen om op haar stoel te blijven zitten. Het liefst was ze naar hem toe geheld om hem te zeggen dat ze zo blij was omdat hij speciaal voor haar hiernaartoe was gekomen. Het kwam niet eens in haar op dat dit weleens niet zo kon zijn.

Maar ze kon haar vader niet in de steek laten, hij zou het haar erg kwalijk nemen, daar was ze zeker van. Ze hoopte nog altijd dat hij van gedachten zou veranderen. Ze begreep het niet. Waarom deed haar vader dit nu? Hij had ervoor kunnen zorgen dat Elias voor de rest van zijn leven in de gevangenis verdween en dat Paulien er niet onderuit kon om met Alberik te trouwen. Waarom had hij deze kans dan niet gegrepen? Waarom was hij op zijn besluit teruggekomen en had hij die aanklacht ingetrokken?

Ze had hem daarover al verschillende keren aangesproken. Maar het enige wat ze bereikte was haar vaders woede en zijn harde woorden dat ze zich niet mocht inlaten met zaken die haar niet aangingen en die ze toch niet kon begrijpen. Ze had het ten slotte opgegeven omdat ze bang was dat ze anders te ver ging en haar vader over zijn grenzen zou dwingen met alle gevolgen vandien. Ze hoefde maar aan zijn riem te denken om te weten waartoe hij in staat was. Maar toch hoopte ze – tegen beter weten in – dat hij nog van gedachte zou veranderen. Het feit dat Paulien nu ook ontkwam aan het lot dat ze voor haar in gedachten had, raakte haar nog het meest. Ze kon het niet verdragen dat ze er zo goed van afkwam.

Toen ze zag dat Paulien David ook had opgemerkt en hem een teken gaf zodat hij naast haar ging staan, wendde ze haar hoofd met een ruk van hem weg en voelde ze het bloed naar haar wangen stijgen. Ze was ervan overtuigd dat Paulien het met opzet deed. Ze had hem verleid, ze had hem naar haar hand gezet, ze had hem blind gemaakt voor de realiteit, voor het feit dat zij de enige ware voor hem was. Ze kneep haar handen tot vuisten en verwenste Paulien met heel haar hart. Ze beloofde zichzelf dat ze alles zou doen om Pauliens leven zuur te maken. Als haar vader het niet wilde doen, dan zou ze zelf de teugels in handen nemen.

Toen de rechter het milde vonnis uitsprak dat Elias alle schade moest betalen en dat hij voor de rest vrijuit ging, kon Paulien een zwak kreetje van vreugde niet onderdrukken. Ze keek dankbaar op naar David en sloeg opgelucht haar armen om Nell heen die aan de andere kant naast haar stond. Betty liet haar tranen de vrije loop en ging lachend en huilend tegelijk naar haar zoon toe. De mensen in de zaal mompelden goedkeurend terwijl ze één voor één door de deur verdwenen. Nu ze het vonnis gehoord hadden, konden ze weer aan het werk. Alleen Alberik en zijn broer en vader keken misnoegd voor zich uit. Ze voegden zich bij de notaris die met een koele blik naar David staarde.

'Zo, Korneel,' begon de hoofdonderwijzer, een klein, gedrongen mannetje met een kaal hoofd en een bril op zijn neus. 'Ik had nooit gedacht dat je hem er zo goed van af zou laten komen. Maar hoe zit het nu eigenlijk met je nichtje en mijn zoon? Alberik heeft je woord gekregen dat hij met haar kon trouwen, maar nu blijkt dat ze niet meer bij je woont en dat ze mijn zoon niet meer wil zien.'

Korneel keek hem even verveeld aan. De hoofdonderwijzer zat ook in het gemeentebestuur en hij kon hem dus niet zomaar voorbijgaan zonder deze kwestie onder ogen te zien. 'Het spijt me, Jozef,' zei hij dan ook met tegenzin. 'Ik heb er alles aan gedaan om haar te dwingen, maar ze wil niet met je zoon trouwen. Daarom heb ik haar de deur uit gezet, zie je. Als ze niet naar me wil luisteren, dan moet ze haar eigen boontjes maar doppen.' Hij keek nu naar Alberik en vervolgde: 'Ik weet zeker dat jij wel vlug een andere vrouw zult vinden, Alberik.'

'En Claudia?' ging de hoofdonderwijzer verder. 'Is Alberik dan geen goede partij voor háár?' Maar dat was niet naar de zin van Edward die zijn vader aanstootte en hem toebeet dat hij een betere partij voor haar zou zijn. Claudia was bang dat hij haar vader op bepaalde gedachten zou brengen. 'Het spijt me, heren,' zei ze dan ook vlug. 'Maar mijn hart is al veroverd.' Na deze woorden trok ze haar vader met zich mee in de richting van de deur.

Korneel volgde haar met plezier. Hij was blij dat hij hier weg kon. Heel deze klucht kwam hem de keel uit. Als het aan hem lag, dan was deze dag heel anders verlopen. Maar hij moest aan zijn positie denken en de baron had nu eenmaal het laatste woord. Hij zag dat de zaal al zo goed als verlaten was. Hij zag nog een paar vrouwen met elkaar staan kletsen bij de deur, maar dat was alles. Spijtig. Hij had Paulien nog graag even toe gesist dat ze hem nooit meer onder ogen moest komen. Haar komst had niets dan ellende gebracht.

Toen ze eenmaal buiten stonden, keek hij zijn dochter even aan. 'Wat bedoelde je eigenlijk toen je zei dat je hart al veroverd was? Ben je dan verliefd?'

Claudia knikte en glimlachte terwijl ze haar arm door die van haar vader stak. 'Op jou, papaatje,' lachte ze liefjes, terwijl ze haar hoofd liefkozend tegen zijn schouder drukte.

Deze woorden brachten een glimlach om Korneels lippen. Wat had hij toch een pracht van een dochter. Zij slaagde er altijd weer in om hem op te monteren. Gelukkig dat hij haar had. Wat zou het leven er anders somber hebben uitgezien.

HOOFDSTUK 14

Het leven zag er voor Paulien allesbehalve somber uit. Elias was weer thuis en ook zij was nu vrij en ze had haar naaiatelier waar ze – na haar herstel – met volle teugen van kon genieten. Nu kon ze eindelijk aan haar eigen toekomst werken. Het eerste wat ze deed – zodra de pijn het toeliet – was samen met Nell en Elias de trein naar Antwerpen nemen zodat ze haar broertje kon opzoeken. Het was nu al een poosje geleden dat ze hem nog gezien of geschreven had en ze was ervan overtuigd dat hij elke dag naar hen had uitgekeken. Het was een koude, regenachtige novemberdag toen ze vertrokken, maar de meisjes waren zo opgewonden om Mattijs weer te zien, dat ze de kou niet eens voelden. Op de heenweg bleef het in de trein echter opmerkelijk stil. Nell keek vol verwachting door het raam naar buiten en Elias leek wat weggedommeld op de bank tegenover hen. Paulien keek in gedachten naar hem. Ze maakte hem niet wakker door een gesprek te beginnen, want ze besefte ook wel dat hij moe zou zijn. Hij was heel vroeg aan zijn werkdag begonnen zodat hij op tijd klaar was om hen te vergezellen. Hij stond erop en ze was er blij om. Ze voelde zich veiliger met hem en de paters en broeders dachten dat hij door hun oom als chaperon was meegestuurd. Dat nam hun wantrouwen weg en dat was dan weer gunstig om Mattijs met hen mee te krijgen zonder dat ze hun oom daarvan op de hoogte brachten.

Ze keek naar zijn mooie, mannelijke gezicht met de gesloten ogen waarvan ze wist dat ze blauw en zacht waren, ze volgde zijn strakke kaaklijn waarop donkere baardstoppeltjes zich aftekenden, zijn volle mond en zijn rechte neus. Zijn haar zat wat in de war en ze voelde een sterke neiging in zich opkomen om de lok op zijn voorhoofd voorzichtig weg te strijken. Maar ze deed het niet uit angst om hem te wekken. Ze voelde een steek in haar hart nu ze zich voor de zoveelste keer bezorgd afvroeg wat er door hem heenging.

Sinds hij uit het hok was gekomen, was hij stil en gesloten geworden. Het leek wel alsof er een heel andere Elias was teruggekomen. De gemoedelijke gesprekken die ze voordien hadden, bleven achterwege. Niet dat hij niets meer tegen haar zei. Ze woonden tenslotte in hetzelfde huis en aten aan dezelfde tafel, maar ze ervoer zijn aanwezigheid anders, alsof iets hem gebroken had, alsof zijn gevangenschap een afstand tussen hen geschapen had.

Het besef dat zij hier voor een groot deel schuld aan had, woog voor Paulien erg zwaar. Ze wou dat ze hem kon helpen om hem weer dezelfde levensvreugde te geven als voordien. Maar ze was zich er heel goed van bewust dat hij het haar misschien wel verweet. Ze had er al verschillende keren met hem over gesproken, maar hij wimpelde haar bezorgdheid constant weg door haar te zeggen dat er niets was waarover ze zich zorgen hoefde te maken. Nou, daarmee was het van de baan. Toch kon ze dat onrustige gevoel niet van zich af zetten.

Ze wendde ten slotte haar gezicht van hem af en keek net als Nell door het raam naar het traag voorbijglijdende landschap.

Elias keek op zijn beurt door zijn wimpers naar haar. Hij was inderdaad even weggedommeld, maar hij was wakker geworden toen ze zo naar hem zat te kijken. Hij had gedaan alsof hij sliep, maar van onder zijn wimpers had hij het verdriet in haar ogen kunnen zien. Hij vroeg zich af wat er door haar heen ging. Toch was hij niet van plan om het haar te vragen. Hij moest afstand nemen, haar proberen uit zijn hoofd en hart te zetten. Voor haar eigen bestwil en vooral voor zijn eigen gemoedsrust.

Hij was echter blij dat het hem toch nog gelukt was om hen vandaag te vergezellen. Hij besefte dat dit de laatste keer zou zijn en hij voelde zich enigszins verplicht om het haar uit te leggen. Hij moest met haar praten. Zij had het recht om te weten wat hij van plan was. Maar het was zo moeilijk. Dan moest hij haar voorgoed uit zijn hoofd zetten en ook al wist hij dat dit voor haar – en voor hem – het beste was, toch viel het hem zwaar. Hij besloot om het haar op de terugweg te vertellen. Ze waren nu haast in Antwerpen en de tijd was te kort om er nu nog over te beginnen.

Het duurde inderdaad niet lang meer voordat de trein in de grote glazen constructie van het Antwerpse station tot stilstand kwam. Een ijskoude regen sloeg hen in het gezicht zodra ze het overdekte station verlieten. Elias drukte zijn pet wat dieper op zijn hoofd en tilde zijn kraag op. Paulien en Nell sloegen hun wollen sjaals om hun hoofd en bogen hun hoofd tegen de wind in. Paulien was vastbesloten om Mattijs mee te nemen. Alles was immers geregeld. Betty, Florent en de jongens keken al naar hem uit en zij en Nell hadden zijn bed opgemaakt en de kamer gezellig ingericht om zijn verblijf zo aangenaam mogelijk te maken. Ze waren ook vast van plan om het hierbij niet te laten. Ze zouden het eerst met een paar zondagen proberen, daarna de kerstvakantie en als dat lukte zonder dat hun oom erachter kwam, zouden ze proberen om hem voor altijd te laten blijven. En waarom niet? Hun oom besefte niet eens dat Mattijs bestond.

Voor de houten poort van het grote, oude, barokke gebouw van de Broeders Van Scheppens, waar de jongenswezen onderdak vonden, schikte Paulien haar sjaal en haar zelfgemaakte, naar de laatste mode ogende jas en stak ze een losgeraakte lok achter haar oor.

Ook Nell zag er stralend uit. Ze was iets voller geworden en zij droeg ook een 'dekenjas' zoals Paulien het noemde, al zou niemand kunnen zeggen dat dit ooit een deken was geweest. Hij stond in ieder geval beeldig. Ze hoopte dat ze daardoor de Paters en Broeders kon laten zien dat ze het zogenaamd prima hadden bij hun oom en dat er goed voor Mattijs gezorgd zou worden.

Elias hield zich wat afzijdig, alsof hij enkel met hen mee was gestuurd om over hun veiligheid en zedigheid te waken. Gespannen lieten ze ook hier de bel weergalmen door de donkere, stille en devote gangen.

Nadat een broeder hen had binnengelaten sprak Paulien met een van de paters en vertelde hem dat ze Mattijs graag met zich zou meenemen. Hij zag hier geen enkel probleem in. Paulien was geen vreemde voor hem en hij begreep ook wel dat haar oom en tante een beetje voorzichtig waren om deze weeskinderen allemaal tegelijk in huis te halen. Niet iedereen kon zomaar een paar monden extra vullen en hun opvoeding op zich nemen. Daar waren de paters zich heel goed van bewust. Ze vonden het dan ook fijn dat Mattijs nu kon kennismaken met zijn familie en ze hoopten in stilte dat hij mettertijd ook in hun gezin opgenomen zou worden.

Het weerzien was warm en hartelijk. Mattijs sloeg zijn armen dolgelukkig om Paulien en Nell heen. Het leek zo lang geleden dat hij zijn zussen nog gezien had en hij was bang dat ze hem vergeten waren. Ook Elias werd warm omhelst. Mattijs was al erg op hem gesteld geraakt. Nelis was er deze keer niet bij en toen Paulien vroeg waar hij was, schudde de jongen bedroefd zijn hoofd. 'Nelis werkt in de haven,' zei hij zacht. 'Ik vind het niet leuk. Ik wou dat hij hier bij mij kon blijven. Nu kan hij me alleen maar af en toe komen opzoeken, net zoals jullie.'

Pauliens hart kromp samen. O, wat moet hij zich eenzaam gevoeld hebben, ging het door haar heen. Ze ging even op haar hurken voor hem zitten en trok hem troostend tegen zich aan. 'Het zal nu heus niet zo lang meer duren voordat je voorgoed bij ons kunt blijven, Mattijs,' zei ze met een schorre stem. 'Maar we moeten het voorzichtig aanpakken zodat niemand het ons kan beletten. Vandaag mag je in ieder geval al met ons mee, en dan kun je bij ons blijven tot we je maandag weer hiernaartoe brengen.'

De ogen van de jongen werden groot. 'Mag ik met jullie mee? Vandaag en de hele zondag?' Hij kon het amper geloven.

Nell knikte. 'De paters denken dat jij bij onze oom logeert en daarom vinden ze het goed. Maar dat is niet de waarheid.' Tijdens de wandeling naar het station vertelden de twee meisjes hem alles over de gebeurtenissen van de laatste weken. Het begon harder te regenen, maar nu ze samen waren leek niets hen te deren. Ze hamerden er bij de jongen op dat hij dat aan niemand mocht vertellen omdat anders hun samenzijn in gevaar kon komen.

Mattijs schudde zijn hoofd. 'Ik zal het nooit verraden, Paulien. Het is veel te fijn om bij jullie te zijn. Het is alleen maar spijtig dat Nelis er niet bij kan zijn,' zei hij ernstig, terwijl de regendruppels van zijn haar en wangen liepen.

'Het spijt ons ook. We zijn Nelis erg dankbaar omdat hij haast als een broer voor je gezorgd heeft. Maar aan de andere kant zou het nu niet eerlijk zijn om hem met ons mee te nemen. Dat kan ik Betty en Florent niet aandoen. Ze hebben het niet erg breed en zo lang mijn naaiatelier nog niet voldoende opbrengt, kan ik niet eens voor onszelf zorgen.'

Mattijs liet een beetje verdrietig zijn hoofd hangen, maar Elias monterde hem dadelijk weer op. 'Ik weet zeker dat Paulien weldra genoeg zal verdienen om heel het dorp te onderhouden,' grinnikte hij, 'en dan kunnen we Nelis een keertje op bezoek laten komen. Nou, wat denk je daarvan?'

Mattijs' ogen lichtten hoopvol op toen ze het station binnengingen. Hij keek Elias dankbaar aan. 'Ik zal het hem zeggen wanneer ik hem zie,' zei hij opgetogen.

Het geluid van een binnenkomende trein brak een verder gesprek abrupt af. Het gedender en oorverdovend geschuur van metaal op metaal was een ogenblik allesoverheersend en overweldigend. Pas toen het geluid een beetje verstomd was, zei Nell met lachende ogen: 'Wat vind je van deze trein, Mattijs? Zullen we die maar nemen?'

Het vooruitzicht dat Nelis later met hem mee kon komen en het feit dat hij nu met de trein mee mocht rijden en dat hij meer dan een dag lang bij zijn zussen en bij Elias' familie kon blijven, deden zijn ogen glanzen. Doornat en verkleumd stapten ze in de trein, maar niemand van hen voelde dat als een ongemak. Ze waren vervuld van een gelukzalige warmte omdat ze samen waren. Voor het eerst sinds de dood van hun moeder zouden ze langer dan een dag met zijn drieën zijn.

Het voelde zo intens goed aan dat Paulien haar tranen amper kon bedwingen. Ze dacht aan haar moeder terwijl ze naar Nell en Mattijs keek die met hun neuzen tegen het raam naar het voorbijglijdende winterse landschap staarden. Ik ben er bijna, moeder, zei ze in gedachten. Nog even en dan zullen we voor altijd bij elkaar zijn. Ik weet dat het me zal lukken. Het moet! En dan kan ik voor altijd voor hen zorgen. Doe vader de groeten en zeg hem dat ik het spijtig vind dat hij me geen handje kan toesteken bij mijn naaiatelier. Ik zou zijn hulp nu best wel kunnen gebruiken.

Ze sloot haar ogen even en zuchtte diep. Ze miste hen. Ze miste hen verschrikkelijk. Maar toen dacht ze aan Betty en Florent, aan Gertrude, aan Elias en David, aan alle mensen die nu in haar leven waren gekomen. Zij maakten het gemis van haar ouders draaglijk en zij was er hun onnoemelijk dankbaar voor.

Nu Elias zag dat Nell en Mattijs zich vermaakten door naar buiten te kijken, profiteerde hij van deze gelegenheid om met Paulien te praten. Hij wou dat zij het als eerste te horen kreeg. Hij boog zich een beetje voorover en drukte zijn hand even op die van haar om haar aandacht te vragen. Hij begreep ook wel dat ze haar ogen moeilijk van die twee kon afhouden. Ze had zo lang naar dit moment uitgekeken. Maar hij kon het niet langer uitstellen en hij had zijn besluit genomen.

Zodra ze hem vragend aankeek, schraapte hij zijn keel. 'Ik wil even met je praten, Paulien,' begon hij zacht. Hij keek een ogenblik naar zijn voeten alsof hij woorden zocht om het haar te vertellen. 'Ik heb besloten om weg te gaan,' zei hij ten slotte terwijl hij haar weer aankeek.

Paulien keek hem beduusd aan. 'Weg? Wat bedoel je daarmee, Elias?'

'Ik heb ander werk aangenomen,' verduidelijkte hij. 'Nu Walter sinds verleden week werk heeft gevonden in de Koperfabriek in Olen, wil ik mijn kans grijpen. De fabrieken beginnen weer op gang te komen en ik ben ervan overtuigd dat het niet lang meer zal duren voordat Quinten ook vast werk zal vinden. Dan zijn er genoeg kostwinners in huis, want ik kan mijn werk als postbode aan Peter overdragen wanneer ik wegga. Daar was geen bezwaar tegen en ik weet dat mijn broer daar maar al te blij mee zal zijn.'

'Maar... maar ik begrijp het niet. Ik dacht dat jij je werk zo graag deed? En wat heeft je andere werk te maken met weggaan?' Paulien begreep er niets van.

'Wacht even, Paulien. Je zult het beter begrijpen wanneer ik je alles heb uitgelegd. Ik heb een paar maanden geleden van de gebroeders Van Hool een aanbieding gekregen om bij hen te komen werken. Ze zijn gestart met een bedrijf voor het bouwen van koetswerken, grote auto's op het chassis van oude legervoertuigen waarin een hele hoop mensen tegelijk kunnen worden vervoerd. Hun fabrieken zijn al in gereedheid gebracht om de carrosserieën te monteren en ze hebben al bewezen wat ze kunnen door het chassis van oude auto's te voorzien van een nieuw koetswerk. Ik ben er zeker van dat ze het gaan maken, dat hun een grote toekomst te wachten staat. Bernard van Hool, de oudste, had via baron De Tranoy gehoord dat ik ervaring heb wat betreft het verbouwen en ombouwen van gereviseerde legervoertuigen. Een paar maanden geleden was er een mankementje aan de Daimler van de baron en daar trof ik ook Bernard van Hool. Hij was betrekkelijk goed op de hoogte van wat ik al had hersteld en omgebouwd en vond mijn kennis van motoren heel interessant. Hij vond me een 'significante automonteur' zoals hij het zelf uitdrukte.' Hij grinnikte even na deze woorden, maar werd weer dadelijk ernstig toen hij verderging: 'Hij bood me een baan aan in zijn bedrijf en ik heb deze aanvaard. Ik zie er een grote toekomst in, Paulien, en het is mijn droom om hierin mee te kunnen groeien.'

Paulien keek hem met grote ogen aan. 'Maar je baan als postbode gaf je werkzekerheid, Elias. Dat kun je hier niet van zeggen.'

'De gebroeders Van Hool zijn niet de eersten de besten. Ze hebben al bewezen wat ze kunnen. Bovendien hebben ze, buiten hun eigen volwassen zonen, al meer dan twintig werknemers in dienst. Dat zegt toch ook wel iets. Ik geloof erin, voertuigen zijn de toekomst en ik wil er samen met hen voor gaan. Ik heb er lang over nagedacht, Paulien. Maar nu ik weet dat mijn ouders het zonder me kunnen redden, grijp ik deze kans met beide handen aan. Ik deed mijn werk als postbode erg graag, maar de carrosseriebouw en de auto-industrie in het algemeen, liggen me nog nader aan het hart.'

Paulien knikte. 'Dat begrijp ik. En ik vind het ook fijn dat je deze kans krijgt, maar daarom hoef je toch niet weg te gaan?'

Hij boog even zijn hoofd. 'Het bedrijf van de broers Van Hool ligt in Koningshooikt. Het is te ver om de afstand elke dag twee keer te overbruggen. Het zullen lange dagen worden en er zal hard gewerkt moeten worden. Daarom heeft Gerard een kamer voor me geregeld bij een tante van hem. Een oude alleenstaande vrouw, die vlak bij het bedrijf woont. In ruil voor een beetje huur geeft ze me een bed en eten.'

Na deze woorden keek hij even aarzelend naar zijn handen. 'Ik ben bang dat moeder alles zal doen om me ervan te weerhouden,' zei hij ten slotte zacht. 'Daarom wou ik het jou als eerste vertellen. Misschien kun jij me helpen om haar ervan te overtuigen.'

Paulien was echter zelf nog onthutst door zijn verhaal. 'Bedoel je dat wij je niet meer te zien zullen krijgen?' vroeg ze met een bang hart.

'Natuurlijk wel,' probeerde hij haar gerust te stellen. 'Anders laat moeder me zéker niet gaan. Zó ver ligt Koningshooikt nu ook weer niet. Maar in het begin zal het werk me volkomen opslorpen. Het zal wennen zijn en het is enkel met hard werken dat ik iets kan bereiken.'

Dat was niet de hele waarheid. Hij wou zelf ook een tijdje weg zodat hij Paulien wat van zich af kon zetten. Hij besefte dat hij ondanks alles meer en meer van haar begon te houden. Hij kon het niet helpen. Wanneer hij haar zag, kon hij aan niets anders meer denken. Maar hij verdiende haar niet en haar liefde was nu eenmaal niet aan hem besteed. Het was dus beter dat hij haar uit zijn hart zette, maar dat zou hem nooit lukken wanneer hij haar elke dag te zien kreeg. Dat was een van de redenen geweest waarom hij de vraag van Bernard van Hool positief had beantwoord. Dit was zijn kans om te doen wat hij altijd graag had willen doen en bovendien kon hij op die manier zijn zinnen verzetten en proberen om zijn gevoelens voor Paulien kwijt te raken.

'O, Elias, ik zal je zo erg missen,' zei ze met een dichtgeschroefde keel.

Hij wuifde haar woorden echter dadelijk weg. 'Ik weet zeker dat je het zonder mij ook redt, Paulien. Het werk in je naaiatelier zal je zó erg opslorpen dat je me al vlug vergeten zult zijn.' Bij deze woorden dacht hij aan David.

Paulien voelde een pijnlijke druk op haar borst. Nu Elias uit haar leven ging verdwijnen, voelde ze pas hoe erg ze hem zou missen. Ze was het gewoon geraakt dat hij in haar omgeving was en voor haar zorgde. Ze had er nooit bij stilgestaan dat hij meer voor haar kon betekenen dan een goede vriend, omdat er zo veel andere dingen waren die haar aandacht volledig opeisten. Maar nu ze hierop terugblikte, begreep ze dat ze meer voor hem voelde dan ze altijd had willen toegeven. Het had echter geen zin om hem daarop attent te maken. Ze wilde hem niet tegenhouden. Bovendien had Elias nooit laten blijken dat er meer was dan gewone vriendschap. Het feit dat dit alles nu ten volle tot haar doordrong, deed de pijn in haar binnenste toenemen. Mattijs gaf haar echter geen tijd om hier dieper op in te gaan. Hij nestelde zich tegen haar aan en vroeg haar volledige aandacht. Maar haar gedachten bleven bij Elias' woorden en haar verwarde gevoelens.

Zodra ze weer thuis waren, werd Mattijs door iedereen als de verloren zoon onthaald. De tafel stond gedekt om zijn thuiskomt te vieren en hij werd door iedereen op handen gedragen. Na het eten en de afwas lieten Quinten en Nell hem alles in en om het huis zien. Het naaiatelier vond hij groots en imposant met al die naaimachines en een ronkende kachel in het midden.

Maar zodra hij de slaapkamer zag, werd hij stil. Tegen de muur, naast het grote bed, had Paulien een zwart-wit foto gehangen van hun ouders. Mattijs stond er naar te staren terwijl de tranen zacht en stil over zijn wangen begonnen te lopen.

Nell begreep het niet. 'Wat is er, Mattijs? Vind je het hier niet fijn?' vroeg ze terwijl ze hem even troostend tegen zich aan trok. Maar de jongen schudde zijn hoofd en knikte tegelijkertijd. 'Ik ben zo blij dat ik hier mag blijven,' snikte hij. 'Het is hier zo gezellig en iedereen is zo aardig.' Nell drukte haar broertje nog wat dichter tegen zich aan. Ze realiseerde zich nu nog intenser hoe eenzaam en verlaten deze kleine jongen zich gevoeld moest hebben.

Gelukkig kon Quinten weer een lach op zijn gezicht brengen. 'Heb je zin om samen met mij de geiten te voeren, Mattijs?' vroeg hij. Nou, dat hoefde hij geen twee keer te vragen. Mattijs wiste de tranen met zijn mouw van zijn wangen en was al vlug met Quinten verdwenen.

Terwijl Nell en Quinten zich met Mattijs bezighielden, had Elias zijn verhaal om naar Koningshooikt te vertrekken tegen zijn ouders en broers verteld. Betty was er eerst zo van geschrokken dat ze op een stoel moest gaan zitten. Zoals Elias vreesde, begonnen haar tranen te lopen en haalde ze alle argumenten die ze kon vinden aan om hem hier te houden. Het was echter Florent die haar tegensprak.

'Je moet hem deze kans gunnen, Betty,' zei hij gedecideerd. 'Je hoort toch dat hij er goed over na heeft gedacht? Het feit dat Walter nu een baan heeft en dat Peter maar al te graag zijn werk als postbode overneemt, maakt dat hij zijn dromen nu kan waarmaken. Dat kunnen we hem niet ontnemen.'

Betty schudde haar hoofd. 'Ik wil het hem ook niet ontnemen. Maar moet hij daarvoor ginder blijven? Kan hij dan niet elke dag weer naar huis komen?'

Elias schudde zijn hoofd. Hij ging op zijn hurken voor zijn moeder zitten en nam haar handen in de zijne terwijl hij naar haar op keek. 'Dat zou te veel tijd in beslag nemen, moeder,' zei hij zacht. 'Maar ik beloof je dat ik je geregeld een bezoek kom brengen.'

Betty bracht hier niets meer tegen in. Nu ze begreep dat zijn besluit vaststond, kon ze zich beter bij de situatie neerleggen. Het

bleef echter moeilijk. Ze had haar zoon immers nog maar net terug vanuit de gevangenis en nu moest ze hem alweer verliezen.
Geregeld. Wat was geregeld? Ze was bang dat het een eeuwigheid zou duren voordat ze haar zoon terug zou zien.
Paulien stond erbij, maar zei niets. Als ze aan haar naaiatelier
dacht, dan besefte ze maar al te goed wat deze baan voor Elias
betekende. Hij verdiende het ten volle om zijn droom waar te
maken en zij was de laatste die het hem zou beletten. Haar gevoelens waren echter al net zo intens als bij Betty. Ook zij zou
hem verschrikkelijk erg missen.

HOOFDSTUK 15

Het huis was leeg nu Elias weg was en Walter en Peter vast werk hadden. Betty had nog steeds verdriet. Natuurlijk vond ze het fijn dat haar zonen goed terecht waren gekomen en ze het nu financieel heel wat beter hadden, maar dat sloot niet uit dat ze Elias en de drukte om haar heen miste. Haar huis was altijd al vol bedrijvigheid geweest van komen en gaan, van stemmen en voetstappen. Nu leek het leeg en stil en moest ze vaak tot de avond wachten voordat iedereen weer thuis was. Ze keek uit naar de zondagen. Dan kon ze Mattijs verwennen en brachten haar zonen weer leven in huis.

'Gelukkig kan ik jou helpen,' zei ze tegen Paulien. 'Jouw naai-atelier is mijn redding. Hier vind ik altijd wel iets om te doen wanneer Quinten en Florent buiten of in de schuur bezig zijn. Ik vind het zo akelig zonder iemand om me heen.'

Het geratel van de naaimachines en het geloei van de kachel vulden de kleine ruimte. Het was een bitterkoude dag met een grijze sneeuwlucht en het leek wel alsof de scherpe noordenwind door de kieren van de muren blies waardoor het, ondanks het geloei van de kachel, toch nog koud aanvoelde. Betty wreef haar handen warm en moest haar stem een beetje verheffen om boven het geratel uit te komen. 'Ik ben blij dat het bijna kerstvakantie is. Dan heb ik tenminste Mattijs over wie ik mij kan ontfermen.' Paulien stopte niet met het knippen van een patroon waar ze aan bezig was, maar ze glimlachte even. 'Hij zit er al op te wachten, Betty. Voor hem kan het niet vlug genoeg Kerstmis zijn. O, ik hoop dat het me zal lukken om hem voor altijd hier te houden.' Betty knikte. 'Dat hoop ik ook, Paulien. Ik ben nu al aan hem gehecht en ik heb hem nog maar een paar zondagen bij me gehad. En dan zwijg ik maar over Florent. Nou ja, iedereen is dol op hem. Mattijs is een heerlijk kind.' Ze zuchtte even diep en keek Paulien vervolgens vragend aan. 'Nou, zeg het maar, meisje. Wat kan ik doen?'

Paulien keek even naar de 'dekenjassen' die kant-en-klaar aan de kapstok hingen. 'Als je wilt, kun je die jassen nog even strijken en ze nakijken voordat we ze naar de winkelier in het dorp brengen.'

Betty ging dadelijk aan het werk. Ze kon niet altijd voor Paulien werken, want ze had ook haar eigen huishouden, maar af en toe een handje toesteken deed ze maar al te graag. Dan kon ze ondertussen een praatje maken met Sarah en Berthe en zo de laatste nieuwtjes horen.

Van Berthe had ze twee dagen geleden te horen gekregen dat haar moeder weer werk had. Gertrude kon aan de slag bij de koster. Melanie, de vrouw die al jaren de taak van huishoudster op zich nam, was er te oud voor geworden en had Gertrude gevraagd om het over te nemen. Nou, dat had ze met twee handen aangegrepen. Dat betekende wel dat ze nu niet meer zo dikwijls op bezoek kon komen en ook dat miste Betty erg. Gertrudes bezoek bracht altijd wel wat nieuws mee en bovendien waren deze gesprekken een oase van vertrouwelijke gezelligheid geworden. Het fleurde Betty's dagelijkse bezigheden op. Gelukkig kon Berthe haar vertellen dat haar moeder alles in het werk ging stellen om toch nog regelmatig naar hier te kunnen komen. Dat was een pak van haar hart.

Maar ze mocht niet mopperen. Alles ging goed. Ze vond het erg dat Elias zo ver weg was, maar aan de andere kant wist ze ook wel dat hij altijd al naar dit soort werk had verlangd. En wou ze niet het beste voor haar kind?

Ook Florent stelde het naar omstandigheden goed. De pijn in zijn benen leek draaglijker en zelfs deze koude leek hem minder te deren dan andere jaren.

Het naaiatelier begon behoorlijk te draaien en Paulien was nu zo goed als volledig hersteld van haar verwondingen. Nee, ze mocht niet klagen. God was hun goedgezind. Ze zou zondag, na de hoogmis, nog een paar kaarsen aansteken. Kwestie van zeker te zijn.

Het ging inderdaad goed met Paulien. Nu ze volledig hersteld was, stortte ze zich met volle overgave op haar werk. Sarah, Berthe en Nell – en af en toe Betty – waren haar trouwe helpers. De verkoop vlotte goed, maar ze hadden niet altijd voldoende stof en materiaal om hun productie te kunnen vergroten. Paulien stond erop van haar geringe verdiensten eerst de lonen voor de vrouwen uit te betalen. Ze wist uit ondervinding hoe belangrijk dit geld kon zijn. Betty kreeg evenveel als de anderen, ook al hielp ze maar af en toe. Op die manier kon Paulien haar een beetje vergoeden voor hun kost en inwoning tot ze volledig voor zichzelf en voor haar broer en zus kon zorgen. Dat betekende echter dat ze amper voldoende overhield om garen, naalden en ander materiaal aan te kopen. En zeker geen nieuwe stoffen, dat kostte handenvol geld.

Het baarde haar meer dan eens zorgen. Ze kon natuurlijk de prijzen wat opdrijven, maar dan schoot ze haar doel voorbij. Het moest betaalbaar blijven voor iedereen. Ze mocht echter niet klagen. Alles liep goed. Ook met Mattijs en daar was ze verschrikkelijk blij om.

Het was vrij gemakkelijk geweest om de jongen voor de kerstvakantie bij haar te krijgen. Mattijs was door het dolle heen. Nu hij ondervonden had dat Betty en Florent hem met open armen ontvingen en hij zich omringd voelde met warmte en liefde, zat hij de uren en minuten af te tellen tot Paulien hem kwam halen. Het viel hem iedere keer moeilijker om weer terug naar het weeshuis te gaan. Nu hij Nelis maar af en toe zag, kwijnde hij daar alleen maar weg. Paulien was dan ook vastbesloten om hem voor altijd bij haar te houden. Ze zou het weeshuis daarvan – na de vakantie – op de hoogte brengen en hopen dat er verder geen sancties getroffen zouden worden.

Het waren voornamelijk Betty en Florent die de jongen onder hun hoede namen. Paulien en Nell waren immers druk bezig in het naaiatelier. Alleen 's avonds nestelden ze zich met hun drieën knus in hun kamertje en werden er steevast herinneringen opgehaald, zowel van hun ouders als van hun verblijf in het weeshuis. Het geluk echter dat ze samen waren, was van hun gezichten af te lezen.

Kerstmis 1947 was een van de mooiste die Paulien ooit beleefd had. Betty had het huis gezellig versierd met hulsttakken en op de kast stond een stalletje waarin het kerstgebeuren met stenen beeldjes stond afgebeeld. De tafel was mooi gedekt, de feestmaaltijd overvloedig. Paulien en Nell hadden haar geholpen met de bereiding ervan, maar het was vooral de gezelligheid die de sfeer maakte. Iedereen was er. Elias, Walter, Peter en Quinten met Florent en Betty aan het hoofdeinde, maar ook Mattijs en Nell en Paulien. De kleine woonkamer was dan ook afgeladen vol. De kachel snorde, de stemmen gonsden en regelmatig vulde een bulderende lach de ruimte.

Paulien voelde zich zo gelukkig. Ze keek even de tafel rond naar Walters hoekige gezicht en zijn lachende ogen, naar Peter die net een gek gezicht trok terwijl hij een mop aan het vertellen was, naar Quinten, die al lachte nog voordat zijn broer klaar was, tot ze Elias' blauwe ogen op zich gericht zag. Maar zodra hun blikken elkaar kruisten, sloeg hij zijn ogen neer en deed hij alsof hij aandachtig naar Peter luisterde.

Paulien was dolblij toen hij thuis was gekomen om Kerstmis samen met hen te vieren. Iedereen trouwens. Hij was net de verloren zoon. Natuurlijk moest Elias dadelijk alles vertellen. Zijn belevenissen konden niet wachten tot aan de feestmaaltijd, dat zou te veel van hun nieuwsgierigheid gevraagd hebben. Paulien was blij en opgelucht toen ze hoorde dat hij heel goed kon opschieten met Alfons, Paul en Denis van Hool, drie van Bernards zonen die samen met hem in het bedrijf werkten. Ze waren ongeveer van zijn leeftijd en ze konden het erg goed met elkaar vinden. Paulien had het enthousiasme in zijn stem gehoord en was blij dat alles zo goed verliep. Maar ze voelde dat hij een zekere afstand nam, dat hij geen toenadering meer zocht. Dat miste ze. Ze was het altijd gewoon geweest om met alles bij hem terecht te kunnen en dat leek nu verleden tijd. Ze voelde dat hij van haar weggleed, dat hij haar van zich af begon te schudden, dat hij haar begon te vergeten.

Ze haalde diep adem bij deze gedachte en berispte zichzelf. Zo mocht ze niet denken. Ze moest juist blij zijn dat Elias zijn dromen eindelijk kon waarmaken. En het feit dat hij haar van zich af zette was niet meer dan normaal. Hij had haar altijd als een zus behandeld, een zus die hij moest beschermen en helpen. Kon ze dan méér van hem verlangen?

Paulien probeerde deze zware gedachten van zich af te zetten en liet haar blik verder glijden naar Nell en Mattijs. De twee kinderen zaten met glinsterende ogen te luisteren. Mattijs had een rode blos op zijn wangen. Ze zagen er zo gelukkig uit. Pauliens hart liep over van blijdschap. Ze was zo blij dat ze hen bij zich had.

Elias zag haar stralen en dat sterkte hem in de overtuiging dat ze beter af was zonder hem. Ze leek nu gelukkiger dan ooit. Zijn werk in de loods vroeg zijn volledige aandacht, maar wanneer hij 's avonds in zijn bed lag, dacht hij voortdurend aan haar.

Maar hij had zich geen zorgen hoeven te maken. Volgens de verhalen die hij van zijn moeder gehoord had, ging alles prima en begon haar naaiatelier goed te draaien.

Hij vroeg zich af of ze David regelmatig zag. Maar hij stelde haar deze vraag niet en hij vroeg het ook niet aan zijn moeder. Hij wou het trouwens niet weten. Dat waren zijn zaken niet en bovendien zou hij morgen al teruggaan naar Koningshooikt. Dan kon hij zich op zijn werk storten en alles vergeten. Als het aan hem lag dan zou hij zo weinig mogelijk naar huis willen komen. Voor een tijd tenminste. Tot hij er zeker van was dat hij Paulien kon zien zonder de pijn in zijn binnenste te voelen bij het besef dat ze nooit van hem zou zijn. Maar dat kon hij zijn moeder nu eenmaal niet aandoen.

HOOFDSTUK 16

Op de vijfde dag van het nieuwe jaar hoorden ze de waakhond blaffen. Het had die nacht lichtjes gesneeuwd en de akkers en karrensporen lagen erbij alsof ze met poedersuiker bestoven waren.

Zodra het geluid van de hond hen waarschuwde, had Mattijs met zijn nagels een kleine opening gekrast tussen de ijsbloemen die de vrieskou op de ramen getekend had. 'Een auto!' riep hij verbaasd. 'Florent, er komt een auto aan gereden.'

Florent hinkte op zijn krukken naar het raam, veegde wat condens in het midden weg en zag inderdaad een auto over het wit bestoven karrenspoor rijden. 'Het is de auto van de baron. Waarschijnlijk jongeheer David,' zei hij over zijn schouder in de richting van Betty die bij de kachel kousen zat te stoppen.

Betty legde geschrokken haar herstelwerk weg. 'O, hemeltje, en ik zie er niet uit.' Ze trok vlug haar schort uit, schikte haar krullen met haar handen en wreef een denkbeeldige plooi weg uit haar dagelijkse rok. Ze wachtte even tot de auto op het erf stopte en ze zag dat David uitstapte. Daarna opende ze de deur. 'Jongeheer David,' zei ze verheugd. 'Wat heerlijk om je nog eens te zien.'

David knikte als begroeting en kwam huiverend van de kou de woonkamer binnen. 'Het is behoorlijk aan het vriezen,' zei hij rillend.

Betty schoof een stoel naar voren. 'Ga alsjeblieft zitten. Hier bij de kachel is het lekker warm.'

Maar David wuifde haar voorstel weg. 'Ik wil jullie niet lastigvallen,' zei hij glimlachend. 'Ik kom alleen maar iets brengen. Is Paulien hier?'

'Paulien is op dit ogenblik in haar naaiatelier.' Betty keerde zich naar Mattijs. 'Ga jij je zus even roepen, Mattijs.'

Maar David hield hem tegen. 'Wacht even, jongen.' Hij keek Betty weer aan. 'Als je het niet erg vindt, dan ga ik zelf naar haar toe, Betty. Ik ben benieuwd hoe het met haar gaat. Bovendien heb ik iets voor haar meegebracht, iets wat ze in haar naaiatelier zeker kan gebruiken. Maar misschien kan Mattijs me wel helpen dragen? Hij ziet er als een sterke jongen uit en mijn cadeau weegt loodzwaar.'

Dat liet Mattijs zich natuurlijk geen tweemaal zeggen en hij hielp vol trots om drie rollen stof uit de auto te halen en mee te dragen tot in de schuur. Toen ze het naaiatelier met de eerste rol binnengingen en deze voorzichtig op de grond neerlegden, viel het geratel van de machines abrupt stil. Berthe, Sarah, Nell en Paulien keken vol verbazing naar de rol stof en naar David en Mattijs, die tot driemaal toe weer naar de auto gingen tot er drie dikke rollen naast elkaar lagen.

Maar hun blikken gingen vooral naar David. Het feit dat de zoon van de baron hier stond konden ze moeilijk geloven. Ze begrepen geen van allen wat hij hier kwam doen. Paulien had nog wel dikwijls in dankbaarheid aan hem gedacht, maar ze had er zeker niet op gerekend dat hij haar nog eens zou komen bezoeken. Ze kon zich goed voorstellen dat de zoon van de baron wel belangrijker dingen te doen had.

'David,' bracht ze er ten slotte verheugd uit terwijl ze haar schaar op de tafel legde.

'Kijk eens wat hij voor je heeft meegebracht?' wierp Mattijs ertussen. 'Ik heb helpen dragen en ik kan je zeggen dat het behoorlijk zwaar was.'

David lachte uitbundig. 'Nou, dat is waar. Gelukkig had ik een helper bij me.' Hij keek even naar de rollen stof aan zijn voeten en vroeg: 'Kun je hier iets mee doen, Paulien? Ik heb deze rollen op de kop kunnen tikken bij madame Verviers, een alleraardigste dame van een stoffenwinkel.'

Paulien sperde haar ogen open. 'Of ik hier iets mee kan doen?' vroeg ze terwijl ze even voorzichtig over het visgraatmotief van één van de stoffen voelde. 'Ze zouden door de hemel gezonden zijn, David. Maar ik kan het me nu nog niet veroorloven. Zulke dikke rollen moeten een fortuin kosten.'

'Nou, wie zegt dat jij ze moet betalen? Je kunt het zien als een inbreng voor onze samenwerking.'

Ze keek hem verbaasd aan. 'Bedoel je... dat je vennoot wil worden?' kwam het er ten slotte uit.

Hij glimlachte. 'Dit is zeker een begin. De kledingstukken die je met deze stoffen kunt maken, kan ik meenemen naar Antwerpen. Madame Verviers wil ze in haar winkel proberen te verkopen. We zullen zien hoe het daar loopt. Een stad is nog wel iets anders dan een dorp, dus dat is nog even afwachten. Maar gezien je ontwerpen hier blijkbaar goed in de markt liggen en ze ook in de stad gebrek hebben aan warme en modieuze kleding, hoop ik dat het daar ook aanslaat.'

Paulien had haar handen voor haar mond geslagen en keek hem met grote ogen aan. Ze kon haast niet geloven dat hij dat allemaal voor haar wilde doen. 'O, David,' mompelde ze verward. 'Waaraan heb ik dat verdiend?'

'Nou, je werkt er hard genoeg voor, niet? En ik zie dat je naaiatelier al behoorlijk aan het draaien is.' Hij keek met een bewonderend oog de ruimte rond waar Berthe, Sarah en Nell achter hun naaimachine zaten en hem nog steeds met open mond aanstaarden. Op twee tafels lagen lappen stof en patronen, spelden, meetlinten, garens en spoelen. Daarnaast een paar houten armloze rompen waar op half afgewerkte kledingstukken hingen.

'Bovendien ben ik nog maar weinig mensen tegengekomen die zo in hun zaak geloven als jij, Paulien. Ik zou dus wel gek zijn als ik dat laat schieten.' Hij keek nu weer naar de rollen stof aan zijn voeten. 'Wat voor kledingstukken je ervan wilt maken, bepaal je zelf. Ik heb geen idee wat goed in de markt ligt, dat laat ik helemaal aan jou over. Hoeveel tijd denk je nodig te hebben om het klaar te krijgen?'

Paulien voelde nog even, met een haast tastbare eerbied, aan de stoffen. 'Een drietal weken. Maar dan moeten we wel goed doorwerken.' Ze keek even naar de vrouwen die alledrie haast tegelijk heftig met hun hoofd knikten. Paulien moest ervan lachen. 'Nou, blijkbaar zien we het wel zitten.'

David knikte. 'Dat is dan geregeld. Ik kom binnen een kleine maand nog wel weer kijken. Dan neem ik de kledingstukken met me mee en dan kunnen we alleen maar hopen dat de verkoop de goede kant op gaat.'

David had nog altijd zijn bedenkingen, al sprak hij dat hier niet uit. Anderzijds moest hij toegeven dat het kon. Hij had zijn oor hier in het dorp eens te luisteren gelegd en de winkelier had hem met klem verzekerd dat de jassen en rokken de deur uit vlogen. Daar kon hij dus niet omheen. Hij kon zich ook niet voorstellen dat vrouwen verschillende maten hadden en dat Paulien voor elke maat wel een ontwerp maakte. Hij had helemaal geen idee hoe kleding in elkaar stak en hij was ook niet van plan om zijn hoofd daarover te breken. Dat was voor haar rekening.

David keek naar de andere vrouwen in de kleine ruimte en knikte even. 'Nou, tot ziens dan maar, dames,' zei hij terwijl hij zich omdraaide en op dezelfde manier verdween zoals hij gekomen was, met Mattijs in zijn kielzog.

De vier vrouwen keken een ogenblik naar de gesloten deur alsof ze nog altijd niet konden bevatten wat er net allemaal gebeurd en gezegd was. Maar toen barstte Nell lachend los: 'O, Paulien, wat heerlijk! Kijk toch eens wat een mooie stoffen.' Nu kwamen de andere tongen ook los. Hun bevroren gestalten waren op wonderbaarlijke wijze ontdooid. In een wip stonden ze alle drie bij de rollen en lieten hun handen over de stoffen glijden.

'Voel toch eens hoe zacht en warm, dat is ideaal voor een jas,' jubelde Berthe. 'Dat kan toch niemand weerstaan.'

'Ik denk dat jongeheer David jou niet kan weerstaan,' ginnegapte Sarah. 'Heb je gezien hoe hij naar je keek, Paulien? Volgens mij heeft hij niet alleen een oogje op je zaak.'

Paulien wuifde lachend haar woorden weg. 'Haal je geen gekke dingen in je hoofd, Sarah. Ik vind hem best aardig, maar ik ben helemaal geen partij voor hem. Ik bezit geen stuiver.'

'Misschien wel wanneer je rijk en beroemd bent, Paulien,' deed Nell er nog een schepje bovenop.

'Nou, dan moeten we maar weer vlug aan het werk, want anders zal ik nooit rijk en beroemd kunnen worden,' gekscheerde Paulien.

Het duurde dan ook niet lang voordat de naaimachines weer ratelden. Het vooruitzicht op een grote bestelling maakte hen opgewonden en vrolijk. Vooral Paulien voelde zich uitgelaten en gelukkig. Het leven was zo heerlijk. Alles leek haar in haar schoot te worden geworpen. Sinds ze onder het juk van haar oom uit was, lachte het leven haar toe. Alleen het feit dat ze Elias miste, overschaduwde haar geluk. Maar dan werkte ze nog wat harder zodat ze geen tijd had om veel aan hem te denken.

Haar oom, haar tante en Claudia zag ze alleen nog in de kerk. Ze keken dan altijd de andere kant op alsof ze niet langer meer voor hen bestond. Ook Alberik haalde zijn neus voor haar op en keek haar niet meer aan sinds hij de dochter van de brouwer gestrikt had, een tengere, rustige jonge vrouw die hij gemakkelijk onder de knoet kon houden. Ze vond het niet erg dat ze haar negeerden. Maar het feit dat Claudia haar niet meer wou spreken, deed haar wel pijn. Ze was zich er altijd goed van bewust geweest dat ze dit alles alleen maar dankzij Claudia had kunnen bereiken. Zonder haar zou haar oom haar nooit uit het weeshuis gehaald hebben en was ze nu misschien wel non geworden.

Die laatste gedachte deed haar even huiveren. Ze was er haar erg dankbaar voor en ze wou dat ze op de een of andere manier vriendinnen konden blijven. Maar Gertrude had haar wakker geschud. 'Ik ken haar, Paulien,' had ze gezegd. 'Ik ken haar al vanaf dat ze geboren is. Zolang ze haar zinnetje krijgt is ze poeslief, maar o wee als je haar tegen de haren in strijkt. Dan ontpopt ze zich als een leeuwin en verslindt ze je met huid en haar. Ik weet dat ze haar vader geholpen heeft om je te dwingen met Alberik te trouwen, dat zegt toch genoeg, niet?'

Paulien vond het vreselijk om dat te horen en ze hoopte tegen beter weten in dat ze hun vriendschap toch nog kon herstellen. Ze was ervan overtuigd dat Claudia in wezen niet slecht was. Ze was alleen maar eenzaam en verbitterd.

Gertrude had helaas gelijk. Wanneer Claudia eenmaal haar klauwen had uitgeslagen, was er geen weg meer terug. Ze was inderdaad eenzaam en verbitterd, maar ook bijzonder rancuneus. Op dat ogenblik ijsbeerde ze door de zitkamer en keek ze af en toe naar haar moeder die kreunend op de sofa lag met een natte, koude lap op haar voorhoofd.

'Die huishoudster die je hebt aangenomen, deugt nergens voor, mama. Ze ziet er slonzig uit, kan niet eens behoorlijk koken, ze komt mijn kamer binnen zonder te kloppen en ze bemoeit zich met dingen die haar niet aangaan. Zulke onbeschaamdheden zijn onaanvaardbaar. Ik heb haar al honderd keer de les gelezen, maar het lijkt wel alsof ze niet wil luisteren. Je moet haar wegsturen.'

'Fientje was de enige kandidate, Claudia. Als ik haar wegstuur, dan heb ik niemand meer en ik ben echt niet in staat om het huishouden zelf te doen.'

Claudia stampte met haar voet op de grond. 'Er moet toch iémand in dit stomme dorp zijn die weet hoe ze zich moet gedragen?' schreeuwde ze woedend.

Roberta drukte haar vingertoppen tegen haar slapen en sloot haar ogen. 'Blijkbaar niet, kind. Ik heb bovendien geen zin om iemand anders te zoeken. Geef haar nog een kans. Fien is nog jong. Als je haar maar dikwijls genoeg op haar fouten wijst, zal ze het wel leren.'

'De mensen hier in dit dorp zijn te dom om iets te leren,' sneerde Claudia terwijl ze zich omdraaide en de zitkamer verliet. Ze ging de trap op en liet zich op haar bed neervallen terwijl ze mokkend voor zich uit keek. Sinds Paulien uit haar leven was verdwenen, was het leven saai en leeg. Nu had ze niemand meer tegen wie ze kon praten, die haar ophemelde, haar ijdelheid kon strelen, met wie ze haar dagen kon vullen.

Maar het ergste was dat ze nu ook haar goede naaister kwijt was. O, ze had een andere naaister gezocht en deze een paar modeboekjes onder haar neus geduwd met de woorden dat ze dat model en die kleur wou. Paulien moest vooral niet denken dat ze onmisbaar was. Maar het resultaat was niet zo denderend, het flatteerde haar niet, en het gaf haar niet de voldoening die ze altijd bij Pauliens creaties gevoeld had. Dat feit maakte haar woedend en die woede projecteerde ze op Paulien. Dit was allemaal háár schuld. Zij had David van haar weggekaapt, zij had ervoor gezorgd dat ze zonder huishoudster zaten en nu zorgde ze er ook nog eens voor dat ze geen fatsoenlijke jurk meer had om aan te trekken.

Ze gilde van onderdrukte frustraties en trommelde met haar vuisten op het bed. Ze wou dat Paulien zich net zo ellendig voelde als zij. Ze wou haar treffen, ze wou haar raken tot in haar ziel. Het was haar niet gelukt om haar met Alberik te laten trouwen en die imbeciel deed nog niet eens moeite meer om zijn recht te laten gelden. Sterker nog: hij had de eerste de beste grijze muis genomen die hij kon krijgen en hij leek Paulien al vergeten te zijn. Maar er moest toch een andere manier zijn om haar te treffen?

Claudia ging rechtop zitten en keek in de spiegel naar haar eigen spiegelbeeld. Haar haar zat wat in de war en ze drukte haar krullen weer op hun plaats terwijl ze in gedachten naar haar misnoegde gezicht keek. En alsof haar ellende nog niet groot genoeg was, trok haar vader zich ook al niets meer aan van Pauliens gedrag. Hij wou helemaal niets meer met haar te maken hebben. Zelfs niet toen zij erachter kwam dat Pauliens zus Nell ook in het naaiatelier werkte en dat ze al verschillende zondagen na elkaar een jongetje gezien had dat bij Elias' familie en bij Paulien en Nell leek te horen. Ze wist zeker dat Betty geen jonge kinderen meer had en even dacht ze nog dat het een neefje was dat ze tijdelijk onder haar hoede moest nemen. Maar een paar weken geleden was het kind na de hoogmis naar Paulien toe gerend en had ze haar zijn naam horen noemen. Nou, toen wist ze dadelijk wie het was. Ze had Paulien zo dikwijls horen praten over haar zus Nell en broer Mattijs. Maar hoe was het haar gelukt om dat joch hier te krijgen?

De gedachte dat het altijd Pauliens wens was geweest om haar familie samen te krijgen, maakte haar nog ellendiger. Ze kon niet verdragen dat Paulien gelukkig was na al hetgeen ze haar had aangedaan. Ze moest hier iets aan doen. Maar wat? Haar vader wou niet eens naar haar luisteren. Natuurlijk was ze met deze feiten naar hem toegegaan, maar hij was woedend geworden toen ze aandrong dat hij Nell en Mattijs terug naar het weeshuis moest sturen. 'Ik wil niets meer met hen te maken hebben,' had hij haar toegeblaft. 'Bovendien zijn mijn handen gebonden. Nu de baron en zijn zoon zich ermee bemoeien, kan ik geen kant meer op. Ik hoop dat ze creperen en ze zullen nooit nog één cent van me krijgen. Zet hen uit je hoofd, Claudia. Voor ons bestaan ze niet meer.'

Maar hoe kon ze Paulien uit haar hoofd zetten? Zij was de oorzaak van al haar ellende. Ze móést boeten, daar was geen ontkomen aan. Ze móést zich net zo ellendig voelen als zij zich op dit moment voelde. Een intense haat keek haar vanuit de spiegel aan. Ze moest iets vinden waarmee ze Paulien kon raken.

Ze wendde haar blik van de spiegel af en keek diep nadenkend voor zich uit zonder echt iets te zien, een diepe frons op haar voorhoofd en haar lippen tot een strenge streep samengeperst. Maar toen ontspande ze zich. De frons verdween en haar mond plooide zich tot een zwakke glimlach. Nou, als haar vader haar niet wou helpen, dan kon ze toch zelf iets regelen? Ze dacht nog wat verder na om haar plannetje wat meer inhoud te geven, maar toen ze eenmaal wist hoe ze het zou aanpakken, schoof ze van het bed af en zette ze zich op de stoel voor haar commode.

Ze nam een vel papier en een pen en schreef een brief naar het weeshuis waar Mattijs verbleef. Toen de brief klaar was, maakte ze zich klaar om naar het dorp te gaan. Ze zag er wel wat tegen op, want er viel een koude motregen. Maar het vooruitzicht om haar plan uit te voeren gaf haar vleugels, zodat ze zich al neuriënd aankleedde, wat spullen in haar handtas stopte en een paraplu meenam om de regen te trotseren.

Nadat ze haar brief met veel bravoure in het postkantoor had afgegeven, begaf ze zich naar de dorpswinkel. Zoals gewoonlijk hing er een drietal jassen en een paar rokken die – zoals ze wist – door het naaiatelier gemaakt waren waar Paulien werkte. Ze was niet op de hoogte dat het naaiatelier eigenlijk van Paulien was, want dan zou haar woede nog groter geweest zijn. Maar ze wist wel dat Pauliens inbreng in het atelier van groot belang was. Ze kende immers haar talent om van niets toch nog iets te kunnen maken. Als ze haar op die manier ook nog eens kon raken, dan sloeg ze twee vliegen in één klap. Ze hoopte dat het lukte. Ze hoopte dat het haar lukte om Pauliens familie te verscheuren en dat ze erin slaagde om haar talent te breken.

Claudia wachtte even tot er iemand uit het dorp een praatje maakte met de winkelierster. Ze deed net alsof ze de kledingstukken één voor één bekeek, maar ze knipte stiekem een knoop af, maakte een scheur in een voering en depte wat inkt op de stof van een rok. Daarna kocht ze een niemendalletje en verliet ze de winkel. Er gleed een voldane glimlach over haar lippen toen ze weer naar huis ging. De mensen zouden wel twee keer nadenken voordat ze zich een beschadigde jas of rok aanschaften. Ze grinnikte inwendig. Haar offensief was begonnen.

HOOFDSTUK 17

Een maand later stond veldwachter Torfs voor de deur van Betty en Florent. Hij was met zijn fiets over het bevroren karrenspoor naar hen toe gereden, zijn lange, magere gestalte voorovergebogen tegen de snijdende noordenwind in. Het was een barre, koude februaridag en Florent nodigde hem dan ook vlug binnen. 'Warm je even bij de kachel, veldwachter. Je ziet er half bevroren uit.'

De veldwachter wreef even de ijspegels uit zijn snor. 'Zeg dat wel, Florent. Het is nu haast het einde van de maand. Hopelijk brengt maart wat zachter weer.'

Betty kwam de kamer in en veegde haar handen af aan haar schort. 'Zo, veldwachter,' begroette ze hem. 'Wat brengt jou hier? Ik kan me niet voorstellen dat je voor je plezier door deze ijzige kou hiernaartoe gekomen bent.'

'Zeker niet, Betty. Als het niet moest, dan bleef ik lekker binnen. Maar de plicht roept. Ik vrees dat ik jullie slecht nieuws kom brengen.'

'O?' Betty drukte haar hand onrustig tegen haar keel. 'Er is toch niets met Elias?' Haar gezicht begon al wit weg te trekken. Vanaf Kerstmis had ze haar oudste zoon niet meer gezien. Hij had haar wel een paar brieven geschreven met de woorden dat hij het heel druk had, maar dat alles goed met hem ging en ze zich geen zorgen hoefden te maken.

Ze maakte zich echter wel zorgen. Welke moeder zou dat niet doen?

Veldwachter Torfs stelde haar dadelijk gerust. 'Elias? Nee... Nee... Eigenlijk kom ik hier voor Paulien. Maar omdat ik weet dat jullie Hetty's kinderen zowat onder jullie hoede hebben, vrees ik dat het jullie net zo goed zal treffen.'

'Voor de dag ermee, veldwachter,' gromde Florent. 'Zeg het dan en laat ons niet zo in spanning zitten, al begrijp ik niet wat Paulien misdaan zou kunnen hebben.'

De veldwachter schraapte even zijn keel en nam een brief uit de binnenzak van zijn jas. 'Dit is een brief van het commissariaat. Daar staat in dat de Broeders van Scheppers Paulien ervan beschuldigen dat zij de jongen onder valse voorwendselen met zich meegenomen heeft. Ik heb de opdracht gekregen om de jongen zo vlug mogelijk terug te brengen.'

Florent liet zich kreunend op een stoel neerzakken. Na al die weken hadden ze gehoopt dat alles goed bleef gaan. Mattijs ging nu hier in het dorp naar school en hij voelde zich thuis bij hen en bij zijn zussen. Het zou verschrikkelijk zijn om dat kind weer terug te moeten sturen.

'Kun je... kun je het niet door de vingers zien, veldwachter? Mattijs is hier opgebloeid en wij zijn erg aan hem gehecht geraakt.'

De veldwachter schudde zijn hoofd. 'Dit is allemaal officieel. Ik kan er niet onderuit. Het spijt me, mensen, maar er zit niets anders op.'

Betty had nu haar hand voor haar mond geslagen en keek hem met een bleek gezicht aan. 'Mattijs is naar school,' zei ze geheel van haar stuk. Hij kon elk moment weer thuiskomen, maar dat zei ze er niet bij. 'Ik... ik zal Paulien en Nell gaan roepen. Zij zullen er helemaal kapot van zijn.' Ze greep een omslagdoek van de kapstok en sloeg hem om terwijl ze de deur al uit was en naar de schuur holde.

Paulien en Nell waren in alle staten toen ze hoorden wat de veldwachter kwam doen. En alsof dat niet erg genoeg was, kwam Mattijs net terug van school. Zodra hij met rode wangen van de kou binnenstapte, werd het stil. Hij zag de veldwachter boven de rest uittorenen en vroeg zich af wat er aan de hand was. Hij voelde dat er iets ergs was gebeurd, iets wat hem kippenvel bezorgde en deed zweten tegelijk.

'Is er iets gebeurd?' vroeg de jongen zacht en onrustig.

'O, Mattijs.' Paulien nam hem in haar armen. 'Veldwachter Torfs moet je komen halen.'

'Waarom? Heb ik iets stouts gedaan?'

Paulien schudde heftig haar hoofd. 'Nee... Hij moet je naar het weeshuis terugbrengen. We hebben erover gepraat, dat weet je, maar ik hoopte... O, ik wou dat ik je dat kon besparen...'

Mattijs keek vastberaden op. 'Ik wil niet,' zei hij met de onschuld van een kind. 'Ik wil helemaal niet teruggaan, Paulien. Ik wil bij je blijven. Zeg maar dat ik niet mee wil gaan.'

'Het spijt me, jongen,' kwam de veldwachter ertussen. 'Maar het is nu eenmaal de wet. Ik moet je met me meenemen.'

'Neeee!' de jongen gilde het uit. 'Ik ga niet terug.' Hij keek in wanhoop naar Betty en Florent in de hoop daar hulp te kunnen vinden. Maar hij zag dat Betty haar ogen bette met de tip van haar schort en dat Florent zijn hoofd afwendde terwijl zijn kaken zich spanden.

Met een ruk maakte hij zich los uit Pauliens armen. Vliegensvlug draaide hij zich om en hij was het huis al uit voordat iemand kon reageren. 'Mattijs!' gilde Paulien ontzet. De veldwachter schoot hem achterna en zag het kind in het bos achter het huis verdwijnen.

De vrouwen trokken vlug hun jas aan en liepen de veldwachter achterna. 'Mattijs!' riep Paulien zo hard ze kon. 'Mattijs, alsjeblieft, kom terug. We zullen wel een oplossing vinden.' De ijskoude noordenwind nam haar woorden mee en ze hoopte dat de jongen ze hoorde. Ze was bang dat hij in paniek zou verdwalen. Zo goed kende hij deze bossen nog niet. Hij had gelukkig zijn jas en sjaal nog aan, maar in deze doordringende kou kon geen mens het lang uithouden. 'Mattijs!'

Het roepen haalde echter niets uit. De jongen keek niet op of om. Hij rende tussen de bomen en dorre struiken door alsof zijn leven ervan afhing. Af en toe vingen ze een glimp van zijn rennende gestalte op en dan zwoegden ze hem achterna terwijl ze hun kelen schor riepen in de hoop dat hij zou stoppen. Maar op een bepaald moment verloren ze hem uit het oog.

Toen de vrouwen de veldwachter hadden ingehaald, stond deze hijgend tegen een boom geleund en keek hij zoekend om zich heen. Witte wolken ontsnapten bij iedere ademstoot. 'Ik zie hem niet meer,' zei hij. 'Hij kan echter niet ver weg zijn. Gaan julie die kant op, dan neem ik deze.' Hij wees met zijn arm de richting aan en zette zijn lange gestalte weer in beweging.

Maar na meer dan een uur zoeken hadden ze hem nog altijd niet gevonden. Weer kwamen ze bij elkaar. De vrouwen keken hem radeloos aan. 'We moeten hem vinden, veldwachter,' zei Paulien met overslaande stem. 'Mattijs kent deze streek niet erg goed. Hij zal verdwalen.'

De veldwachter knikte begrijpend. 'Misschien is de jongen weer naar huis gelopen,' opperde hij. 'Laten we daar eerst gaan kijken. Is hij daar niet, dan ga ik in het dorp hulp halen. Dan moeten we het bos systematisch uitkammen voordat het donker wordt.' Hier zweeg hij, maar in gedachten ging hij verder: en hopelijk vinden we hem op tijd terug. Dat laatste sprak hij echter niet uit. Hij zag dat de vrouwen totaal ontreddered en angstig waren en hij hoefde hen niet nog meer te verontrusten.

Mattijs was echter niet naar huis gekomen. Florent was in alle staten toen hij hoorde dat ze de jongen uit het oog verloren waren. Hij verwenste zijn handicap nu des temeer en wou dat hij in staat was om te helpen in plaats van hier nutteloos te zitten wachten. De veldwachter wist nu wat hem te doen stond. Zijn snor was wit berijpt toen hij zijn fiets nam en zo vlug mogelijk naar het dorp fietste om een paar mensen op te halen die mee konden helpen zoeken. Hij leefde met de familie mee. Hij was geen onmens en hij had ook liever gezien dat dat kind hier kon blijven, maar de wet was nu eenmaal de wet en hij kon niet anders dan zijn orders uitvoeren.

Paulien, Nell en Betty zetten het zoeken weer in. Het feit dat hij kon verdwalen was erg reëel en dat gaf hun de energie om door te gaan. Ze móésten hem vinden. Ze wilden niet denken aan de gevolgen wanneer dat niet zo was. Ze riepen tot hun kelen schor waren.

Ze voelden de opluchting door zich heen gaan toen ze de veldwachter weer zagen. Jan, de smid, en Jacobus, de oude koster, liepen achter hem aan. Zodra ze bij elkaar waren nam de veldwachter de coördinatie op zich. Hij liet iedereen zo ver mogelijk uit elkaar gaan, tot ze elkaar nog amper konden zien. Op die manier konden ze een groter gebied bestrijken en efficiënter zoeken. Ze riepen constant de naam van de jongen in de hoop dat hij zou reageren.

Op een gegeven moment zag Paulien Walter en Peter naar hen toekomen. Ze schrok. Was het dan al zo laat dat ze van hun werk terug waren? Ze hielden halt bij hun moeder en gaven een teken aan Nell en Paulien om naar hen toe te komen. Pauliens hart klopte in haar keel terwijl ze zich naar hen toe repte. Ze hoopte met heel haar hart dat ze kwamen zeggen dat hij weer naar huis was gekomen. Maar toen ze bij het groepje aankwam zag ze aan hun gezichten dat het niet zo was. Haar hoop stortte weer in.

'We komen jullie aflossen,' zei Walter. 'Gaan jullie maar terug naar huis om wat op te warmen. We zullen het hier wel overnemen.'

Maar ze schudden alle drie tegelijk hun hoofd. 'We moeten hem vinden, Walter,' zei Betty met schorre stem. 'Maar ik ben blij dat jullie er zijn. Misschien reageert hij wel op júllie stem. Is Quinten er ook?'

'Nee. Maar vader zei dat hij hem zou sturen zodra hij thuiskwam.'

Betty knikte. Ze wist dat haar jongste zoon naar het aanpalende dorp was waar hij bij de brouwer voor een paar centen wat mocht helpen. Nou, alles was beter dan niets natuurlijk, maar dat betekende wel dat hij pas tegen de avond thuis zou komen en alle hulp was nu welkom. Toch bleef ze realistisch. Het had geen zin om iemand weg te sturen om hem te gaan halen. Daarvoor was de tijd te kostbaar.

Zelfs met alle hulp en inzet lukte het hun niet om het kind te vinden en toen de avond viel, gaven ze het zoeken op. Het werd te donker in het bos om nog iets te kunnen zien.

'Het spijt me, mensen,' zei de veldwachter zichtbaar ontdaan terwijl ze hun half bevroren lijven met een kop hete thee verwarmden. 'Maar in het donker zullen we hem nooit kunnen vinden. We zullen morgen terugkomen zodra het licht wordt, maar ik vrees...' De rest van zijn zin liet hij onuitgesproken.

Nadat de veldwachter, Jan en Jacobus weer naar het dorp waren vertrokken, liet Paulien de moed zakken en stortte ze in. Ze liet zich op haar knieën zakken en begon hartverscheurend te huilen. Nell trok haar even troostend tegen zich aan. 'We zullen hem wel vinden, Paulien,' probeerde ze haar wat op te beuren terwijl de tranen bij haar net zo goed begonnen te lopen. 'Hij kan nooit zo ver weg zijn. Waarschijnlijk verstopt hij zich ergens.'

Maar Paulien was niet te troosten. Ze wist dat hij de nacht niet zou overleven. De kou bleef aanhouden en met het vallen van de avond zakte de temperatuur nog dieper. Walter, Peter, Florent en Betty zaten wezenloos voor zich uit te kijken. Ook zij beseften maar al te goed dat de nacht fataal zou zijn.

Op dat ogenblik kwam Quinten het huis binnen. Hij had er geen vermoeden van wat er zich allemaal had afgespeeld. Het duurde echter niet lang voordat hij op de hoogte was gebracht. Zodra hij begreep wat er gebeurd was, greep hij zijn jas weer van de haak. 'Ik ga hem zoeken,' zei hij aangedaan.

'Het heeft geen zin, jongen,' probeerde Betty hem tegen te houden. 'Je ziet geen hand meer voor ogen en we hebben overal gezocht.'

Maar Quinten schudde zijn hoofd. 'Toen hij laatst met me mee-ging om hout en dennenappelen te sprokkelen, vertelde hij me dat hij een mooie schuilplaats gevonden had bij de beek. Dat is niet zo ver van hier. Misschien is hij in een boog teruggelopen en heeft hij zich daar verstopt. In ieder geval moet ik gaan kijken. Ik ga hier niet werkeloos zitten wachten.'

Zijn woorden gaven Paulien weer wat moed. 'Ik ga met je mee, Quinten.'

Walter en Peter grepen ook naar hun jas. 'Je hebt gelijk, broer,' zei Peter. 'We mogen de hoop niet opgeven. We zullen een paar lantaarns meenemen om ons wat bij te lichten. Kom, laten we gaan.'

Samen met Paulien liepen de jongens de ijskoude nacht in. De maan stond aan een wolkenloze hemel en lichtte hen bij. Hun adem bevroor tot witte wolkjes en het dorre gras kraakte onder hun voeten. Maar eenmaal in het bos, kon het licht van de maan niet meer doordringen en werd het pikdonker. De lantaarns wer-den aangestoken en ze gingen de kant van de beek op. Het water was bevroren, met witte randen rond het gras aan de kanten. Hier en daar zag Paulien een oplichtende, bewegende staartvlek van een wild konijn dat angstvallig een schuilplaats zocht onder de kale begroeiing. Soms knapte er een tak. In deze ijskoude stilte klonk dat geluid als een zweepslag.

Ze zochten op de plaats die Quinten hen aanwees, een overhan-gende den waaronder een kind gemakkelijk kon gaan zitten zo-dat hij aan het zicht onttrokken was, maar er was geen spoor van Mattijs te vinden. Paulien riep haar stem weer schor. Ze hield haar lantaarn voor zich uit in de hoop nog iets te kunnen zien, maar verder dan de straal van het licht kwam ze niet. 'O, Mattijs,' kreunde ze zacht terwijl haar hart bloedde en de angst haar haast verlamde. Ze liet moedeloos haar schouders zakken toen ze plotseling werd opgeschrikt door een korte gil.

'Hier!' hoorde ze Walter roepen. 'Ik heb hem gevonden en hij leeft nog.'

Haar hart sprong op en ze holde, net als de jongens, in de rich-ting van het geluid. Toen ze daar aankwam viel haar blik op een schoen die onder een berg dorre beukenbladeren uitstak Walter was bezig om de hoop dorre bladeren van zijn lijfje weg te halen. 'Ik struikelde over zijn voeten,' zei hij zonder Paulien aan te kij-

ken. 'Gelukkig maar, want anders hadden we hem nooit gevonden. Hij lag helemaal onder de bladeren. Waarschijnlijk heeft hij zich daaronder verstopt om zich wat te verwarmen.'
Maar Paulien hoorde hem niet eens. Met kloppend hart zette ze haar lantaarn op de grond en nam ze de jongen in haar armen. Ze wiegde hem zacht heen en weer terwijl de tranen van geluk over haar wangen liepen, ze bevroren al bijna voordat ze op Mattijs' haar konden druppelen. 'O, jongen toch,' snikte ze. Meer kon ze niet uitbrengen. Mattijs zag erg wit. De kleur was uit zijn gezichtje verdwenen, maar hij opende zijn ogen en keek loom naar haar op terwijl hij zwak zijn hoofd schudde en met dikke tong zei dat hij niet terug naar het weeshuis ging. Paulien was zo blij toen ze zijn stem hoorde dat ze huilde en lachte tegelijk. 'We zullen wel een oplossing bedenken, gekke jongen, maar doe me dit nooit meer aan.' Ze trok haar wollen sjaal van haar schouders en wikkelde deze om het kind.
Quinten stond erop om hem te dragen. Walter ging met een lantaarn voorop en Peter sloeg blij en opgelucht zijn arm om Pauliens schouder toen ze samen vlug naar huis toe gingen.
Het feit dat ze de jongen bij zich hadden, werd met vreugdekreten en tranen begroet. Mattijs werd op een matras voor de kachel gelegd. Paulien en Betty kleedden het kind uit en begonnen voorzichtig zijn ijskoude armen en benen te masseren. Langzaam maar zeker begon er weer wat kleur op zijn huid te komen. Gelukkig was hij goed in beweging gebleven en had hij zich pas op het einde van de dag onder een hoop dorre bladeren verstopt. Dat was zijn redding geweest. Nell had ondertussen wat thee met een grote lepel honing gemaakt zodat Mattijs daardoor wat kon opwarmen en op krachten kon komen.
Toen de jongen door het ergste heen was en ze tot hun opluchting constateerden dat hij niets ernstigs van dit avontuur had overgehouden, begon hij hartverscheurend te huilen. 'Ik wil niet weg, Paulien,' huilde hij. 'Ik wil hier blijven. Alsjeblieft, stuur me niet terug.'
Paulien had hem in haar armen genomen en wiegde hem zacht heen en weer. Ze zou niets liever willen dan dat hij voor altijd bij haar kon blijven. Zij had gehoopt dat het haar zou lukken, dat niemand vragen zou stellen. Nu moest ze onder ogen zien dat die gedachte slechts een utopie bleek. En toch... toch kon ze

het niet over haar hart verkrijgen om hem terug te sturen. Niet na alles wat hij had meegemaakt, niet nu ze besefte hoe veel hij leed onder het feit dat hij terug moest. Ze keek wanhopig naar Betty en Florent. 'Er zit niets anders op dan te vluchten,' zei ze moeizaam. 'Ver weg van hier, waar niemand ons kent. Daar kan ik zeggen dat ik al meerderjarig ben en voor mijn zus en broer zorg.'

Betty schudde echter meewarig haar hoofd. 'En je naaiatelier dan? Ga je dat ook meenemen? Nee, dat is geen oplossing, kind. Bovendien zullen wij jullie veel te erg missen. Ik stel voor dat we Mattijs verstoppen.'

'Verstoppen?' Iedereen keek nu met een verbaasde blik naar de oudere vrouw, hetgeen Betty in een aanstekelijke lach deed uitbarsten. 'Nou, ja, dat is toch niet zo'n gek idee,' verklaarde ze nadat ze wat was uitgelachen. 'Iedereen, en vooral de veldwachter, weet dat Mattijs in het bos verdwenen is en alleen wij weten dat hij levend en wel terug is. Wel, dan kunnen we dat toch voor ons houden. Natuurlijk moeten we Mattijs dan wel uit het zicht van de mensen houden, maar dat kan niet zo moeilijk zijn. Hier komt haast geen hond en we kunnen hem uit het dorp weg houden. Onze lieve Heer zal het hem wel niet kwalijk nemen dat hij de mis in de kerk zal overslaan. Hij zal het wel begrijpen. En als er toch iemand langskomt, dan moet hij zich even niet laten zien.'

Nell keek met grote ogen naar haar op. 'Bedoel je dat iedereen dan moet denken dat hij dood is?'

'Precies. Het klinkt wel cru, maar als de veldwachter eenmaal toegeeft dat hij Mattijs niet kan vinden en dat hij waarschijnlijk is doodgevroren, dan moet hij dat officieel doorgeven aan het weeshuis. Nou, dan is het probleem toch opgelost.'

Paulien keek haar met grote ogen aan. 'Zou je... zou je dat voor ons willen doen, Betty? Maar dan breng jij jezelf en je gezin misschien in moeilijkheden.'

'Welke moeilijkheden? Onze waakhond waarschuwt ons telkens als er iemand aankomt. Mattijs kan zich dan op tijd verstoppen. Ik voorzie dus geen moeilijkheden. En ik weet zeker dat Florent en onze jongens er net zo over denken.'

Florent streek even met zijn hand door zijn haar. 'Meer nog, Paulien,' zei hij zacht. 'Die jongen is mij al net zo lief geworden als mijn eigen zoons. Ik sta mijn vrouw maar al te graag bij en ik vind het een verrekt goed idee van haar. Ik wist niet eens dat er zo veel verstand in haar zat.' Hij knipoogde even terwijl Betty hem een zachte tik tegen zijn hoofd gaf.

'Ach, jij,' ginnegapte ze.

Ook de jongens waren enthousiast over dit voorstel.

'Ik zal een brief aan Elias schrijven waarin ik hem alles vertel zodat hij ook op de hoogte is van het gebeuren,' ging Betty verder. 'Maar nu moeten we eerst en vooral een plaats vinden waar Mattijs zich kan verstoppen. Vooral wanneer morgen de veldwachter hiernaartoe komt, mag er geen spoor van hem te vinden zijn. En we moeten ook zorgen dat we er verdrietig uitzien. Hij moet denken dat Mattijs de hele nacht in de vrieskou heeft doorgebracht en dat we alle hoop verloren hebben om hem nog levend en wel terug te zien. Dit bos is groot genoeg om hem voor altijd te laten verdwijnen of ten minste om hem te laten geloven dat hij voor altijd verdwenen zal zijn. Wanneer je eenmaal meerderjarig bent en er geen gevaar meer bestaat dat Mattijs teruggestuurd zal worden, dan zullen we wel een oplossing bedenken om hem op wonderbaarlijke wijze terug te laten komen. Hij kan toch net zo goed ver weg gelopen zijn en bij vriendelijke mensen onderdak gevonden hebben, niet? Dan is het maar een klein kunstje om drie jaar later weer op te duiken, wanneer jij eenentwintig wordt. Maar tot zo lang zal hij zich niet meer mogen laten zien.' Ze keek nu naar het kind op de matras. 'Zul je dat kunnen, Mattijs?'

Hij knikte enthousiast, wat iedereen een vrolijke lach ontlokte. Paulien was al net zo enthousiast, met dat verschil dat er toch ook wel wat angst achter school. Stel je voor dat het uitkwam, dan zouden de gevolgen niet uitblijven. Maar die angst drukte ze vlug weg. Niemand zou erachter komen, daar zouden ze met zijn allen voor zorgen.

Paulien sloeg haar armen dankbaar om Betty heen. 'O, we hebben zo veel aan jullie te danken,' zei ze met trillende stem. 'Ik hoop dat ik het jullie ooit kan vergoeden.'

Maar Betty wuifde haar dankbaarheid weg. 'Het feit dat jullie er zijn, is al een vergoeding op zich. Ik moet eerlijk bekennen dat ik er wel wat bang voor was toen Elias voorstelde om hier een naaiatelier te maken en om jullie onderdak te bieden, maar nu ben ik ontzettend blij dat ik er geen bezwaar tegen heb gemaakt. Ik zou jullie voor geen geld meer willen missen, zie je. En ik spreek niet alleen voor mezelf.' Ze keek even op naar de glunderende gezichten om haar heen. Haar volwassen zonen en haar kreupele man die ze met heel haar hart liefhad, maar ook de twee meisjes en de kleine jongen. Zij hadden vanaf de eerste dag een plaats gekregen in haar hart en ze zou zich nu helemáál gelukkig voelen als Elias bij hen was geweest, als ze iedereen om zich heen had. De nacht die volgde was kort. Ze moesten immers duidelijke afspraken maken en een comfortabele plaats zoeken waar Mattijs zich kon verstoppen wanneer dat nodig mocht zijn. Dat laatste vonden ze in de grote, oude kleerkast die boven op de kamer van de jongens stond. De jongens sliepen onder de pannen. De ruimte werd in tweeën gedeeld door een grote kleerkast. Er werd wat beddengoed en enkele naar mottenballen ruikende jassen verlegd en verhangen zodat er genoeg ruimte vrijkwam om Mattijs een zitplaats te geven. Het was niet veel, een nauwe hoek, een donker hol, maar het was enkel bedoeld in geval van nood. Veel volk kwam hier immers niet. Hun huis lag een heel eind van het dorp en als er toch iemand kwam, dan zagen ze hem of haar al van ver aankomen, zeker nu de velden en gewassen er kaal bij stonden. Bovendien waarschuwde de hond hen.

Als ze iemand zagen of de hond hoorden blaffen, dan moest Mattijs zo vlug mogelijk de ladder op naar de slaapkamer. Was het iemand uit het dorp die gewoon een praatje kwam maken, dan hoefde hij maar even boven te blijven en stil te wezen. Maar kwam er een vreemde persoon of de veldwachter, dan kon hij het best dadelijk de kast in duiken.

Ze hadden ook afgesproken dat ze Berthe, Sarah en Gertrude op de hoogte zouden brengen. Anders zou de jongen geen bewegingsvrijheid meer hebben. Bovendien waren deze vrouwen zeker te vertrouwen, daar twijfelden ze niet aan.

Het drong langzaam tot hen door dat het leven niet gemakkelijker ging worden. Vooral het kind zou eronder lijden. Hij kon nu niet meer naar het dorp of de school, hij moest zorgen dat niemand hem zag. Mattijs vond het spijtig dat hij nu niet meer naar school kon, want hij leerde graag en hij ontmoette er jongens van zijn eigen leeftijd.

Florent stelde voor dat hij de jongen les zou geven. Hij kon toch niet veel anders doen met zijn kapotte benen. Het gemis aan

vrienden kon hij natuurlijk niet compenseren, daar was nu eenmaal niets aan te doen. Bovendien hoefde hij ook niet de hele
dag binnen te blijven. Hij kon doen en laten wat hij wou. Hij
moest er alleen maar op letten dat hij onzichtbaar was voor de
dorpelingen en vooral voor de veldwachter. Tijdens de oorlog
hadden er zo veel Joodse kinderen ondergedoken gezeten. Dan
moest het hun nu toch ook wel lukken?
Het tekort aan slaap had donkere kringen onder hun ogen gebracht. Dat maakte het gemakkelijker om de veldwachter en de
dorpelingen om de tuin te leiden, die in grote aantallen bij het
eerste ochtendlicht voor hun deur stonden. Met overdreven ge-
snik en gesnotter lieten de vrouwen zien hoe bedroefd en angstig
ze waren terwijl Mattijs veilig en wel in de kast verstopt zat.
Betty en Florent bleven thuis. Ze waren – zogezegd – te uitgeput van verdriet om mee te kunnen zoeken. Paulien, Nell en de
jongens kleedden zich warm aan, want deze dag was haast nog
kouder dan de dag ervoor, met stuifsneeuw en een ijzige wind,
voordat ze de anderen het bos in volgden.
Nu ze zagen hoeveel mensen met de veldwachter mee waren
gekomen, begon hun geweten op te spelen. Juul van de kruidenierswinkel was er, brouwer Jorre en zelfs Sien, de vroedvrouw,
het halve dorp was vertegenwoordigd. Ze hadden allemaal hun
werk in de steek gelaten om mee naar Mattijs te zoeken. Maar
ze susten hun geweten. Als ze Mattijs de thuishaven wilden geven waar hij zo naar verlangde, dan moesten ze het spel mee-
spelen. Het was zoals een leugen om bestwil. Dat was geen echte
leugen, niet?
Heel de dag bleven ze zoeken, met alleen maar even pauze voor
het nuttigen van een kom hete soep en een stuk brood dat Betty
aan iedereen uitdeelde. Maar toen de avond weer viel, besloot
de veldwachter dat het genoeg was geweest. Hij was ervan overtuigd dat de jongen geen enkele kans meer had om levend terug-
gevonden te worden. Het feit dat ze zijn lichaampje niet hadden
kunnen vinden, was een spijtige zaak, maar niet abnormaal. Het
bos was uitgestrekt en ze konden niet onder elke struik een kijk-
je nemen. Als het God beliefde, dan zouden de stoffelijke resten
ooit wel toevallig gevonden worden, daar was hij van overtuigd.
Het was enkel een kwestie van tijd. Nu restte hem nog enkel het
feit dat hij deze mensen moest condoleren met hun verlies.

Paulien en Nell stonden er verslagen en met hangende hoofden bij en ook Betty en Florent en de rest van het gezin waren er sterk door aangedaan. De veldwachter was er ontdaan van. De dood van een kind liet niemand onberoerd. Met de woorden dat hij de rechter van dit verschrikkelijke verlies op de hoogte zou brengen, nam hij afscheid.

Zodra de menigte weg was en het karrenspoor er weer verlaten bij lag, klaarden hun gezichten op. Ze haalden Mattijs uit zijn schuilplaats en waren opgelucht dat hun list gelukt was. Ze begrepen allemaal dat hun nog een moeilijke tijd te wachten stond, maar als ze Mattijs' stralende ogen zagen, dan wisten ze dat het de moeite waard was.

HOOFDSTUK 18

Claudia trok haar rok wat op en ontweek voorzichtig de plassen die ze op het modderige pad tegenkwam. Het had de vorige dag hevig geregend, maar vandaag was het opgeklaard. De bittere koude van een paar weken geleden was eindelijk voorbij en de voorzichtige zon die nu doorbrak, kondigde het prille begin van de lente aan. De maand maart was begonnen, maar de winter liet zich nog gelden. Het was nog koud en guur, maar door het doorbreken van de zon toch een prima dag voor een wandeling. Ze was op weg naar het huis van Betty en Florent, maar nu haar mooie knooplaarsjes voortdurend in de modder wegzakten, verwenste ze het feit dat ze het in haar hoofd had gehaald om Paulien een bezoek te brengen. Bovendien had ze het koud, want ze had haar nieuwe jas aangetrokken die een ervaren en tot in de wijde omgeving bekende naaister uit Herentals voor haar had gemaakt. Haar vader had er een kapitaal voor betaald. Ze vond dat de jas haar beeldig stond en wou ermee pronken, zodat Paulien kon zien dat niet alleen zij in staat was om prachtige dingen te creëren.

Maar de stof was niet zo dik als ze dacht. De wind blies er zo doorheen, zodat ze de kou haast tot op haar botten voelde. Ze beet echter door en ging vlugger lopen zodat ze het wat warmer kreeg. Ze wou Paulien zien. Ze wou weten hoe het met haar ging, en ze wou vooral vaststellen hoe ellendig ze zich voelde. Natuurlijk had ze niet gewild dat het kind zou verdwalen en doodvriezen. Daarvoor had ze de brief niet geschreven. Ze wou alleen maar dat Mattijs weer naar het weeshuis moest. Zijn dood was dus niet haar schuld, daar kon ze niets aan doen. Zij kon het toch ook niet helpen dat dat kind was weggelopen? Ze wou alleen maar dat Pauliens hart gebroken werd en ze moest toegeven dat door dit spijtige ongeluk haar opzet meer dan geslaagd was.

Het was ondertussen een paar weken geleden dat zijn verdwijning als een lopend vuurtje rondging en ze vroeg zich af hoe het met Paulien zou zijn. Het ergerde haar dat ze Pauliens ellende niet kon inschatten. Het gaf haar geen genoegdoening, omdat ze niet kon zien hoe Paulien eronder leed. Daarom was ze nu op weg naar haar. Zogenaamd om de vriendschap weer aan te halen en om haar een hart onder de riem te steken, ze waren tenslotte toch vriendinnen geweest, niet? Maar in werkelijkheid om te zien hoe Paulien als een zielig hoopje ellende achterbleef, om de euforie te voelen die door haar heen zou gaan, om de schadeloosstelling voor aangedaan onrecht in de ogen te kijken. Dat gaf haar de kracht om er een lange wandeling in de modder voor over te hebben.

Ze keek naar het pad voor haar en probeerde op de dorre graspollen te stappen zodat ze niet wegzonk in de modder. Het landschap rondom haar interesseerde haar niet. De kale velden waarop gigantische plassen spiegels vormden voor de lucht, de knotwilgen langs de kant waarin heggenmussen al aarzelend met hun zang begonnen, de nog niet volgroeide wilgenkatjes, de geur van natte aarde, wachtend op een nieuw begin... dat alles ging aan haar gewoon voorbij.

Claudia haalde opgelucht adem toen ze in de verte het huis zag staan. Ze vroeg zich af hoe iemand het in hemelsnaam in zijn hoofd kon halen om op zo'n afgelegen plaats te bouwen. Het leek wel het einde van de wereld. Geen haar op haar hoofd dacht eraan om hier te willen wonen. Ze zou hier nog erger wegkwijnen dan in het dorp. Hier was nu echt helemaal niets te beleven. Gek zou ze ervan worden.

Betty keek door het raam toen ze gealarmeerd werd door hondengeblaf. Mattijs was bij het eerste geluid al naar de bijkeuken gegaan, de ladder opgeklommen en hij verdween nu door het luik naar boven. Ze waren er al op getraind om bij elk gekef of geblaf naar het karrenspoor te kijken. Eén keer was het Gertrude die hun een bezoek kwam brengen, en één keer de postbode met een brief van Elias. Hij had in die brief geschreven dat hij zondag naar huis kwam. Eindelijk! Betty jubelde en keek er erg naar uit. Maar haar blijdschap dat ze Elias na al die tijd weer te zien zou krijgen, drukte ze nu naar de achtergrond terwijl ze naar de naderende vrouwenfiguur in de verte keer. 'Lieve hemel, zie ik het nu goed?' riep ze verbaasd uit. Ze knipperde met haar ogen om er zeker van te zijn dat haar ogen haar niet bedrogen. Maar ze had zich niet vergist. 'Wat komt zij hier doen?'

Haar woorden maakten Florent nieuwsgierig. Hij hinkte naar zijn vrouw om naast haar door het raam te kijken. 'Is dat Claudia van de notaris niet?' vroeg hij verbaasd.

Betty knikte. 'Waar haalt ze in hemelsnaam het lef vandaan

om hiernaartoe te komen? Na alles wat ze Paulien heeft aangedaan.' Gertrude had haar genoeg verteld om Paulien in bescherming te nemen.

'Nou, dat zul je vlug genoeg te weten komen. Het zal in ieder geval wel belangrijk genoeg zijn om door de modder te ploeteren.' Hij grijnsde en vervolgde: 'Zo te zien doet ze alle moeite van de wereld om zonder al te veel schade hier te geraken.'

Betty maakte er verder geen woorden aan vuil. Ze sloeg een omslagdoek om en opende de deur waar ze geduldig wachtte tot Claudia het erf bereikt had.

'Wat kom je hier doen?' vroeg ze bars toen ze vond dat Claudia dicht genoeg genaderd was.

Claudia stond even perplex. Zag deze vrouw dan niet dat ze half verkleumd was en vol modderspatten zat? Wist zij dan niet hoe ver ze had moeten lopen? Hoe onbeleefd kon iemand zijn door haar niet binnen te nodigen? Ze opende haar mond om Betty al even bars van antwoord te dienen, maar ze sloot hem weer zonder een woord te zeggen. Hoe kon ze van deze achterlijke mensen etiquette verwachten? Het had dus geen zin om deze vrouw op haar plaats te zetten, daar bereikte ze niets mee en dan kon ze onverrichter zake weer teruggaan. Nee, ze moest deze kans benutten en zorgen dat ze Paulien te zien kreeg.

Dus verborg ze haar ergernis en zette ze haar liefste glimlach op. 'Neem me niet kwalijk,' zei ze minzaam. 'Maar ik heb gehoord van Pauliens grote verlies en ik wil haar mijn oprechte meeleven komen betuigen. Ik... ik heb nog iets goed te maken, zie je.' Ze slaagde erin om heel verdrietig te kijken en vervolgde: 'Mijn vader wil niet dat ik Paulien nog ontmoet, maar we zijn lange tijd goede vriendinnen geweest en dat wis je niet zomaar uit. Ik wil het weer goedmaken en haar vertellen hoe erg ik het voor haar vind.' Ze perste een paar tranen uit haar ogen en depte ze koket met een kanten zakdoekje dat ze uit haar handtas opdiepte.

Haar antwoord verraste Betty. Ze had niet verwacht dat Claudia zich wilde verontschuldigen en daar leek het toch op. Bovendien drong het tot haar door dat deze onberispelijk geklede jonge vrouw door de modder tot hier was gekomen zodat haar laarzen en de onderkant van haar rok vol vieze spatten zaten. Ze begreep maar al te goed dat mensen van haar stand dat alleen maar uit noodzaak deden, of wanneer ze daar een gegronde reden voor hadden, een onweerstaanbare drang. Het moest Claudia dan toch wel hoog zitten.

Ze capituleerde. 'Nou, goed. Ik zal even vragen of ze met je wil praten. Je moet weten dat ze heel erg verdrietig is. Wacht hier even op me.' Ze was niet van plan om Claudia mee naar het naaiatelier te nemen. Ze was hier om Paulien haar deelneming te betuigen en niet om haar neus in andermans zaken te steken. Claudia keek haar met een verontwaardigde frons na. Wat een brutaliteit, wat een gebrek aan menselijkheid om haar hier in de kou en de modder te laten staan. Barbaren waren het. Proleten van de ergste soort. Haar hoop om dan tenminste het naaiatelier te zien werd hierdoor ook weggevaagd. Maar ze liet het daar niet bij. Toen ze zag dat Betty door de deur van de schuur verdween, zette ze zich weer in beweging en ging ze haar gewoon achterna. Ze haalde haar neus op toen ze twee witte geiten aan haar linkerkant zag staan. Ze mekkerden en keken in haar richting. Het stonk en ze kneep met afschuw haar neus dicht. Aan haar rechterkant stond een deur op een kier. Ze hoorde het geratel van naaimachines. Maar voordat ze naar binnen kon kijken, werd de deur geopend en stond Paulien voor haar.

'Claudia?'

Claudia verviel direct in haar rol. Ze sloeg haar armen om Paulien heen en begon zachtjes te snikken. 'O, Paulien. Ik vind het zo verschrikkelijk voor je. Toen ik hoorde dat je broertje vermist was, heb ik tranen met tuiten gehuild. Ik wist hoe erg je ernaar verlangde om weer met zijn drieën herenigd te zijn. En nu...' Ze maakte zich weer los en snoot haar neus. 'Mijn vader wou niet dat ik meehielp zoeken, anders was ik hier beslist geweest. Hij... hij weet niet dat ik hier ben. Hij verbiedt het me om je nog te zien. Maar ik heb zo met je te doen, Paulien. Ik vind het zo erg... Je bent altijd al een goede vriendin voor me geweest, ik kon het niet over mijn hart verkrijgen om je niet te laten weten hoe erg ik met je meeleef.' Ze snoot demonstratief haar neus.

Ondanks alles was Paulien blij om Claudia te zien. Ze waren inderdaad vriendinnen geweest en zij was Claudia nog altijd dankbaar voor haar hulp. Even kwam ze in de verleiding om haar gerust te stellen, om haar te troosten en te zeggen dat ze zich niet ongerust hoefde te maken. Maar ze was op haar hoede, het vertrouwen was geschonden en ze besefte dat ze vooral

Mattijs veilig moest stellen. Dus haalde ze haar droevigste gezicht boven en zuchtte diep.

'Ik ben blij dat ik je zie, Claudia, en dat je met me meeleeft. O, het is zo verschrikkelijk... Ik wilde dat het anders was verlopen, maar helaas... Gelukkig kan ik me op mijn werk storten, want anders had ik het niet overleefd.'

Claudia was haar tranen al vergeten en keek haar nu gespeeld vragend aan. 'Ik ben blij dat je daardoor je ellende wat kunt vergeten, Paulien. Ik heb de kruidenier echter horen klagen. Blijkbaar is de afwerking niet erg optimaal te noemen. Maar ik heb je verdedigd en hem gezegd dat het toch normaal is dat de kwaliteit wat minder is, nu jij en Nell onder een groot verdriet gebukt gaan. Dan kan er weleens wat onder jullie handen doorgaan zonder dat je merkt dat er iets fout is gelopen.'

Kijk, deze woorden bevestigden toch dat Claudia ook haar goede kanten had? 'Dank je, Claudia,' zei Paulien dan ook. 'Ik ben blij dat je voor ons opgekomen bent. Dat was lief van je. Ik begrijp echter niet hoe die stukken beschadigd konden raken. We kijken ze hier zorgvuldig na voordat we ze naar de winkelier brengen. Het spijtige is dat de mensen het niet meer vertrouwen. We verkopen haast niets meer.' Paulien zuchtte diep en liet het hoofd hangen. Dit vond ze echt een catastrofe. Ze begreep het niet. Alles was perfect in orde wanneer de kledingstukken naar het dorp gebracht werden en toch hadden ze zo veel klachten. Ze zat er erg over in.

Maar Claudia grinnikte inwendig. Ze drukte meewarig haar hand op Pauliens arm. 'O, wat erg voor jullie. Ik wou dat ik je kon helpen, maar ik zou niet weten hoe.'

'Het feit dat je hier bent om je steun te betuigen, is al meer dan genoeg, Claudia. De rest zullen we zelf moeten doen. Ik hoop dat de verkoop binnenkort weer wat aan trekt, anders redden we het niet.'

Claudia genoot van Pauliens ontredderde blik. 'Spijtig dat papa niets meer met je te maken wil hebben, misschien kon hij je anders wel helpen.'

Paulien begreep maar al te goed dat hij dat nooit doen zou, maar ze reageerde niet. In plaats daarvan vroeg ze: 'Hoe is het met je vader en je moeder?

Claudia haalde haar schouders op. 'Nou, ze maken het goed, zoals altijd.' Terwijl ze dat zei, keek ze over Pauliens schouder naar de deur van het naaiatelier. Ze wou het niet hebben over haar moeders ziekte of haar vaders werk. Daarvoor was ze niet hiernaartoe gekomen. 'Zo, hier werk je dus?' veranderde ze van onderwerp. 'In het naaiatelier van Elias' ouders.' Ze opende ongevraagd de deur en keek het atelier in. Ze zag Sarah, Berthe en Nell achter de naaimachines en Betty bij een van de paspoppen waar ze een bloes in elkaar spelde. Ze had nooit begrepen dat een boerenvrouw in staat kon zijn om een klein bedrijf op poten te zetten, maar nu ze zag dat het niet méér was dan een stuk van een stal met een potkachel en een paar oude singer naaimachines, begreep ze het maar al te goed. Nou, ja, een lang leven zou het zeker niet beschoren zijn. Het was spijtig voor Pauliens talenten, maar ze moest haar plaats kennen in de wereld, daar was nu eenmaal niets aan te doen. En haar plaats was, net als haar vader, ergens onderaan, een onbekende en niets betekenende naaister. Ze nam niet eens de moeite om de ruimte binnen te gaan, ze draaide zich op haar hakken om en glimlachte nog even meewarig naar Paulien. 'Ik ben blij dat ik je gezien heb, Paulien, maar nu moet ik gaan. Ik wil niet dat papa zich vragen zal stellen.' Na deze woorden repte ze zich de schuur uit, zodat ze de stank van de geiten van zich af kon schudden. Bah, ze zou daar voor geen geld willen werken.

Toen ze zich weer door de kou en de modder worstelde, hield de euforie haar warm. Nu ze besefte en gezien had dat Paulien erg leed onder al het verdriet en de tegenslagen, jubelde haar hart. Oog om oog, tand om tand. Ze zat dan wel onder de modder, maar het had haar toch de voldoening gegeven die ze verwacht had en daar was het haar tenslotte toch om te doen geweest.

Paulien was onwetend over het feit dat Claudia alles maar gespeeld had. Ze was dan ook vol lof over het feit dat Claudia haar dit korte bezoekje was komen brengen. 'Nou, dat was toch erg vriendelijk van haar,' zei ze tegen de andere vrouwen. 'Het feit dat ze met me meeleeft zegt toch dat ze het niet zo slecht met me meent?'

Betty keek haar even aarzelend aan. 'Ik zou toch maar een beetje oppassen, Paulien. Er is iets aan haar wat me niet aanstaat en ik hoop dat ze hier morgen niet opnieuw op onze stoep staat. We hebben zo al zorgen genoeg.'

De volgende dag kregen ze wel weer bezoek, maar niet van Claudia. Deze keer was het een volslagen vreemdeling. Florent zag hem toevallig in de verte op het karrenspoor toen hij, tussen de regenbuien door, van de schuur naar het huis hinkte. Hij leek een kleine zwarte stip in een verdronken landschap, maar toch zag hij dat het niet iemand uit het dorp was. Hij hinkte naar het huis en zag dat Mattijs aan de tafel zat waar hij rekensommen maakte. 'Ga naar boven, Mattijs, en verberg je in de kast,' zei hij onrustig. 'Daar komt iemand naar ons toe en ik wil geen risico nemen.'

Mattijs wierp verschrikt een blik door het raam en zag in de verte inderdaad iemand het pad af komen. Zonder een woord te zeggen griste hij zijn schrijfgerei en schrift bij elkaar, ging naar de bijkeuken en klom de ladder op.

Florent wachtte even tot het luik achter Mattijs dichtviel. Daarna hinkte hij naar de wasplaats waar Betty net een beddenlaken door de mangel haalde. Op dat ogenblik begon de hond te blaffen. 'We hebben bezoek,' zei hij kalm om haar niet te erg te verontrusten.

'Bezoek? Iemand uit het dorp?'

Florent schudde zijn hoofd. 'Het is niet iemand die ik ken.'

Zijn voorzichtige aanpak had geen enkel nut, want ze keek hem nu in alle staten aan. 'Een vreemde? Zit Mattijs al boven?' Terwijl ze deze woorden uitsprak repte ze zich naar de woonkamer. 'Maak je maar niet ongerust, Betty,' riep hij haar achterna. 'Ik heb hem al gezegd om zich in de kast te verstoppen en alle sporen van hem zijn weg.'

Betty keek voor alle zekerheid de kamer nog eens rond. Geen jas of kinderschoenen die hier of daar rondslingerden. Geen spel of schoolspullen. Zodra ze zag dat alles in orde was, keek ze door het raam naar het pad. De kleine stip was al wat groter geworden, maar ook zij kon niet zien wie het was. 'Het is een man, maar het lijkt wel alsof hij aarzelt om hierheen te komen. Soms blijft hij even staan.'

Florent keek over haar schouder. 'Misschien is het een of andere bedelaar, of een ketellapper of scharensliep. In ieder geval ziet hij er helemaal niet deftig uit. Ik denk niet dat het iemand is die voor Mattijs komt. Ik zal hem buiten opwachten en hem zeggen dat hij hier niets te zoeken heeft.' Florent voegde de daad bij het woord en ging naar buiten.

Betty bleef binnen, maar keek door een kier naar haar man, klaar om bij te springen indien dat nodig mocht zijn. Ze wou dat Quinten er was. Dat zou haar gevoel van veiligheid enigszins vergroten. Maar de laatste weken kon hij haast elke dag bij boer Meulders aan de slag. Dat was natuurlijk fijn voor hem, maar op momenten als dit, was de kracht van een jongeman toch welkom geweest.

Toen de vreemdeling ten slotte een vijftal meters van Florent bleef staan, zagen ze pas hoe jong hij was. Hij was doornat en zijn haar plakte op zijn voorhoofd. Hij was lang, mager, haast slungelachtig, met een baardloos, hoekig gezicht waarvan de wangen wat ingevallen waren. Het felle blauw van zijn ogen vormde een schril contrast met zijn bleke gezicht. Er blonk een zweem van angst in.

'Wonen Paulien en Nell hier?' vroeg hij met overslaande stem, wat zijn jonge leeftijd nog accentueerde. Hij schraapte zijn keel en keek Florent vragend aan. Florent wist even niet wat zeggen. Hij had helemaal niet verwacht dat deze bedelaar voor Paulien en Nell kwam.

'Waarom wil je dat weten?' vroeg hij ten slotte wantrouwig.

'Omdat ik... omdat ik hen ken. Ik heb horen zeggen dat Mattijs verdwenen is en ik wil hem vinden, al moet ik tot op het einde van mijn dagen naar hem zoeken.'

Florent keek hem nu helemaal overbluft aan. 'Ik begrijp het niet. Wat heb jij met Mattijs te maken? Ik wil dat je weggaat in plaats van ons verdriet alleen maar te vergroten.'

De angst in de ogen van de jongen werd intenser. 'Jullie verdriet kan niet groter zijn dan dat van mij,' zei hij nu zacht. 'Alsjeblieft, ik wil Paulien en Nell enkel zeggen hoe erg ik het vind. Daarna ga ik weg.'

Betty, die er nu van overtuigd was dat de jongen geen gevaar vormde, ging naar buiten.

'Wie ben je eigenlijk, jongen, en hoe ken je de meisjes?' vroeg ze toen ze voor hem stond.

Hij boog lichtjes zijn hoofd. 'Mijn naam is Nelis. Nelis Komrij. Ik zat in hetzelfde weeshuis als Mattijs. Ik wist dat hij hier bij zijn zussen woonde, want hij schreef me regelmatig. Ik weet ook dat hij hier graag was. Ik miste hem, maar ik was blij dat hij hier gelukkig was. Maar verleden week... verleden week heb ik een bezoek gebracht aan het weeshuis omdat ik de anderen nog eens terug wou zien. Daar hoorde ik dat Mattijs… dat ze hem niet gevonden hadden. Daarom wil ik hem gaan zoeken. Hij was als een broer voor me en ik kan het niet verkroppen dat hij daar ergens ligt weg te rotten. Ik wil hem vinden zodat hij op gepaste wijze begraven kan worden.' Zijn ogen werden vochtig. Hij liet zijn hoofd nog wat dieper zakken en zweeg.

Betty had met hem te doen. Wat moesten ze nu?

'We kunnen hem zo niet weg laten gaan, Florent,' fluisterde ze zacht tegen hem. 'Als die jongen het bos in gaat, dan vinden ze straks wel degelijk een dode. Hij komt uit de stad en weet niet eens hoe hij zich hier moet handhaven. Hij zal binnen de kort- ste keren verdwalen en verhongeren of zich verwonden met alle gevolgen vandien.'

Florent knikte. Hij besefte maar al te goed welke risico's deze uitgestrekte bossen met zich mee konden brengen. Maar hij be- twijfelde het of deze jongen naar zijn wijze raad zou willen luis- teren. Hij was niet voor niets van zo ver gekomen.

Hij zuchtte diep. 'We kunnen niets anders doen dan de meisjes waarschuwen, Betty. Laten we hopen dat zij hem op andere ge- dachten kunnen brengen.' Zonder op haar antwoord te wachten keek hij de jongen weer aan. 'Ik zal Paulien en Nell gaan halen, Nelis. Ze zijn op dit ogenblik in het naaiatelier aan het werk. Wacht hier even.'

Nelis' gezicht ontspande zich een beetje toen hij Florent dank- baar nakeek. De vrees dat Paulien en Nell hier niet langer woonden, kon hij nu laten varen. 'Dank je,' zei hij dan ook heel gemeend.

Terwijl Florent naar de schuur hinkte, bekeek Betty de jongen met een moederlijke bezorgdheid. Ze zag dat hij doornat was en dat hij er moe en uitgeput uitzag.

'Ben je met de trein gekomen?' vroeg ze.

Hij knikte. 'Tot in Herentals. Van daaruit ben ik te voet geko- men.'

'Nou, dan heb je pech gehad. Het heeft vandaag haast de hele dag geregend.'

De jongen grinnikte even. 'Daar zeg je me wat. Gelukkig kan mijn jas tegen een stootje, anders was ik doornat geweest.'

Betty waagde het erop. Ze kon deze jongen, haast een kind nog, toch niet aan zijn lot over laten? 'Waarom kom je niet even binnen?' vroeg ze dan ook. 'Dan kun je wat uitrusten en kunnen je kleren drogen.'

Even leek de jongen te twijfelen, hij wou deze mensen niet tot last zijn, maar hij knikte ten slotte. Hij was inderdaad uitgeput. Hij was deze ochtend heel vroeg al op pad en de nattigheid begon tot in zijn botten voelbaar te worden. Als hij een beetje kon uitrusten en wat opdrogen, dan kon hij er weer tegenaan.

Nelis was nog maar net in een gemakkelijke fauteuil bij de kachel gaan zitten, toen de deur weer werd geopend en Paulien en Nell binnenkwamen. Zodra ze Nelis zagen zitten, liepen ze verheugd naar hem toe en sloegen ze hun armen om hem heen. 'O, Nelis, wat is dat lang geleden!' riep Paulien uit. 'Hoe is het met je? O, wat heerlijk om je te zien. Ik kon Florent amper geloven toen hij ons vertelde dat er een zekere Nelis op ons wachtte.'

Nell knikte. 'We begrepen dadelijk dat jij het moest zijn. We kennen maar één Nelis, zie je.'

Nelis kreeg er tranen van in zijn ogen. Hij kon het niet helpen. Was het van uitputting, van verdriet of van de herinnering aan de heerlijke dagen die hij met hen had doorgebracht? Of misschien wel van alle drie? In ieder geval wiste hij de tranen met zijn mouw weg en keek hij hen uitermate blij aan.

'Ik vind het ook heerlijk om jullie terug te zien,' zei hij terwijl zijn stem weer even doorschoot van emotie. 'Het lijkt wel een eeuwigheid geleden. Maar ik wou... ik wou dat ik Mattijs ook kon zien. O, het is verschrikkelijk. Toen ik hoorde dat hij hier spoorloos verdwenen was, kon ik die gedachte niet aan. Ik heb de brui aan mijn werk gegeven en ben er weggegaan. Daarna heb ik de trein genomen. Ik kende het adres uit Mattijs zijn brieven, dus was het niet zo moeilijk om jullie te vinden. Ik móést hiernaartoe komen. Ik moet hem gaan zoeken, ik wil en zal hem vinden. Dat ben ik aan hem verplicht.' Weer vulden zijn ogen zich met tranen. Maar deze keer was het zeker van verdriet. Hij depte ze met zijn mouw voordat ze over zijn wangen konden rollen.

Paulien keek hem even sprakeloos aan. 'Hield je zo veel van hem?' bracht ze er uiteindelijk uit.

Hij liet zijn hoofd verslagen hangen. 'Mattijs was de enige die van míj hield, Paulien. Jullie dachten dat het een opgave voor

me was, maar ik was blij dat ik hem onder mijn hoede kon nemen. Zo had ik het gevoel dat ik toch nog iemand had die om me
gaf. En toen... toen jullie hem kwamen halen voor een uitstapje
en ik mee mocht gaan, voelde ik me de koning te rijk. Het gevoel
ergens bij te horen, weten dat er iemand was die zich een beetje
om me bekommerde, dat gevoel was heerlijk.

En toen moest ik gaan werken en kwam Mattijs naar hier... Het
leek... het leek alsof ik niemand meer had. De mannen in de
haven wisten dat ik een wees was en keken op me neer zodat ik
veel aan mijn lot werd overgelaten en de vuilste klussen kreeg,
maar als ik Mattijs ging opzoeken of als ik een brief van hem
kreeg, dan brak de zon weer door en kon ik er weer even tegenaan. Maar nu is hij voorgoed weg...' Hij slikte dapper zijn tranen
in en keek even op. 'Daarom wil ik hem vinden, Paulien. Ik wil
hem een laatste rustplaats geven zodat ik regelmatig zijn graf
kan gaan opzoeken. Ik kan het niet verdragen dat ik niet weet
waar hij is.'

Zijn woorden brachten Paulien en Nell in verwarring. Wat moesten ze nu doen? Ze konden Nelis toch moeilijk het bos in sturen,
terwijl Mattijs hier veilig en wel verborgen zat? Ze hoefden echter geen oplossing te bedenken. Die kondigde zichzelf aan.

Zoals bij elk kind was de nieuwsgierigheid bij Mattijs zo groot
dat hij heel stil uit de kast kwam. Hij liet de kastdeur openstaan
zodat hij er dadelijk weer in kon vluchten wanneer dat nodig
mocht zijn. Daarna ging hij op zijn tenen naar het luik, ging op
zijn knieën zitten en legde zijn oor te luisteren. Hij hoorde geroezemoes van stemmen en begreep dat het bezoek nog niet weg
was. Hij zuchtte verveeld en wou net weer overeind komen om
zijn schrift met rekensommen te pakken zodat hij wat te doen
had, toen hij plots een stem hoorde die hem erg aangreep. Hij
drukte zijn oor nog wat vaster op het luik en wachtte met kloppend hart. Toen hij de bekende stem weer hoorde, kon hij zijn
nieuwsgierigheid niet meer de baas.

Hij was echter voorzichtig. Misschien vergiste hij zich. Misschien léék de stem alleen maar op diegene van wie hij dacht dat
ze was. Dus tilde hij heel langzaam het luik op, centimeter voor
centimeter en luisterde ondertussen naar de stemmen die hij
allemaal kon thuisbrengen. Maar hij moest zekerheid hebben,
hij kon niet riskeren dat hij zich vergiste. Met kloppend hart

daalde hij de ladder af en hij ging op zijn tenen naar de deur die de woonkamer van de bijkeuken scheidde. Uiterst behoedzaam keek hij door een kier naar het groepje mensen bij de kachel. Hij had nog maar net een glimp van Nelis opgevangen toen een korte gil van vreugde aan zijn lippen ontsnapte. Zonder erbij na te denken stormde hij de woonkamer in om Nelis te begroeten. Maar toen Nelis hem zag, sprong hij als door een wesp gestoken uit zijn stoel en ging achter de fauteuil staan alsof deze hem beschermen kon. Zijn ogen sperden zich wijdopen en hij keek vol ongeloof naar het kind dat hem nu aan de andere kant met verbazing stond aan te kijken.

'Wat is er, Nelis?' vroeg Mattijs met de naïviteit van een kind. 'Ken je me dan niet meer?'

Nelis slikte sprakeloos en keek naar de anderen die met een schuldbewuste blik naar het tafereel staarden. Nell was de eerste die haar tong terugvond. 'Mattijs, oen die je bent,' sneerde ze naar haar broer. 'Je weet dat jij je niet mag laten zien.'

De jongen keek beteuterd. 'Voor vreemden en voor mensen uit het dorp,' probeerde hij zijn handeling goed te praten. 'Maar Nelis is mijn beste vriend. Voor hem hoef ik me toch niet te verstoppen?'

Nelis begon weer wat kleur te krijgen. Het drong langzaam maar zeker tot hem door dat Mattijs echt voor hem stond en niet zijn geest. 'Verstoppen?' vroeg hij nu.

Florent nam nu het woord. 'Ga nog even zitten, Nelis, dan zullen wij je alles vertellen.' Ergens voelde hij zich opgelucht. Nu hoefden ze geen oplossing meer te bedenken. Hij vertelde hem in grote lijnen het verloop van de gebeurtenissen en met welke bedoelingen ze het hadden gedaan.

Nadat hij hem alles had verteld wat hij hoorde te weten, floot Nelis even lichtjes tussen zijn tanden. 'Nou, het is jullie mooi gelukt om de mensen om de tuin te leiden. Ik was er net zo goed ingetrapt. Ik was er kapot van. Maar ik ben dolblij dat het allemaal met een vooropgezet doel was en dat Mattijs in levenden lijve voor me staat.' Hij duwde even vriendschappelijk met een vuist tegen Mattijs' schouder. 'Sinds je zussen me gevraagd hebben om je onder mijn hoede te nemen, zijn we haast onafscheidelijk geweest. Ik vond het dan ook verschrikkelijk toen ik het vreselijke nieuws van de paters hoorde.'

Hij keek even van Paulien naar Florent. 'Zouden jullie me het bos in gestuurd hebben om zijn lichaam te zoeken, terwijl jullie wisten dat hij hier verscholen zat?'

Paulien grinnikte. 'We waren net aan het bedenken hoe we dit moesten oplossen toen Mattijs tevoorschijn kwam, maar ik veronderstel dat we je het hadden verteld. We konden je niet in het bos laten verdwalen.'

Betty stond erop dat Nelis bij hen bleef eten en begon met de voorbereiding ervan. Terwijl Paulien en Nell weer naar het naai-atelier gingen om met hun werk verder te gaan, konden Nelis en Mattijs hun verloren tijd wat inhalen door honderduit te praten en te lachen. Florent keek voortdurend glimlachend naar het stel bij de kachel. Hij had Mattijs nog nooit zo gelukkig gezien.

's Avonds, toen Berthe en Sarah naar huis waren, de drie jongens van hun werk terugkwamen en Betty's keuken alle eer werd aangedaan, kwamen de tongen pas goed los. Peter, Walter en Quinten vroegen Nelis uit over het weeshuis en over zijn werk in de haven.

'Viel het mee?' vroeg Peter. 'Naar het schijnt is het werk daar nogal zwaar.'

Nelis knikte. 'Enorm zwaar. We moesten zware zakken op onze schouder dragen. Ik was 's avonds altijd uitgeteld, kon geen stap meer verzetten. Maar het was werk. Dat doet me eraan denken dat ik maar eens terug moet gaan. Nu ik weet dat Mattijs het goed maakt, kan ik mijn baantje misschien wel terugkrijgen.'

'Ik heb een sterk vermoeden dat het werk je niet aanstaat. Waarom ga je dan terug?' Het was Florent die het hem vroeg.

Nelis haalde licht zijn schouders op. 'Ik ben een wees en ik moet nog vijftien worden, Florent. Ze hoeven me dus haast niets te betalen voor het vuilste werk. Daarom heb ik het werk ook gekregen. Als ik een keuze had, dan ging ik niet terug, maar ze geven me daar ook een bed en eten, en onderdak als compensatie. Ik mag blij zijn dat ik in mijn eigen onderhoud kan voorzien. Ach, ik sla me er wel door. Onkruid vergaat immers niet.'

Betty keek hem vol medelijden aan. De gedachte dat dit joch al zijn hele leven alleen en zonder een sprankje genegenheid had doorgebracht, deed haar moederhart bloeden. De enige met wie hij een hechte band had kunnen opbouwen was Mattijs. Het moest verschrikkelijk voor hem geweest zijn toen hij hoorde dat ook die van hem was weggerukt. Gelukkig was alles toch nog in orde gekomen.

Maar was het wel wenselijk om hem terug te sturen? Om hem weer in alle eenzaamheid weg te laten kwijnen, zonder een doel, zonder een plaats waar hij elke dag wat warmte en genegenheid kon vinden, zonder iemand die om hem gaf en met hem meeleefde? Als het aan haar lag, dan mocht hij voor altijd hier blijven. Mattijs zou er een goede vriend aan hebben en niet meer zo eenzaam zijn nu hij zich een paar jaar gedeisd moest houden. Bovendien kon Florent wel wat hulp gebruiken voor de moestuin en het veld. Zijn benen werden er niet beter op en nu Quinten als vaste kracht werkte, was een beetje hulp wel welkom. Ze moest er echter eerst even met de anderen over praten. Misschien dachten Paulien en Nell er anders over of kon Florent zich niet verenigen met Nelis' hulp. Maar ze kon hem wel voorstellen om hier enkele dagen te blijven. Daar konden ze toch niets tegen hebben?

'Als je dan toch al om werk moet bedelen, dan kun je net zo goed een paar dagen blijven logeren,' zei ze dan ook. 'Elias heeft me geschreven dat hij zondag thuiskomt. Dan kun je hem ook nog eens ontmoeten, en bovendien is het nu toch te laat om de trein te halen.'

Nelis twijfelde even. 'Dat zou heerlijk zijn, Betty, maar ik wil jullie niet tot last zijn. Ik slaap wel op een bank in het station zodat ik morgen de eerste trein naar Antwerpen kan nemen.'

'Nonsens!' sprong Florent haar bij. 'Waarom zou je op een bank slapen als je hier een matras hebt? Ik denk niet dat iemand hier er bezwaar tegen zal maken en Mattijs al zeker niet.' Hij grinnikte en vervolgde: 'Hij zal het zelfs prettig vinden als hij een deel van zijn bed aan je kan afstaan, maar ik moet je waarschuwen dat zijn onuitputtelijk geprat je weleens uit je slaap kan houden zodat je morgen misschien toch de bank verkiest.' Deze woorden en Mattijs' misnoegde gezicht deden iedereen in een lachsalvo uitbarsten.

Nelis nam het aanbod dankbaar aan. Toen het gesprek een andere wending nam en de mannen over hun werk begonnen te praten, keek hij met een warme blik naar hen. Hij keek door de deur van de bijkeuken naar de vrouwen die de afwas aan het doen waren. Het gekletter van water en gerinkel van borden kwamen boven hun vrolijke stemmen uit. Zijn blik gleed door de woonkamer, naar de kachel met de twee fauteuils aan weerszijden, naar de muur met de gebeitste kast en het lievevrouwenbeeld erop, de piëdestal bij het raam waarop een sansevieria stond te pronken, het kruisbeeld boven de deur, om ten slotte weer bij de tafel te eindigen waar de mannen net luid lachten om de een of andere grap.

Nelis voelde zich vreemd gelukzalig. Hij had nooit geweten hoe het was om een thuishaven te hebben, om je omgeven te voelen door een gevoel van rust, van welbehagen. Nu hij zag wat hij allemaal had gemist, voelde hij zich vreemd genoeg verdrietig en gelukzalig tegelijk. Verdrietig om alle jaren van eenzaamheid, en gelukzalig omdat hij nu een familie kende waar hij hoopte af en toe op bezoek te mogen komen. Hij had het gevoel dat hij niet langer helemaal alleen in dit leven stond en dat gevoel voelde zo intens goed aan dat hij er sprakeloos van werd.

Pas toen Mattijs speels met een vuist tegen zijn arm porde, schrok hij op uit zijn gedachten. 'Ga je mee?' hoorde hij Mattijs vragen. 'Ik zal je laten zien waar Quinten me gevonden heeft toen ik bijna doodgevroren was.' Hij trok aan Nelis' arm om hem mee te krijgen.

Nelis keek even op tot hij Florents blik ontmoette. Toen hij zag dat deze glimlachend toestemming gaf met de woorden: 'Maar wel voor het donker terug, jongens,' stond hij op en volgde hij Mattijs naar buiten. Daar holden ze beiden als twee uitgelaten jonge honden naar het bos terwijl ze joelden en uitgelaten kreten slaakten. Hun harten jubelden.

HOOFDSTUK 19

Paulien zat met haar handen in het haar. Ze kreeg altijd maar meer kledingstukken terug waar iets aan haperde. Ze begreep niet waar die vlekken vandaan kwamen en nog minder hoe het kwam dat ze over die winkelhaak of de gescheurde voering heen hadden gekeken? De verkoop in het dorp liet tegenwoordig meer en meer te wensen over en ze was bang dat ze David de Tranoy teleur zou stellen en dat de verkoop in de stad al net zo slecht zou zijn.

Ze hadden erg hard gewerkt om van de rollen stoffen prachtige jurken, rokken, bloezen en korte zomerjassen te maken. Paulien had ze in verschillende maten geknipt en ze deze keer naar eigen ontwerp gemaakt. Het was in haar ogen een draagbare, maar erg vrouwelijke en modieuze collectie geworden. Berthe, Sarah, Nell en Betty waren er in ieder geval dadelijk voor gevallen en hadden haar met complimenten overladen. Maar Paulien had haar twijfels. Ze was er helemaal niet gerust op. Ze controleerde de kledingstukken haast elke dag opnieuw om er zeker van te zijn dat er niets aan haperde, dat alles perfect was afgewerkt en tot in de puntjes verzorgd. Daar kwam dan nog bij dat ze voortdurend met Elias in haar hoofd zat.

Toen hij afgelopen zondag naar huis was gekomen, bonsde haar hart van vreugde om hem terug te zien. Hij zag er knap uit nu de zon zijn huid weer wat had gebruind. Zijn kastanjekleurig haar was iets donkerder geworden, of leek dat maar zo omdat het haast drie maanden geleden was dat ze hem had gezien? Maar zijn ogen waren nog altijd hetzelfde. Blauw, met een zachte, meelevende en begripvolle blik. Ze zuchtte diep toen ze aan hem dacht.

Toen hij thuiskwam, had ze het gevoel dat hij probeerde te vermijden om met haar alleen te zijn. Hij had alleen maar oog voor zijn ouders en broers en natuurlijk voor Nelis die hij na zo'n lange tijd eindelijk weerzag. Maar ze begreep het wel. Hij was al zo lang van huis en de familieband was heel hecht. Ze drong zich dan ook niet op. Ze nam er genoegen mee om alleen maar naar hem te kijken, om zijn stem te horen, zijn uitbundige lach, zijn zorgen te voelen voor zijn vaders pijn en zijn luisterend oor toen alles werd verteld over de verdwijning van Mattijs, de zoektocht en ten slotte de komst van Nelis. Het drong weer tot haar door hoe erg ze hem gemist had.

Elias... Het had altijd zo vanzelfsprekend geleken dat ze op hem kon rekenen. Sinds ze uit Antwerpen was vertrokken, was hij er altijd voor haar geweest. Hij had lief en leed met haar gedeeld en ervoor gezorgd dat ze zich nu, samen met haar broer en zus, gelukkig voelde. Ja, ze was hem erg dankbaar. Maar er was meer, de dankbaarheid ging dieper. Hij beroerde haar hart, gaf vlinders in haar buik, maakte haar warm en week.

Met een schok realiseerde ze zich dat ze van hem begon te houden. Ze had er nooit bij stilgestaan, ze was ook nog zo jong geweest toen ze hem voor de eerste keer ontmoette en nadien slorpte het werk en de zorgen haar helemaal op. Maar nu moest ze onder ogen zien dat hij heel wat meer voor haar betekende dan alleen maar een goede vriend.

Haar hart bonsde in haar keel bij die gedachte. Waarom had ze dat niet eerder gevoeld? Waarom realiseerde ze zich pas nu dat Elias de ware voor haar was? Maar toen liet ze haar schouders hangen. Haar gevoelens hadden immers geen zin. Elias had nooit laten blijken dat hij van haar hield. Hij gaf om haar, daar was ze zeker van, maar dat was iets heel anders. Of niet? Ze hoopte dat ze de gelegenheid kreeg om even met hem alleen te zijn, zodat ze kon achterhalen hoe diep zijn gevoelens voor haar waren.

Die kans kreeg ze diezelfde avond. Ze had Elias tegen zijn moeder horen zeggen dat hij deze keer bleef overnachten om de volgende dag pas naar Koningshooikt te vertrekken. Paulien zag hoe gelukkig hij Betty daardoor maakte en ze besefte dat ze haar oudste zoon heel erg gemist moest hebben. Toen hij na het avondeten zijn benen even ging strekken en ze zag dat de rest van de familie gezellig bleef keuvelen, had Paulien deze kans gegrepen. Ze sloeg een omslagdoek om en was hem haast ongezien achternagegaan. Ze zag hem, een eind van het huis vandaan, tegen de voet van een eik geleund zitten terwijl hij voor zich uit keek naar het voorzichtig opschietende groen op de velden. Het gezang van een merel vulde de lucht. Het was een milde, vroege voorjaarsavond, de lucht bloedde en legde een vuurrode krans rond de boomkruinen in de verte.

Elias genoot van dit uitzicht en van de geluiden die erbij hoorden. Dat had hij erg gemist. In Koningshooikt was het natuurlijk ook wel mooi en de vogels floten er net zo hard, maar tegen zijn eigen geboorteplaats kon niets op. Het was zo vertrouwd, zo rustgevend, zo intens eigen. Hij sloot even genietend zijn ogen en schrok dan ook op toen hij Pauliens stem hoorde.

'Wat een heerlijke avond,' begroette ze hem vrolijk. 'Ik ben ervan overtuigd dat je dit uitzicht wel gemist zult hebben, niet?' Ze ging een beetje onwennig naast hem in het gras zitten. Hij keek haar even aan, zag haar vragende blik, haar mooie gezicht, haar lange, donkere haar dat nu los over haar schouders hing, en aarzelde.

'De zon gaat overal onder, Paulien, en de vogels zingen overal,' zei hij ten slotte. 'Maar meestal ben ik in de loods aan het werk, zodat ik geen tijd kan vrijmaken om van al dat moois te genieten.'

'Moet je zo hard werken?'

Hij haalde zijn schouders op. 'Ik doe het graag en iets wat je graag doet vraagt weinig inzet. Bovendien sta ik er niet alleen voor en heb ik al veel vrienden gemaakt. Dat maakt het werk minder zwaar. Ik verwacht zelfs dat het bedrijf binnen afzienbare tijd zal moeten uitbreiden. Het bouwen van grote voertuigen blijkt een nog groter succes dan we dachten en de familie Van Hool krijgt steeds meer aanvragen binnen.'

'Betekent dat dat we je nog minder gaan zien?'

Hij keek haar even aan, zag de zachte lijnen van haar gezicht en zijn blik bleef even hangen op de ronding van haar mond. Hij kreunde inwendig. Hij had alles geprobeerd om haar uit zijn gedachten te zetten, maar zelfs zijn lange afwezigheid kon niet verhelpen dat hij nog steeds van haar hield. Hij opende zijn mond om haar te zeggen dat hij beter niet meer kon komen omdat hij anders zijn gevoelens niet meer onder controle kon houden, maar hij zweeg. In plaats daarvan wendde hij zijn blik van haar weg. 'Ik denk niet dat moeder dat zou toelaten,' zei hij gemaakt luchtig. 'Maar vertel me liever eens wat over jezelf, Paulien. Hoe staat het met je naaiatelier?'

Paulien vertelde hem over haar problemen, over de sterk gedaalde verkoop en haar angst voor de toekomst. Toen ze hem echter vertelde dat David als vennoot wilde meewerken, haar aan rollen prachtige stoffen had geholpen en de daarmee gemaakte kledingstukken in de stad wilde verkopen, verkrampte Elias' kaaklijn en keek hij strak voor zich uit.

223

'Je mag hem wel, is het niet?' vroeg hij barser dan het de bedoeling was. Maar Paulien was te gespannen om het te horen.

'Natuurlijk,' zei ze dan ook onschuldig. 'Wie zou hem niét mogen? Hij is erg vriendelijk en heel galant. Je had de gezichten van de meisjes moeten zien toen hij het naaiatelier binnenkwam. Ze konden hun ogen niet van hem af houden. Ik ben hem erg dankbaar, Elias. Hij heeft al zo veel voor me gedaan. Zonder zijn hulp had ik het echt niet gered.'

'Hij komt je hier opzoeken?'

Paulien knikte enthousiast. 'Een dezer dagen komt hij terug om de kledingstukken op te halen.'

Elias haalde diep adem en verborg zijn ergernis. Wat had hij dan verwacht? Hij wou toch het beste voor haar? En David wás het beste, zeker nu hij hoorde wat hij voor haar deed en wat ze voor elkaar voelden. Misschien moest hij toch maar meer aandacht aan Liesbeth besteden. Zij werkte als secretaresse voor de broers Van Hool en liet duidelijk merken dat ze hem wel zag zitten. Hij had de boot altijd afgehouden, hij kon het nog niet opbrengen om van een ander te houden. Maar hij kon zichzelf niet blijven pijnigen en bovendien was Liesbeth best wel lief en mooi. Het kon dus niet echt moeilijk zijn om van haar te leren houden.

Hij keek Paulien weer even aan. 'Het is goed dat we elk onze eigen weg gaan, Paulien. Ook ik heb iemand leren kennen en het zou weleens kunnen dat ik Liesbeth de volgende keer met me meebreng. Moeder zal in de wolken zijn, daar ben ik zeker van. Ze zit al zo lang te wachten tot een van haar zonen een vrouw meebrengt.'

'Liesbeth?' Paulien voelde haar keel langzaam dichtknijpen.

'Zij werkt in het bedrijf als secretaresse voor Jozef van Hool. Eerst nam zijn vrouw dat voor haar rekening, maar door de drukte en de uitbreiding van het bedrijf hebben ze Liesbeth in dienst genomen. Ze werkt erg efficiënt en kan heel snel typen, en toch zonder fouten. Het is een wonder hoe ze dat kan,' verduidelijkte Elias, onwetend dat hij daardoor nog dieper in haar hart sneed. 'Ik denk dat moeder haar dadelijk zal mogen.'

Paulien was er stil van geworden. Ze was achter hem aan gekomen om zijn gevoelens te polsen, maar het was helemaal anders gelopen dan ze had verwacht.

'O,' bracht ze er ten slotte schor uit. 'Ik... ik hoop dat je heel gelukkig met haar zult worden.'

'Dank je, Paulien. Ik hoop dat jij al net zo gelukkig zult worden, maar daar twijfel ik niet aan.'

Paulien knikte terwijl ze opstond. Ze was zich maar half bewust van wat hij zei. 'Ik moet... ik moet maar eens gaan,' hakkelde ze verward terwijl ze zich omdraaide en met vlugge stappen van hem weg begon te lopen.

Paulien zuchtte nu diep terwijl ze daaraan terugdacht. Ze had toen het gevoel gehad dat ze stikte. Haar hart had als een razende tegen haar borstbeen gebonsd tot de druk te groot werd en ze de tranen over haar wangen voelde lopen. Elias was ondertussen al drie dagen weg, maar nog altijd kneep haar hart samen als ze aan dat gesprek dacht.

Ze werd opgeschrikt door een zachte klop op de deur. Ze verbaasde zich erover dat ze nog altijd met dezelfde lap stof in haar handen stond. Had ze dan al die tijd staan dromen? Ze keek even over haar schouder, zag dat de anderen nog druk bezig waren en voelde zich enigszins schuldig, terwijl ze vlug naar de deur toe ging en zich verbaasd afvroeg wie dat in hemelsnaam kon zijn.

'David!' glimlachte ze verheugd toen ze hem voor zich zag staan. Ze wist wel dat hij de kleding zou komen halen, maar zijn bezoek kwam toch vrij onverwacht. Ze zag dat hij er weer onberispelijk en knap uitzag, maar zijn bruine ogen keken haar ditmaal ernstig en bezorgd aan. Zonder een woord te zeggen trok hij haar zachtjes tegen zich aan.

'Het spijt me vreselijk dat ik er niet was toen jij me nodig had, Paulien,' zei hij. 'Maar ik heb pas gisteravond gehoord wat er met je broertje is gebeurd. Ik heb het erg druk gehad en zat meer dan een maand voor zaken in Brussel vast. O, het moet verschrikkelijk voor je zijn.'

Paulien stond even perplex. Ze had helemaal niet aan David gedacht in verband met Mattijs. Voorzichtig maakte ze zich uit zijn omhelzing los en ze sloeg haar ogen even verward neer. 'Dank je, David,' zei ze ten slotte. 'Gelukkig heb ik mijn werk zodat ik mijn gedachten kan verzetten.'

Hij knikte begrijpend. 'Ik hoop dat hij toch nog gevonden zal worden, Paulien. Pas dan zul jij je verdriet een plaats kunnen geven.'

'Dat... dat hopen wij ook, David.'

Hij keek nu eindelijk op en knikte als begroeting naar de andere vrouwen, maar dadelijk daarna keek hij Paulien weer ernstig aan. 'Ik neem het je niet kwalijk wanneer het je niet gelukt is om de kledingstukken te maken, Paulien. In deze omstandigheden is het niet meer dan normaal dat alles moet wijken voor je verdriet.'

Maar Paulien schudde haar hoofd. 'Werken is juist goed om alles even te vergeten. Zonder dat werk was ik verloren geweest.' Ze ging naar een houten lat die tussen twee wanden was opgehangen en trok de doeken er af die erover hingen om de afgewerkte kledingstukken tegen stof en vuil te beschermen. De houten lat en de kapstokken waren het werk van Florent en Mattijs. Zij hadden die in de stille winteruurtjes bij de warmte van de kachel gemaakt. David floot lichtjes tussen zijn tanden toen hij al de fleurige rokken, jassen en bloezen zag.

'Nou, daar hebben jullie zeker veel werk aan gehad. Het ziet er mooi uit. Ik ben blij dat jij en je zus op deze manier jullie verdriet wat konden verzachten.' Hij keek haar even aarzelend aan en vervolgde: 'Waarom gaan jullie niet met me mee om de kledingstukken naar Antwerpen te brengen? Dan kun jij zien waar ze verkocht zullen worden en kennismaken met madame Verviers, de eigenares van de winkel. Bovendien ben je er dan eens uit en je zou aangenaam gezelschap voor me zijn op deze lange rit. Ik weet zeker dat het je goed zal doen en als je zus ook meegaat, kunnen er geen kwade roddels rondgestrooid worden.' Na deze woorden keek hij even veelbetekenend naar Berthe, Nell, Betty en Sarah, die hun werk gestaakt hadden en alles met argusogen volgden.

Paulien keek hem twijfelend aan. Ze besloot om haar angst aan hem mee te delen. 'De verkoop in het dorp loopt sterk terug, David, en ik ben bang dat de verkoop in de stad je zal teleurstellen. Misschien is het beter om ervan af te zien.'

David meende dat ze weleens gelijk kon hebben, maar hij had er nu al wat geld in gestoken, en madame Verviers zat op de koopwaar te wachten. Hij had dat kranige dametje warm kunnen maken, haar bespeeld en geïnspireerd tot ze reikhalzend uitkeek naar de kledingstukken. Hij was er trots op geweest. Madame Verviers stond bekend als een goede zakenvrouw, maar ook als een harde tante, die moeilijk over te halen was. Hij had haar weten te overtuigen van de vooruitgang, van het vooruitzicht van een nieuwe modeontwikkeling en rage, ondanks zijn eigen twijfels. Hij kon nu moeilijk terug, zowel voor Paulien die hij graag een kans wou geven, als voor madame Verviers en voor hemzelf.

'Nou, ze zijn toch klaar, niet? Waarom zouden we het dan niet wagen?' vroeg hij ten slotte. 'Je zou er trouwens versteld van staan hoe goed madame Verviers is als het op mode en verkopen aan komt. Bovendien is het een alleraardigste dame en het is misschien wel leuk voor je om te zien hoe haar winkel eruitziet, en om te weten waar je creaties naartoe gaan.'

Pauliens hart popelde, ze zou het heerlijk vinden om mee te gaan, maar de angst dat het zou mislukken deed haar nog altijd aarzelen. Betty hakte echter al vlug de knoop door. 'Natuurlijk ga je met hem mee,' zei ze resoluut. 'Een vrije dag heb je zeker wel verdiend en bovendien zal het je goeddoen. We kunnen hier heus wel verder zonder jou en Nell.'

Sarah knikte. 'Waarom doen jij en Nell niet een van je eigen creaties aan, Paulien? Dan kan die dame in de winkel al dadelijk zien hoe prachtig ze zijn.'

Paulien schudde echter haar hoofd. 'De kleren zijn niet van mij alleen, Sarah. David heeft voor de stof gezorgd en jullie hebben je zweet en je inzet er ingestoken. Nee, ik heb niet het recht om me zomaar iets toe te eigenen. Dat zou onrechtvaardig zijn, zeker in deze moeilijke tijd waarin jullie haast nooit op tijd uitbetaald krijgen.'

Maar David vond het een subliem voorstel. 'Sarah slaat de spijker op z'n kop, Paulien, je kunt geen betere reclame maken dan door je eigen ontwerpen te dragen.' David keek haar vast aan toen hij zag dat ze haar mond opende om te protesteren en vervolgde: 'En daar is niets tegen in te brengen. Ik wil dat jij en Nell je nu gaan verkleden. Daarna brengen we alles naar de auto en dan vertrekken we naar Antwerpen. Hup! We hebben niet de hele dag.' Hij wees quasiboos naar het rek met de kleding en gaf hun zo te kennen dat ze moesten voortmaken met kiezen en verkleden. Ook al zei hij het luchtig, toch zou hij geen weerwoord meer geduld hebben.

Paulien was ook niet van plan om er nog iets tegen in te brengen.

Diep in haar hart was ze blij en opgetogen bij het vooruitzicht om zich mooi te maken en een hele dag te genieten van een rit in de auto en zalig nietsdoen. Ze koos dan ook zorgvuldig haar maat en motief en zorgde dat ook Nell een passend ensemble vond. Daarna verdwenen ze naar hun slaapkamer.

Het duurde niet zo erg lang voor ze weer tevoorschijn kwamen. David hield zijn adem in toen hij hen voor zich zag. Pauliens rok leek voor haar heupen gemaakt en ook de crèmekleurige bloes was erg vrouwelijk, met pofmouwen en een lage halsuitsnijding. Het jasje dat ze over haar arm had hangen, paste qua kleur perfect bij de rest. Het zat haar als gegoten. Het geheel gaf haar een uitstraling van distinctie en elegantie, alsof de kleren door een dure en ervaren modeontwerper waren gemaakt. Ze had haar donkere haar hoog opgestoken. Het kapsel paste perfect bij haar kleding. Een blos van opwinding sierde haar wangen en haar ogen glansden. Ze zag er prachtig uit.

Nells kleding was al net zo mooi. Zij had een uitwaaierende, knielange rok aan met een strakke witte bloes en een donkerblauw bolerojasje waarvan de kleur terugkwam in de bloemmotieven van haar rok. Paulien had Nells lange haar in één dikke vlecht op haar rug gevlochten zodat ze er volwassener uitzag. Ze straalde en haar ogen glinsterden bij het vooruitzicht van een vrije dag.

Berthe verzette nog vlug de knoop van haar rok. Nells figuur was nog niet zo vrouwelijk, zodat de rok wat te groot voor haar was, maar met een kleine aanpassing kwam dat vlug in orde.

David moest toegeven dat hij zich vergist had. Ook zonder te meten en te passen kon kleding prachtig staan. Hij besefte nu eens temeer dat zijn neus voor zaken hem niet in de steek had gelaten. Nu hij gezien had wat Pauliens creaties konden doen, was hij er zeker van dat ze zouden aanslaan. De kleren zagen er chic en modieus uit, maar waren voor iedereen betaalbaar. Nou, wie kon dat weerstaan? Geen enkele vrouw toch? Dit zou een omwenteling in de kledingbranche veroorzaken, daar twijfelde hij nu niet langer aan.

Daarbij kwam nog dat hij in Brussel te horen had gekregen dat er binnenkort betere en goedkopere stoffen op de markt gingen komen. Synthetische stoffen werden ze genoemd, die net zo glansden als zijde en taft, maar veel goedkoper waren. Hij hoorde de kassa al rinkelen. Hij begreep echter ook wel dat het niet alleen de kleren waren die maakten dat Paulien zo elegant voor de dag kwam. Het kwam ook door Paulien zelf. Zij bezat van nature een distinctie en een voornaamheid die haar eigen was. Hij wou dat zijn moeder, de barones, haar nu kon zien. Paulien zou helemaal niet misstaan in de aristocratie.

Die gedachte deed hem weer terugdenken aan zijn thuiskomst. Hij was boos geweest toen hij tijdens het eten hoorde wat er met Pauliens broer was gebeurd en dat hij daarvan niet op de hoogte was gebracht. Zijn moeder had hem toen verbaasd aangekeken. 'Ik wist niet dat jij zo begaan was de gebeurtenissen die zich hier in het dorp afspelen,' had ze hem gezegd. 'Het was een tragedie natuurlijk, maar ik begrijp niet waar jij je zo druk over maakt.' David had zijn moeder even verbolgen aangekeken. 'Het is Pauliens broer,' had hij geantwoord. 'Zij ontwerpt kleding voor me en ik hoop dat haar zaak furore maakt. Als vennoot is het niet meer dan normaal dat ik haar mijn innige deelneming kan betuigen en haar kan steunen in haar verdriet. Maar dat heb ik nu helaas niet kunnen doen en dat betreur ik ten zeerste.'

'Paulien? Is dat niet de naaister die voor mij een jurk ontworpen heeft? Die jonge vrouw die bij de notaris woonde en die door een onverkwikkelijke gebeurtenis in het hospitaal belandde? Naar wat ik nadien vernomen heb, schijnt ze een van de kinderen van de afvallige dochter van de oude notaris te zijn.'

David knikte, maar zijn moeder ging in gedachten door zonder hem aan te kijken. 'Als ik me niet vergis is dat dezelfde jonge vrouw met wie je als enige op je verjaardagsbal gedanst hebt.'

Hij zuchtte diep. 'Zij was niet de enige, mama. Later op de avond heb ik met nog een paar vrouwen gedanst.'

'Als jij het maar niet in je hoofd haalt om meer met haar te beginnen dan een zakelijke transactie, David. Je weet dat je toekomst elders ligt en je zou ons diep beschamen als jij je eigen weg zou gaan.' Hij had verder gezwegen en ook zijn vader behield de stilte, waardoor hij te kennen gaf dat hij het met zijn vrouw eens was en haar steunde in de tradities en de conventionele gebruiken die hun stand eigen was.

David moest echter in gedachten toegeven dat hij Paulien moeilijk van zich af kon zetten. Zelfs gedurende zijn lange tijd van afwezigheid was ze altijd in zijn gedachten geweest. Hij zag haar frisse, mooie gezicht voor zich, hoorde haar lach, zag de oprechte belangstelling in haar blik, haar gedrevenheid om er te komen, om een plaats in deze wereld te veroveren.

Ja, hij moest toegeven dat hij haar best wel aardig en boeiend vond. Kon hij dat liefde noemen? Hij veronderstelde van wel. Paulien was in ieder geval de enige vrouw die hem tot nogtoe kon boeien. Daarom hoopte hij dat haar confectielijn zou aanslaan. Een welgestelde vrouw zou door zijn ouders misschien toch aanvaard worden, ook al kwam ze uit de gewone bourgoisie. Hij hoopte het met heel zijn hart, want als zijn gevoelens voor haar op deze manier bleven aanhouden, dan zou hij zijn ouders erg moeten teleurstellen.

Hij schudde deze gedachten van zich af. Ach, hij wist niet eens wat Paulien voor hem voelde. Hij was wat te voorbarig. O, ze mocht hem wel, daar was hij van overtuigd, maar dat was nog iets anders dan van hem houden. Daarom wilde hij haar beter leren kennen, haar met zijn charmes veroveren, haar erop attent maken wat hij voor haar voelde. Hij wilde weten hoever hij kon gaan, waar hij haar toe kon brengen, waar haar grenzen lagen. Hij had haar in de steek gelaten, net op het moment dat zij hem nodig had. Die fout wilde hij niet meer maken. Hij zou er nu altijd voor haar zijn en daarom stond hij erop dat ze mee naar Antwerpen reed. Op die manier zou ze hem beter leren kennen en kon dat haar genegenheid voor hem alleen maar doen groeien. Met zijn allen droegen ze de kledingstukken naar de grote, zwarte Daimler die op het erf als een misplaatst kunstwerk stond te glimmen en werd de achterbank tot boven toe volgeladen. Paulien was bang voor kreukels en nam nog vlug een strijkijzer mee, zodat ze de kleding in de winkel nog een laatste beurt kon geven. Daarna namen ze afscheid van de anderen en begonnen ze met opgewonden spanning aan een dag die ze nooit zouden vergeten.

David liet niets aan het toeval over. Hij was prettig gezelschap en liet hen af en toe hartelijk lachen door iets grappigs te vertellen. Regelmatig stopte hij, zodat de vrouwen zich konden opfrissen en iets konden drinken of nuttigen. Ze aten in een gezellige herberg waar alles erg netjes was en het heerlijk geurde naar ui en koriander.

Paulien en Nell keken hun ogen uit. Er was zo veel te zien en zo veel te beleven. De dorpen waar ze door reden, de mensen die ze ontmoetten, de honneurs die hun te beurt vielen wanneer ze ergens stopten. Vooral dat laatste verbaasde Paulien en Nell. Wanneer ze met David ergens binnenkwamen, werden zij met net zo veel honneurs ontvangen als David. Alsof zij ook van stand waren. Dat vonden ze erg grappig en het deed hen dikwijls in een giechelbui uitbarsten.

In Antwerpen keken ze al net zo hun ogen uit. Vanachter de ramen van een auto was het uitzicht toch altijd weer anders, ook al waren ze in de stad opgegroeid en was haast niets hun onbekend gebleven. David reed met hen langs de Groenplaats zodat de Onze Lieve Vrouwen kathedraal in al haar grandeur aan hen werd tentoongesteld. Het gotische gebouw met zijn spitsbogen, hoge glasramen, baldakijnen, roosvensters en steunberen doemde als een gigant voor hen op en maakte van de renaissancegeveltjes van de huizen haast nietige dwergen.

Naarmate ze het centrum van de stad naderden, leken architecturale gebouwen en pittoreske geveltjes naar hen toe te buigen. De statige Keizerlei met de platanen aan beide kanten, de dansende zonnevlekken, de kuierende mensen op de boulevard, de winkels en terrasjes, het was een zonovergoten heerlijke dag. Op het Koningin Astridplein draaide David een smal, nostalgisch steegje in tussen oude, verweerde geveltjes en stopte halverwege voor een klein, maar gezellig winkelraam.

'Hier is het, dames,' zei David toen hij het portier met een zwier opende. Hij hielp Paulien en Nell uitstappen en hield de winkeldeur voor hen open. Een fijn belletje weerklonk.

Voor het etalageraam had Paulien al een paar rollen stof gezien en een paspop met een stijlvol donkergrijs mantelpakje, maar toen ze de winkelruimte binnenstapte, was ze onder de indruk van de vele planken waarop rollen stof en naaibenodigdheden lagen. Aan haar linkerkant stond een rek waar aan een aantal jurken en rokken hing.

Vanuit een deur aan de rechterzijde kwam een kleine, mollige vrouw binnen. Ze was onberispelijk gekleed in een blauw mantelpakje en een witte bloes. Ze had haar grijzende haar in een wrong op haar hoofd vastgezet, glanzende oorknopjes sierden haar oren en een vleugje lippenstift kleurde haar lippen. Zodra ze David zag, glimlachte ze stralend en stak ze haar handen uit om hem met een paar klinkende zoenen te begroeten. 'Zo, daar ben je dan eindelijk, David, ik zit al dagen op je te wachten,' zei ze quasiverwijtend. 'Ik had je al veel eerder verwacht. Maar nu ik zie dat je twee bevallige dames hebt meegebracht, vergeef ik het je.' Ze keek nu naar Paulien en Nell.

David profiteerde van deze gelegenheid om hen aan elkaar voor te stellen en om madame Verviers uit te leggen welk aandeel Paulien en Nell in deze overeenkomst hadden. Ze wapperde echter dat laatste met haar hand weg zonder haar blik van de jonge vrouwen af te keren. 'Dat vermoedde ik al, jongeman, maar je hebt mij er niet bij gezegd dat ze zo mooi waren.' Ze kwam dichterbij en keurde de kleding. 'Prachtig,' mompelde ze. Ze keek Paulien even aan. 'Ik hoop dat het je eigen ontwerpen zijn?'

Paulien knikte. 'Ik ben blij dat u mijn kleding hier in uw winkel wilt hangen,' begon ze voorzichtig. 'Ik hoop dat ze goed zullen verkopen.'

'O, daar twijfel ik niet aan, kind. Spijtig dat mijn handen niet zo goed meer mee kunnen. Jicht, zie je.' Ze stak haar handen naar voren om haar gezwollen, pijnlijke gewrichten te tonen. 'Daardoor kan ik de laatste jaren zelf niet veel meer maken. Ik ben dus blij dat David iemand voor me gevonden heeft die het voor me kan doen. Al moet ik eerlijk toegeven dat ik wel wat bang was voor een teleurstelling. Niet iedereen is zo goed als men denkt te zijn. Maar zo te zien ben ik onterecht bang geweest. Nou, laat me de rest ook maar eens bekijken. Daarna kunnen we bij een kopje koffie over de prijzen onderhandelen.'

De dag was over de hele linie een succes geweest. David bleek een heel leuke en onderhoudende man te zijn, die Paulien op elk moment kon boeien. Ook Nell vond hem uitermate sympathiek en was haast niet van zijn zijde weg te slaan. Ze hing als het ware aan zijn lippen. Madame Verviers was een spontane, vriendelijke vrouw die Paulien dadelijk in haar hart gesloten had en die haar het gevoel had gegeven dat ze een wonder was met een creatieve gave die haar nog ver zou brengen. Dat maakte dat Nell en Paulien dolgelukkig en voldaan weer thuiskwamen waar ze het hele verhaal aan Betty, Florent en de jongens uit de doeken moesten doen.

David was dadelijk verder gereden met de belofte dat hij binnen een paar dagen weer eens langskwam. Daardoor kon Mattijs ook meeluisteren en hij zag aan de glinstering in de ogen van zijn zussen dat ze enorm genoten hadden. Ergens voelde hij spijt dat hij ook niet mee had kunnen gaan. Het leek hem heel leuk om in die glimmende auto te zitten, veel leuker dan altijd maar onder te duiken bij het minste gerucht. Maar toen zag hij Nelis zitten die al net zoals de anderen met grote belangstelling zat te luisteren en besefte hij dat hij niet mocht mopperen.

'Weten jullie al dat Nelis hier mag blijven?' vroeg hij dan ook toen er een kleine stilte viel.

Paulien keek Nelis even aan. Hij glunderde. Daarna keek ze naar Betty en Florent.

'Nou ja, ik kan hem nu toch niet terug laten gaan?' verduidelijkte Betty grinnikend. 'Na al die dagen is zijn baan in de haven zeker al ingevuld en Mattijs zal hem veel te erg missen als hij weer weg moet gaan. Hier komt hij beter van pas. Hij kan ons met de moestuin, de geiten en met allerhande klussen helpen. Nu onze eigen jongens werk hebben, komt alles op ons neer en is zijn hulp meer dan welkom. Hij vindt het niet erg om voor kost en inwoning hier zijn handen uit de mouwen te steken en wij vinden het leuk om hem hier te hebben, dus is dat een goede overeenkomst.'

Paulien begreep maar al te goed waarom Betty en Florent hem lieten blijven. Ze wilden Nelis nog enkele jaren van een warm thuis laten genieten en Mattijs een vriend geven waardoor hij zijn eenzaamheid wat kon verdrijven. Ze wisten en zagen hoe gelukkig Nelis zich hier voelde en konden het niet over hun hart verkrijgen om de jongen terug te sturen. Ze keek Betty en Florent dan ook dankbaar aan, haar liefde voor hen was haast te groot om het met woorden te beschrijven. Zonder deze mensen zouden ze alle vier doodongelukkig geweest zijn, weggeteerd in een weeshuis, afgesloten van elke affectie, eenzaam en verlaten. Zij hadden ervoor gezorgd dat ze een thuishaven hadden, liefde, werk, toekomst, en vooral dat ze iemand hadden waar ze terechtkonden, familie. Ze stonden niet langer alleen in de wereld. In een impuls stond ze op en ze sloeg haar armen rond Betty's nek. 'Dank je, Betty,' zei ze met betraande ogen van dankbaarheid. 'Dank je. Niet alleen voor Nelis, maar voor alles wat jij en Florent voor ons hebben gedaan. Dat is met geen geld te vergoeden.'

HOOFDSTUK 20

Het was een aangename, zomerse zondagmiddag en ze zaten met zijn allen buiten op de bank voor het huis om van de warmte en de gezelligheid te genieten, toen ze in de verte een auto over het karrenspoor naar hen toe zagen komen, een wolk zand en stof in zijn kielzog. Peter keek Paulien even schalks aan. 'Volgens mij heeft David een oogje op je, Paulien. Tegenwoordig is hij hier amper weg te slaan.'

Paulien keek naar de zwarte, groeiende stip in de verte en de wolk die erachter hing. Af en toe verdween het voertuig even achter de begroeiing van braamstruiken en knotwilgen die het pad omzoomden. Peter had gelijk. Hij kwam de laatste weken te pas en te onpas, maar ze moest eerlijk toegeven dat ze wel blij was met zijn aandacht, met zijn vriendelijkheid en zijn attentie. Al had ze nu wel gehoopt dat hij de gezelligheid van deze vrije zondagmiddag niet zou verstoren.

Mattijs trok een vies gezicht. Het viel hem de laatste tijd steeds moeilijker om zich te verstoppen. Hij bleef liever hier om naar de grappen en leuke verhalen van Quinten en Walter te luisteren, hij wou buiten de zon op zijn huid voelen, mensen ontmoeten, de lucht inademen en zijn jonge benen strekken. En in tegenstelling tot Paulien en Nell zag hij David helemaal niet zitten. Tegenwoordig moest hij haast om de paar dagen de ladder op en zich een aantal uren gedeisd houden. Hij had echter niet verwacht dat hij ook op zondag langs zou komen. Nu kwam David deze bijzondere dag ook nog verstoren. Bah! Toch ging hij zonder een woord te zeggen naar binnen en verdween hij weldra uit het zicht van de openstaande deur.

Paulien had het ongenoegen op zijn gezicht duidelijk gezien en ze zuchtte diep. Ze besefte dat David hier de oorzaak van was en ze voelde zich schuldig. Ze moest toegeven dat ze blij was dat hij haar het hof maakte. David was lief voor haar, hij had oog voor haar zaak en had haar al zo vaak geholpen, maar ze was bang om op zijn avances in te gaan. Ze was duidelijk geen partij voor hem en ze besefte maar al te goed wat hun relatie bij de baron en barones teweeg zou brengen. O, hij zou hen trotseren, daar was ze van overtuigd, en met hem zou ze aan geld geen gebrek meer hebben, maar wilde ze dat? Kon ze dat aan? Ze was ook bang dat ze hem op deze manier van zijn eigen familie af zou trekken en dat wou ze zeker niet. Ze vroeg zich af of ze wel genoeg van hem hield om dat allemaal te overwinnen. Ze schudde in gedachte haar hoofd. Nee, zo voelde het niet. Ze mocht hem graag en ze voelde ook een grote vriendschap voor hem, maar hij bezorgde haar geen vlinders, hij beroerde haar niet diep genoeg om van echte liefde te kunnen spreken. Ze besefte heel goed hoe dat kwam. Ze had altijd naar een warm nest gehunkerd, naar een hechte familie, naar een onbegrensde liefde voor haar naasten, en ze was bang dat ze dat bij Davids familie niet zou vinden. Ze hoopte echter dat het beter zou worden, dat hij in staat was om haar angst weg te nemen. Maar zo lang haar relatie geen zekerheid bood, kon ze hem niet op de hoogte brengen van hun geheim en moest Mattijs zich voor hem verstoppen.

Walters woorden haalde haar uit haar gedachten.

'Hé, dat is de auto van de baron niet,' hoorde ze hem zeggen. 'Zo te zien is het een Bugatti en geen Daimler.' Ze keek, net zoals iedereen, nieuwsgierig naar het dichterbij komende, hobbelende voertuig. Toen de Bugatti met open dak eindelijk op het erf stopte en de stofwolk over de inzittenden heen was gerold en in het niets verdween, slaakte Betty een korte, verheugde kreet. 'Elias!'

Elias glunderde toen hij uitstapte en zijn voltallige familie voor de deur aantrof. Maar hij was niet alleen. Hij stak zijn hand uit om een bevallige, jonge vrouw te helpen bij het uitstappen. Elias nam de jonge vrouw met zich mee tot voor zijn moeder. 'Dit is Liesbeth van Gompel, moeder,' zei hij vrolijk. 'Zij is de beste secretaresse van de hele wereld en dat daar...' hij knikte even met zijn hoofd naar de Bugatti, '... is mijn auto. Gemonteerd en hersteld met verschillende onderdelen en afgewerkt in mijn vrije uurtjes. Dit is mijn eerste lange proefrit en Liesbeth was zo vriendelijk om me te vergezellen.' Hij glimlachte even warm naar haar.

Quinten, Walter, Peter, Nelis en zelfs Florent werden als een magneet door de auto aangetrokken. Ze keurden het voertuig aan alle kanten. Hier en daar steeg een prijzend gemompel op. Elke jongeman droomde van een auto, van de status en het gemak, maar voor de meesten was het een utopie, bleef het een droom die nooit in vervullig kon gaan. Ze streken voorzichtig met hun vingers over de rode, glanzende carrosserie, spiegelden zich in het blinkende koetswerk, staarden met veel interesse naar het interieur en overstelpten Elias met hun vragen. Toen de laatste de motorkap opende, waren de mannen helemaal niet meer van het voertuig weg te slaan.

Betty grinnikte: 'Nou, dan zullen wij vrouwen elkaar maar gezelschap houden.' Ze keek even met een twijfelende glimlach naar Liesbeth, maar ze hernam zich al vlug. 'Ga alsjeblieft toch even zitten, Liesbeth,' zei ze vriendelijk. 'Ik ga direct wat water opzetten voor een kopje thee. Daar zul je wel aan toe zijn. En als Florent van die auto weg te slaan is, dan zal hij wel een borreltje inschenken voor de mannen.' Ze keek even met een warme blik naar Elias die tussen de andere mannen enthousiast met zijn handen gesticuleerde en vervolgde: 'Het feit dat Elias weer even bij ons is, moet natuurlijk gevierd worden.'

'Blijf maar gezellig zitten, Betty. Ik zal wel voor de thee zorgen.' Paulien stond al op voordat Betty kon reageren. Toen ze gezien had dat Elias de jonge vrouw hielp uitstappen, kon ze niet voorkomen dat een wrang gevoel zich van haar meester maakte. Maar ze had zich vlug hersteld. Ze had immers het recht niet om hem iets kwalijk te nemen. Vlug ging ze het huis binnen. Ze zette een ketel water op en klom toen de ladder op om Mattijs op de hoogte te brengen van het bezoek. Hij baalde toen hij hoorde dat Elias niet alleen was. Nu moest hij al die tijd weer in zijn eentje boven blijven.

Toen ze weer beneden kwam, trof ze Betty in de woonkamer aan, waar ze haar beste servies uit de kast haalde. 'Hier, Paulien, neem deze kopjes maar. We kunnen onze gaste toch niet uit een oude mok laten drinken?' Paulien knikte en ging met de kopjes naar buiten. Ze zag nog net dat Elias iets in het oor van Liesbeth fluisterde, waardoor deze begon te lachen. Een hartelijke, heldere lach. Zo te zien konden ze het uitstekend met elkaar vinden. Ze voelde een steek van jaloezie door zich heen gaan. Toen even later de mannen zich eindelijk uit het magnetische veld konden bevrijden, zaten ze met zijn allen gezellig bij elkaar. De mannen met een borreltje en de vrouwen met een kopje thee. Liesbeths parelende lach weerklonk meer dan eens toen Peter en Walter enkele grappige jeugdherinneringen bovenhaalden en

Elias op een voetstuk plaatsten. Het was duidelijk dat de broers dat meisje wel zagen zitten.

Maar lang kon het bezoek niet blijven. Elias omhelsde zijn moeder warm en nam afscheid van zijn vader en broers. Hij gaf Nell een klinkende zoen op haar wang en bleef ten slotte voor Paulien staan. Ze zag dat zijn adamsappel even op en neer ging. Zijn blauwe ogen keken haar onderzoekend aan. 'Ik heb van Walter gehoord dat David je het hof maakt,' zei hij zacht. Hij wachtte niet op antwoord, maar ging dadelijk verder: 'Nou, ik hoop dat je gelukkig met hem zult worden, Paulien. Dat wens ik je van harte. En groet Mattijs even van me.' Hij glimlachte gemaakt, draaide zich daarna bruusk om en stapte in zijn auto. Liesbeth had al naast hem plaatsgenomen. Ze sloeg een sjaaltje om haar hoofd om haar kapsel tegen de wind te beschermen. Daarna lachte ze bevallig en stak haar hand op als groet. Elias draaide de Bugatti en even later werd het voertuig steeds kleiner, af en toe volledig verdwenen achter de nimmer aflatende stofwolk.

Het bezoek van Elias en Liesbeth was voor de rest van de namiddag het gespreksonderwerp. Ze waren ervan overtuigd dat Elias met die jonge vrouw verloofd was. Anders had hij haar toch niet voorgesteld? Maar Betty had zo haar twijfels. Ze zei er niets over, liet de mannen maar praten, maar iets in haar zei dat het niet zo was. Even later ging het gesprek over auto's en motoren. Al vlug gingen de vrouwen naar binnen. Ze konden beter aan het avondeten beginnen dan naar al die onbekende woorden en begrippen van mechanische toestanden te luisteren.

'Nu weet je waarom ik zo blij ben met een paar andere vrouwen in huis,' lachte Betty terwijl ze het brood uit de kast nam en het begon te snijden. 'Nu kan ik tenminste ook eens over vrouwenzaken praten.'

Paulien reageerde niet. Ze dekte de tafel in stilte, terwijl haar gedachten bij Elias waren. Ze hoopte dat hij gelukkig zou worden met Liesbeth, maar het gaf haar geen goed gevoel. Ze zuchtte diep. Misschien moest ze toch wat meer moeite doen om David tegemoet te komen. Misschien remde ze zichzelf te veel, had ze zich nooit voldoende opengesteld voor zijn gevoelens. Hij gaf om haar en hij was goed voor Nell. Natuurlijk waren de baron en de barones er nog met hun onvermijdelijke tegenstand, maar ze zouden hun eigen leven kunnen leiden, hun eigen weg gaan, hun eigen familie kunnen vormen. Het was niet helemaal zoals ze gehoopt had, maar bij wie was dat wel? Ze moest zich openstellen, haar hart een kans geven om David lief te hebben. Ze kon hem toch niet eeuwig laten wachten? Bovendien kon ze Elias dan eindelijk van zich af zetten... Dat hoopte ze tenminste.

HOOFDSTUK 21

Drie dagen later kwam de Daimler van de baron het erf op gereden. De zon had zich verstopt achter dikke grijze wolken en de temperatuur was behoorlijk gedaald. Het mooie zomerweer van de laatste dagen had plaatsgemaakt voor regenbuien en windvlagen die het land teisterden. Maar David leek er geen hinder van te hebben. Met een brede glimlach liep hij naar het huis, opende de deur en stak zijn hoofd naar binnen. 'Goed volk,' riep hij luid.

Toen alleen het tikken van de klok op de kast hem tegemoetkwam, deed hij geen moeite meer om nog eens te roepen. Hij sloot de deur en liep door de regen naar de schuur. De plaats waar de geiten stonden was leeg en hij zag dat er vers stro was gestrooid. Aan de andere kant hoorde hij, door de houten wand heen, de naaimachines ratelen, af en toe onderbroken door een vrolijke vrouwenstem. Een fabriek in een geitenstal. Hij schudde zijn hoofd bij de absurditeit van deze toestand. Maar dat zou nu niet lang meer duren. Als zijn intuïtie hem niet in de steek liet, en dat was nog nooit gebeurd als het op zaken aankwam, dan zou Paulien al vlug uit moeten kijken naar een grotere ruimte.

Toen hij op de deur van het atelier klopte en naar binnen ging, viel het ratelen even stil. Maar hij liet zich niet afschrikken door vijf paar vrouwenogen die plots op hem gericht waren. Hij zocht Paulien en toen hij haar bij Berthe zag staan met een half afgemaakte jurk in haar handen, stormde hij zonder aarzelen op haar af, nam haar lachend in zijn armen en zwierde haar in het rond.

'Pas op,' gilde Paulien ontzet. 'De jurk zit vol met spelden.' Hij zette haar nog steeds lachend neer en schudde zijn hoofd. 'Dat geeft niet, Paulien. Ik kan wel tegen een paar prikken. Zeker nu ik jou...' hij keek even om zich heen en verbeterde zichzelf. '...nu ik júllie heel goed nieuws kom brengen. Madame Verviers heeft namelijk al de kleding verkocht en ze wil graag dat jullie zo vlug mogelijk nieuwe leveren. Kijk eens!' Hij haalde een stapeltje biljetten uit zijn binnenzak. 'Het begin van een groot kapitaal.'

Pauliens ogen begonnen te stralen. 'Bedoel je dat mijn ontwerpen aanslaan? Dat de mensen ze mooi genoeg vinden om ze te kopen?'

'Meer dan dat, Paulien. Volgens madame Verviers vlógen ze de deur uit. Vooral jonge vrouwen lijken het prachtig te vinden om dadelijk met hun aankoop te kunnen pronken. Het was een schot in de roos, Paulien, een voltreffer. Wacht even.' Zonder verdere uitleg liet hij hen alleen en kwam een paar minuten laten weer binnen met een dikke rol stof. 'Wat denken jullie hiervan?' Hij rolde een deel ervan af.

'Het voelt haast zoals zijde, zo zacht en fijn,' zei Paulien. Berthe, Nell en Sarah knikten terwijl ze de stof tussen hun vingers bevoelden.

Betty bekeek de rol kritisch. 'Dat moet zeker een fortuin gekost hebben!' zei ze argwanend.

David grinnikte. 'Dit hier, dames, is een synthetische stof, iets volkomen nieuws, een revolutie, een openbaring en bovendien – hij keek met een veelbetekenende blik naar Betty – spotgoedkoop. Ik heb tien van deze rollen bij me, elk met een ander motief. Meer gingen er niet in de auto. Maar ik weet zeker dat jullie daar wel even zoet mee zullen zijn.

Madame Verviers wil het driedubbele van vorige keer, Paulien. En zo vlug mogelijk. Bovendien verwacht ik binnen afzienbare tijd nog meer belangstelling en bestellingen. Als de verkoop zo blijft toenemen, dan ben ik er zeker van dat verschillende handelaars zich uitsluitend met dit soort kleding willen bezighouden. Ik ben al aan het denken om een of ander gebouw te huren waar ik zelf een grote winkel kan beginnen. Maar dat zijn zorgen voor later. Nu stel ik voor om nog een aantal naaimachines aan te schaffen en enkele extra werkkrachten aan te nemen.'

Het duizelde Paulien. Het ging allemaal zo vlug. Ze had nooit verwacht dat alles in een stroomversnelling terecht zou komen. Ze was bang geweest dat het zou mislukken, dat de verkoop daar net zo goed op een fiasco zou uitlopen. Maar Davids woorden maakten haar dolgelukkig. Zonder na te denken sloeg ze haar armen om zijn hals. 'O, wat heerlijk, David.'

David zei niets terug. Hij genoot van haar aanraking, van haar lichaam tegen het zijne. Hij had al dikwijls het gevoel gehad dat ze de boot af hield, dat ze probeerde te voorkomen dat hij verderging, dat ze niet méér wilde dan zijn vriendschap. Het feit dat ze hem nu spontaan omhelsde, gaf hem hoop. Die hoop werd nog vergroot toen hij van madame Verviers te horen had gekregen hoe Pauliens creaties de deur uit vlogen. Zijn zakentalent had hem opnieuw niet in de steek gelaten. Paulien zou het gaan maken, daar was hij nu helemaal van overtuigd. Niets zou haar nog in de weg staan om een groot fortuin te vergaren en om een machtige vrouw te worden. Vooral dat laatste maakte dat hij haar nog meer begeerde. En het feit dat ze jong en knap was natuurlijk. Paulien had alles mee en hij was ervan overtuigd dat ze zelfs zijn familie schaakmat zou zetten wanneer ze eenmaal de top had bereikt.

Maar Paulien ervoer het niet zo. O, ze was inderdaad dolblij, maar dat had niets met haar gevoelens voor David te maken. Zijn omhelzing had haar geen warmte, geen diepe beroering, geen tinteling op haar huid gegeven, en was dat niet altijd haar hoogste doel geweest? Om enkel en alleen te trouwen met iemand die ze met heel haar hart liefhad?

Met een schok realiseerde ze zich dat de geschiedenis zich herhaalde. Haar moeder had immers ook de kans gehad om met een rijke aristocraat te trouwen, maar ze koos voor haar grote liefde. En ze was heel gelukkig geweest met haar vader, daar twijfelde ze niet aan, maar haar keuze had haar ook heel verdrietig gemaakt omdat ze daardoor door haar familie werd verstoten.

Paulien hoefde echter geen keuze te maken. Zij had immers niemand anders. Bovendien droeg David haar op handen, daar was ze van overtuigd, en hij zou haar de vrijheid geven die ze nodig had. Ook het feit dat hij Nell en Mattijs zou moeten aanvaarden, leek haar geen probleem. Waarom was ze dan niet in staat om van hem te houden? O, ze mocht hem wel. Hij was zelfs méér dan een goede vriend. Misschien vroeg het tijd, moest hun vriendschap groeien. De twijfel baarde haar echter zorgen. Ze mocht David niet langer aan het lijntje houden. Ze moest hem haar liefde betuigen óf hem duidelijk maken dat ze zo niet langer kon verdergaan.

's Avonds keek Paulien over de landerijen terwijl ze weer over dit alles nadacht. Het was nu eindelijk gestopt met regenen en hier en daar verscheen een opening tussen de zware grijze wolken. Een waterige avondzon brak door en legde een roze gloed op de plassen.

'Je lijkt me zo ernstig, Paulien?' Nells stem trok haar terug naar de werkelijkheid. Het meisje ging naast haar staan en keek in dezelfde richting als haar zus. 'Ik snap niet wat er zo boeiend kan zijn aan een verdronken landschap.'

Paulien keek haar glimlachend aan. 'Ik profiteer van een droog moment om even van de buitenlucht te genieten, Nell. Maar ik moet je eerlijk bekennen dat Davids woorden me in verwarring hebben gebracht. Het is heerlijk dat alles zo goed loopt, maar het maakt me ook een beetje bang. Het komt allemaal zo ineens op me af, snap je wel?'

Nell knikte begrijpend. 'Daar kan ik best inkomen, zus. Er is vandaag zo veel gezegd en gebeurd dat het lijkt alsof deze dag twee keer zo lang duurde. Tjonge, wie had dat nu kunnen denken? David ziet uitbreiding wel zitten en bovendien ziet hij ook nog iets anders zitten.' Ze keek haar zus even met pretlichtjes in haar ogen aan. 'Hij mag je echt graag, daar ben ik van overtuigd, en ik vind hem nog leuk op de koop toe. O, ik ben zo blij voor je, Paulien. Nu zijn al onze zorgen voorbij, is het niet?'

Paulien keek beschroomd van haar weg. Kon ze haar zusje teleurstellen? 'Misschien wel,' begon ze voorzichtig. 'Al is het nog veel te vroeg om van een verloving te spreken, Nell.'

'O, dat komt vanzelf,' grinnikte het kind terwijl ze met hinkelende passen weer naar het huis toe ging, behendig de plassen ontwijkend.

Paulien keek haar even na en wou dat ze de kinderlijke onschuld van haar zus bezat. Dan was alles veel gemakkelijker geweest. Nu trok de onzekerheid aan haar, woedde de tweestrijd, balde haar verantwoordelijkheid samen tot een grote bal, een soort kluwen in haar binnenste waar aan ze niet kon ontsnappen.

Deze gevoelens werden alleen maar intenser naarmate de dagen elkaar opvolgden. Het maakte haar stil en gesloten. Betty kende haar goed genoeg om te weten dat er iets scheelde. Ze had een paar dagen afgewacht om Paulien de kans te geven om met zichzelf in het reine te komen, maar toen het niet leek te beteren, greep ze haar kans op een avond toen Paulien en zij samen in de bijkeuken stonden af te wassen. Op andere dagen zou Nell hen helpen, maar ze was op dit ogenblik met Quinten, Nelis en Mattijs mee om de geiten op te halen die in de beemd stonden te grazen. Nadien moesten ze nog gemolken worden, dus bleven de jonge mensen nog wel even weg. Betty vond het niet erg, ze had er zelfs op aangestuurd dat die vier onbekommerd van de avond konden genieten. Zo had ze de tijd om even met Paulien te praten zonder gestoord te worden. Florent zat, samen met zijn twee middelste zonen, buiten wat bij te praten. Deze juniavond was zacht en aangenaam. Hun stemmen waren soms als gemurmel tot in de bijkeuken te horen.

Ze schraapte even haar keel terwijl ze een bord in de gootsteen schrobde. 'Je bent de laatste tijd zo afwezig, Paulien,' begon ze zacht, 'Is er iets?'

Paulien keek haar even geschrokken aan. 'O, het was niet mijn bedoeling om je ongerust te maken, Betty.'

Betty keek nu even op en glimlachte. 'Natuurlijk maak ik me ongerust over je. Ik geef om je, en het doet me pijn om je ongelukkig te zien. Maar ik kan er best in komen dat jij je zorgen maakt. Het komt door David, niet? Hij is nu eenmaal de zoon van de baron en van de barones en ik kan me voorstellen dat zij iemand anders voor hun zoon in gedachten hadden. Bovendien leven zij in een heel andere wereld. Het zal niet gemakkelijk worden, meisje, maar ik weet zeker dat alles wel in orde komt zo lang jullie maar voldoende van elkaar houden. Liefde overwint nu eenmaal alles.'

Paulien keek haar even aarzelend aan. Ze wist dat Betty om haar gaf, ze was als een moeder voor haar. En niet alleen voor haar. Betty bezat een groot hart en een gave om iedereen erin te stoppen die ze onder haar vleugels nam. Ze liet haar hoofd verslagen hangen. Ze kon niet langer zwijgen, ze moest het aan iémand kwijt.

'Ik denk wel dat hij voldoende van me houdt om zijn ouders daarvan te overtuigen,' zei ze zacht. 'Maar ik vrees dat ik zelf niet...' Ze keek Betty nu wanhopig aan. 'Ik hou niet van hem, Betty. Ik mag hem graag, maar ik kan me moeilijk voorstellen dat ik met hem moet samenleven. Ik... ik heb er lang over nagedacht. Ik dacht dat het misschien moest groeien, dat ik het een kans moest geven, dat ik dolgelukkig moest zijn omdat iemand zoals David mij verkoos. Ik zou me geen zorgen meer hoeven te maken en ook Nell en Mattijs zullen dan gelukkig zijn.' Ze glimlachte even wrang. 'Zeker Mattijs. Als ik David deelgenoot maak van ons geheim, dan hoeft hij zich niet langer meer te verbergen. Ach, het zou niets dan goeds opleveren en toch... toch...'

Betty had tot hiertoe stilzwijgend geluisterd. Nu vroeg ze echter zacht: 'Is er dan iemand anders in je leven?'

Paulien liet haar hoofd zakken. Ze aarzelde. Moest ze haar de waarheid zeggen? Ze knikte ten slotte amper merkbaar. 'Maar het heeft geen zin, Betty. Hij heeft al iemand anders en ik denk niet dat hij mijn gevoelens ooit gedeeld heeft.'

'Het is Elias, niet?'

Paulien keek met een schok op. 'Hoe weet je dat?'

'Een moeder ziet veel zonder dat er woorden voor nodig zijn, Paulien. Gezichten kunnen boekdelen spreken en ogen zijn de spiegels van emoties. Je vergist je echter wanneer je denkt dat hij niet om je geeft.'

'Als een zus. Maar ik wou dat het dieper ging.'

'Het zou me sterk verbazen als hij je als zijn zus beschouwt.'

Paulien keek haar nu verbaasd aan. 'Maar waarom heeft hij me dat dan nooit eerder laten merken?'

Betty haalde licht haar schouders op. 'Dat weet ik niet, kind. Misschien vond hij de tijd nog niet rijp en was het nadien te laat om het je te zeggen.'

Paulien boog haar hoofd nog dieper. 'Nu is het zéker te laat.'

'Dat weet ik nog zo net niet.'

'Hij heeft een vriendin, Betty. Je hebt toch gezien hoe hij naar haar keek.'

'Daarom juist, meisje. Kijk...' Ze aarzelde even alsof ze haar woorden wikte en woog voor ze uit te spreken. 'Het feit dat je David afwijst wil zeggen dat je liefde voor Elias groot genoeg is om een confrontatie aan te gaan. Waarom zou jij je kans niet wagen, Paulien? Mijn zoon houdt van je of heeft in ieder geval van je gehouden, daar twijfel ik niet aan. Waarom ga je niet naar hem toe en zeg je hem wat er op je hart ligt? Pas dan zul je verder kunnen met je leven. Zolang je niet zeker bent, zul je je hart niet kunnen openstellen voor een andere liefde.'

Paulien keek haar een ogenblik sprakeloos aan. 'Naar... hem toe gaan?' hakkelde ze ten slotte.

'Ja, confronteer hem. Zet hem voor een voldongen feit zodat hij niet anders kan dan je de waarheid vertellen. Jij hebt net zo veel recht om zijn hart te veroveren als Liesbeth. En stel het niet uit, Paulien. Neem de tram en zoek hem op, zeg hem wat je voor hem voelt. Blijf niet zitten met gekwelde gevoelens, dat levert alleen maar frustraties op. Je moet verder met je leven, meisje, ongeacht Elias' antwoord.'

Het bleef een ogenblik stil, maar ten slotte knikte Paulien. Betty had gelijk. Ze zou Elias nooit uit haar hart kunnen zetten als ze er niet met hem over gesproken had. Ze moest met zekerheid weten dat hij helemaal niets meer voor haar voelde. Dan pas kon ze dit hoofdstuk afsluiten en haar hart openstellen voor een nieuwe liefde. Maar deze eventuele nieuwe liefde was niet voor David weggelegd, dat wist ze nu zeker.

'Ik... ik moet eerst met David praten, Betty. Ik mag hem geen hoop geven op een toekomst die ik niet wil realiseren. Hij moet weten dat ik niet van hem hou, maar ik ben bang dat hij me dan ook niet meer wil helpen met het naaiatelier. O, het is zo ondankbaar van me. Hij heeft zo veel voor me gedaan en nu laat ik hem in de steek.'

'Je bent juist eerlijk tegen hem, en dat siert je. Bovendien kom je er wel, ook zonder zijn hulp, daar ben ik van overtuigd. Je hebt het toch ook voor elkaar gekregen dat jullie met zijn drieën samen zijn? Nou dan.'

Paulien keek haar dankbaar aan. 'Dat is allemaal dankzij jou en Florent, Betty. Zonder jullie hulp was ik nergens.'

'Het is vooral dankzij jouw volhardendheid, meisje. Zonder die innerlijke kracht van je hadden wij je niet kunnen helpen. Het zal dan ook die kracht zijn die je zal helpen om je toekomst op te bouwen. Als David echt om je geeft, dan zal hij dat begrijpen.'

Paulien wachtte niet tot David haar zou komen opzoeken, maar ging zelf naar het kasteel, waar ze aanbelde en aan de oudere, streng ogende huishoudster vroeg om David te spreken.

De oudere vrouw bekeek haar kritisch. Ze zag een jonge vrouw, goed gekleed met haar haar hoog opgestoken en met een gedistigneerde houding. In haar ogen te voornaam om zonder meer weg te sturen. 'Word je door jongeheer David verwacht?' vroeg ze dan ook.

Paulien aarzelde even, maar knikte toen. Ze kon beter zeggen van wel. Ze hoopte dat hij wat tijd kon vrijmaken als hij wist wie er op hem wachtte. 'Ja, jongeheer David verwacht me. Mijn naam is Paulien Pauwels,' zei ze met een strak gezicht. De vrouw knikte, liet haar in de hal wachten en verdween door een dubbele deur aan haar linkerzijde.

Dat gaf Paulien de gelegenheid om even om zich heen te kijken en alle pracht en praal in zich op te nemen. Ze zag de statige, brede trap die zich bovenaan in tweeën splitste en verder naar boven liep, de prachtige, in bas-reliëf uitgestoken balustrade, de gebeeldhouwde arenden met uitgestrekte vleugels aan weerszijden van de trap, de met goud omrande kaders van de grote schilderijen die de wanden sierden, de met rode ribfluweel gecapitonneerde bank tegen de muur, de immense kroonluchter van flonkerend kristal, alles baadde in een luxe die ze helemaal niet gewoon was, maar die ze met alle plezier gewoon wilde worden als ze van David kon houden. Nu boezemde het haar alleen maar angst in en ze vroeg zich af hoe ze in hemelsnaam had kunnen denken dat de baron en de barones haar ooit zouden toelaten om als simpele ziel van de bourgeoisie in hun wereld binnen te dringen. Erger nog: om hun enige zoon weg te kapen. Het drong nu pas goed tot haar door welke obstakels ze hadden moeten overwinnen als hun liefde wederkerig was.

Langer kreeg ze echter niet om te piekeren, want de deur ging weer open en David liep met uitgestoken handen op haar af. 'Paulien? Ik had je hier niet verwacht. Is er iets aan de hand?'

Paulien schudde haar hoofd en knikte tegelijkertijd. 'Ik... ik wil even met je praten, David.'

Hij zag op haar gezicht dat het ernstig was. 'Laten we buiten in het park een wandeling maken, Paulien. Daar worden we zeker niet gestoord,' zei hij meteen.

Ze knikte opgelucht. Ze was blij dat ze hier weg kon. Ze liepen stilzwijgend over een zonovergoten pad langs het grasperk en de rozenperken, waar de geur van rozen hen vergezelde tot ze de bank bij de fontein bereikten en daarop plaatsnamen. Paulien keek even naar de bemoste, half ontblote jonge vrouw die een kruik in haar handen had waaruit het water klaterend de vijver in liep. Daarna keek ze hem aan, haar blik ernstig en met een droevig waas.

'Ik moet met je praten over onze relatie, David,' begon ze haast fluisterend.

Hij nam haar hand in de zijne terwijl hij met een vinger over de rug ervan streek. 'Ik denk dat ik al weet waar je naartoe wilt,

Paulien,' antwoordde hij al even zacht. 'Het feit dat je me op afstand hield, zei me meer dan genoeg. Het verbaast me, dat moet ik toegeven. Ik ben ervan overtuigd dat ieder ander van deze situatie geprofiteerd zou hebben. Heeft mijn status je afgeschrikt?' Ze schudde haar hoofd. 'Nee, David. Ik zou de confrontatie met je ouders en de hele aristocratische wereld met opgeheven hoofd tegemoet gaan als mijn liefde voor je groot genoeg was.'

'Maar je houdt niet genoeg van me?'

Ze schudde haast onmerkbaar haar hoofd. 'Het spijt me, David,' zei ze op wanhopige toon. 'Ik mag je heel graag als vriend, maar ik kan het niet opbrengen om van je te houden.'

David bekeek haar kritisch. Hij zag haar mooie gezicht, haar bleke huid, de droefheid in haar bruine ogen. Hij besefte maar al te goed dat hij haar kwijt was, dat het geen zin had om aan te dringen. Hij kende Paulien goed genoeg om te weten dat zij geen loze woorden uitte en dat dit een definitieve beslissing was. Het rare was dat de pijn in zijn binnenste nogal meeviel. Het feit dat Paulien hem afwees, liet hem niet onberoerd, maar het was vooral zijn trots die gekrenkt werd, zijn eer. Hij die in staat was om iedere vrouw om zijn vinger te winden, werd afgewezen door een eenvoudig, maar – en dat moest hij beslist toegeven – verstandig dorpsmeisje.

Hij had gedacht dat hij daardoor zijn moeder het tegendeel kon bewijzen. Dat hij niet zo nodig een aristocratische vrouw hoefde te huwen om het kapitaal binnen zijn familie te vergroten. Met Paulien was hij ervan overtuigd geweest dat het geld zou binnenstromen en dat zijn ouders hun standpunten moesten herzien. Had hij zich daarop gefixeerd? Had hij zijn liefde daardoor laten leiden? Hij geloofde echter nog altijd in haar zaak. Hij rook de winst ervan, het kapitaal dat het ging opbrengen. Hij had Pauliens creatieve gave nodig, haar handige handen en haar aanpak om mensen samen te laten werken, om productief te zijn. Dat kon en mocht hij niet laten schieten.

'Ik vind het verschrikkelijk spijtig dat ik je liefde niet voor me kan winnen, Paulien. Maar ik ben blij dat ik me nog altijd als je vriend mag beschouwen. Ik zou het spijtig vinden als ik me als vennoot uit je naaiatelier zou moeten terugtrekken.'

Paulien keek hem verbaasd aan. 'Wil dat zeggen dat je me nog altijd wilt helpen?'

'Natuurlijk, waarom niet? Het feit dat onze gevoelens niet overeenkomen, mag onze zakelijke relatie niet in de weg staan.'
Paulien voelde en enorme dankbaarheid in zich opwellen. Zonder Davids hulp zou ze niet kunnen groeien. Hij had bepaalde relaties en connecties die nodig waren om een transactie aan te gaan. Hij kende het zakenleven en wist de valkuilen te ontwijken en de risico's tot een minimum te beperken. Ze vulden elkaar perfect aan en dat voelden ze.
'Dank je, David,' zei ze dan ook gemeend. Ze keek hem heel intens aan. Op dit moment zou ze bijna verliefd op hem kunnen worden, maar toen besefte ze dat dit geen liefde was, het was gewoon blijdschap, een oprechte vreugde, een positieve impuls. Langzaam boog ze haar hoofd naar hem toe en drukte een kus op zijn wang. 'Op onze vriendschap,' fluisterde ze zacht.

HOOFDSTUK 22

Paulien stond op de kasseiweg en staarde naar de twee grote loodsen voor haar. Witte, pluizige wolken dreven daarboven en werden door een stevige bries verder geblazen om plaats te maken voor andere. Hier en daar verscheen een stukje blauw waar de zon door de wolken brak en de kleuren opfriste, het roze van het vingerhoedskruid op de beemden, de witte toetsen van kamille, het groen van het gras.

Het ijzeren geraamte van een van de loodsen was vrij nieuw en weerkaatste het licht van de zon. De dubbele schuifdeur ervan stond half open en ze probeerde met een nieuwsgierige blik vanaf de weg naar binnen te kijken. Het was er echter behoorlijk donker binnen en ze kon met veel moeite de voorkant van grote voertuigen onderscheiden. Het harde geluid van bonzen op metaal en het schreeuwen van geschuurde platen, werd als een aaneenschakeling van geluidsgolven door de openstaande deur uitgebraakt. Voor en naast de loodsen stonden oude legervoertuigen, chassis, wielen, koetswerk en motoronderdelen op en naast elkaar gestapeld.

Ze aarzelde en wist niet goed wat ze moest doen. Ze was bang voor een confrontatie. Ze was bang dat ze met een gebroken hart terug moest gaan. Maar aan de andere kant was ze zich bewust van het feit dat ze hem móést spreken, dat ze niet terug kon gaan zonder dat ze zeker was van zijn gevoelens. Ze haalde ten slotte diep adem en liep langzaam naar de loodsen toe.

Voordat ze bij de openstaande deur gekomen was, zag ze een vrouw naar buiten komen. Het leek wel een zonnestraal die uit de duisternis priemde. Paulien herkende haar dadelijk en ook Liesbeth herkende haar na een ogenblik aarzelen. Liesbeth zag er fris en knap uit. Ze droeg haar blonde haar nu in een staartje en had zich een beetje opgemaakt met een vleugje rode lipstick. Ze droeg een helgele, strakke rok met een witte bloes erboven en bewoog zich zelfverzekerd toen ze met een brede glimlach naar Paulien toe kwam. De papieren in haar hand lieten zien dat ze aan het werk was.

'Paulien was het, niet?' vroeg ze vriendelijk. 'Ik had je hier niet verwacht.' Ze riep tamelijk luid om boven het lawaai uit te komen. 'Wat kom je hier doen?'

Pauliens twijfel groeide. Kon ze het geluk van deze vrouw verstoren? Maar toen realiseerde ze zich dat ze helemaal niets wilde verstoren, ze moest enkel weten waar ze stond en wat ze kon verwachten voordat ze verderging met haar leven. Als Elias van Liesbeth hield, dan zou ze zijn keuze respecteren. Het zou haar pijn doen, dat was zeker, maar ze zou ook blij zijn om te weten dat hij gelukkig met haar was.

'Ik zou Elias graag even willen spreken,' zei ze ten slotte.

Liesbeth sloeg haar vrije hand voor haar mond en keek Paulien verschrikt aan. 'Er is toch niets gebeurd met iemand van zijn familie?'

'Nee, nee.' Paulien wuifde haar bezorgdheid meteen weg. 'Alles is goed. Iedereen maakt het opperbest.'

'Mag ik vragen waarom je hem dan wilt spreken?' Toen ze zag dat Paulien even besluiteloos zweeg, vervolgde ze: 'Nou ja, dat zijn natuurlijk mijn zaken niet.' Maar toch had ze haar bedenkingen en ze had een voorgevoel, een intuïtief aanvoelen waarom Paulien hier was. Ze had lang gedacht dat het door haarzelf kwam, dat iets in haar houding Elias tegenhield om van haar te houden. Maar toen ze hem laatst, bij het bezoek aan zijn familie, naar Paulien zag kijken, wist ze hoe laat het was. Ze had hem ermee geconfronteerd en hij had toegegeven dat hij Paulien moeilijk uit zijn gedachten kon zetten. Ze had hem gezegd dat hij Paulien van zijn gevoelens op de hoogte moest brengen, maar hij vertelde haar dat het te laat was en dat ze zo goed als verloofd was met een zekere David, een omhooggevallen baron of zo.

Ze keek even met een schuin oog naar Paulien. Hij had haar toen wat tijd gevraagd, maar zelfs het feit dat ze verloofd was, was niet voldoende om haar te vergeten. Ze vroeg zich een ogenblik af wat er tussen die twee aan de hand was. Maar toen haalde ze in gedachten haar schouders op. Als hij maar niet denkt dat ik jaren wacht tot hij haar uit zijn hoofd kan zetten, ging het door haar heen. Mooi niet. Paul van Hool heeft ook een oogje op me en ik mag hem wel. Als Elias niet vlug een keuze kan maken, dan is hij me voorgoed kwijt.

'Zal ik hem dan even voor je gaan halen?' vroeg ze. 'Wacht hier maar. Daarbinnen is de herrie niet te harden.'

Ze verdween weer in de gapende duisternis en een paar minuten later stapte Elias het zonlicht in. Toen hij Paulien even verderop zag staan, kwam hij met een bezorgd gezicht naar haar toe. Er zat een vuile veeg op zijn rechterwang en zijn haar zat in de war, maar Paulien had geen oog voor dit alles. Haar hart bonsde in haar keel en leek een eigen leven te leiden.

'Wat is er, Paulien?' vroeg hij onrustig. 'Liesbeth vertelde me dat het niets ernstigs is, maar wat kom je hier dán doen?'

Paulien voelde zich beschroomd. 'Ik... ik wil alleen maar even met je praten. Heb je nu even tijd?'

Elias knikte aarzelend. Hij verwachtte dat het gesprek over haar en David zou gaan en hij was daar niet erg enthousiast over. Maar hij kon het ook niet over zijn hart verkrijgen om haar gewoon weer weg te sturen. Hij keek even over zijn schouder naar de lawaaierige loodsen. 'Als we hier blijven, riskeren we dat we onze stemmen forceren. Laten we die richting uitwandelen,' wees hij. 'Ik weet een rustig plekje.'

Samen gingen ze stilzwijgend de kasseiweg op. Allebei met hun eigen gedachten en allebei met hun eigen idealen en verwachtingen. Even verderop sloegen ze een karrenspoor in met akkers aan hun rechterkant en een dicht dennenbos aan hun linkerkant, dat langzaam overging in berkenbomen en laag struikgewas. Daarna kwam er een uitgestrekte, glooiende, kleurige helling in het zicht waar duizenden frèle, helrode klaprozen zachtjes wiegden in de wind. Roze klaver, korenbloemen, margrieten, geurige kamille, boerenwormkruid, het tere herderstasje, boterbloemen en duizendblad vulden de rest op. Het leek wel een palet van kleuren op een groene achtergrond waarin het primaire rood van de klaprozen overheerste.

Paulien keek verrukt om zich heen. 'O, Elias, wat mooi.'

Hij grijnsde een beetje onbeholpen. 'Ik wist dat je het mooi zou vinden, Paulien. Daarom heb ik deze plaats gekozen. Hier kunnen we rustig praten.'

Hij duwde met zijn voet een beetje gras plat en gaf Paulien een hand zodat ze gemakkelijker kon gaan zitten. Daarna liet hij zich naast haar zakken.

'Gaat het over David en jou?' vroeg hij zodra hij goed en wel zat. Paulien was een beetje overbluft. Hij zag het. 'Je wou toch met me praten?' verduidelijkte hij. 'Ik vermoed dat het over jullie relatie zal gaan. Dat je me komt vertellen dat jullie verloofd zijn en trouwplannen hebben.'

In plaats van het te ontkennen, vroeg ze: 'Zou je dat erg vinden, Elias?'

Hij wendde zijn blik van haar af en staarde naar zijn voeten in het gras. 'Ik wil alleen maar dat je gelukkig wordt, Paulien,' antwoordde hij zacht.

'Dat wil ik ook, Elias, maar ik denk niet dat David me gelukkig kan maken.'

Hij keek verbaasd op. 'Niet?'

Ze schudde haar hoofd. 'Ik hou niet van hem.'

'O, maar ik dacht... Volgens mijn broers maakte hij je toch het hof?'

'Ja, en ik heb ook een poosje gedacht dat ik misschien wel van hem zou kunnen houden. Hij is een goede vriend en ik ben hem heel dankbaar, maar... maar mijn hart is voor iemand anders.'

'Voor iemand anders? Er blijkt heel wat gebeurd te zijn gedurende mijn afwezigheid. Is het iemand die ik ken?' Hij kon zich niet voorstellen dat ze een vreemde had leren kennen tijdens die paar maanden dat hij haar niet had gezien. Dus moest het volgens hem wel een van zijn broers zijn. De wetenschap dat Walter of Peter haar hart veroverd had, knaagde aan zijn binnenste en hij vroeg zich al af of hij het wel aankon om altijd maar weer geconfronteerd te worden met hun geluk wanneer hij zijn ouders een bezoek zou brengen.

Paulien aarzelde. Ze was bang om het hem te vertellen. Had het trouwens nog wel zin? Hij hield van Liesbeth, hij had zijn keuze al gemaakt. Maar toen dacht ze aan Betty's woorden en aan het feit dat ze zekerheid moest hebben, dat ze haar kans – hoe klein ook – moest grijpen nu het nog kon.

Ze haalde diep adem en keek hem vast aan. 'Ja, het is iemand die je heel goed kent, Elias. Het heeft lang geduurd voordat ik besefte dat ik hem liefhad, voordat ik begreep dat ik alleen bij hem de gezelligheid, de geborgenheid en de liefde kan vinden waar ik zo naar verlang... Maar ik... ik ben bang dat het nu te laat is, Elias. Ik wil je liefde voor Liesbeth niet in de weg staan, ik wil alleen dat je weet wat ik voor je voel.'

Hij keek haar even met grote ogen aan. 'Hou je van mij?' vroeg hij zacht, bijna als een fluistering. Hij wendde zijn hoofd nu in verwarring van haar weg. Ze zag zijn adamsappel op en neer gaan.

Paulien knikte. 'Ja, ik hou van je, Elias. Ik heb lang gedacht dat ik je zo verschrikkelijk miste omdat je mijn beste vriend was. Nu weet ik dat het meer is. Ik hunker naar je, naar de blik in je ogen, je troostende hand, je luisterend oor, je hele wezen, je zijn... je bent bijna tastbaar in mijn gedachten. Ja, ik weet zeker dat ik van je hou. Met heel mijn hart en ziel. Maar ik besef heel goed dat mijn gevoelens niet veel zin meer hebben. Toch kon ik niet verder met mijn leven voordat ik het je had gezegd.'

Het bleef even stil tussen hen. Elias draaide langzaam zijn gezicht naar haar toe. 'Liesbeth is een pracht van een vrouw, Paulien, maar ze beseft dat haar liefde voor me weinig zin heeft,' zei hij uiteindelijk. 'Ze weet dat ik van iemand anders hou, iemand die zo veel voor me betekent dat mijn hart zich afsluit voor alle andere vrouwen.'

'O.' Pauliens laatste beetje hoop smolt als sneeuw voor de zon. 'Ik... Ik ben blij voor je, Elias, en ik hoop dat je heel gelukkig met haar zult worden.' Ze probeerde deze woorden luchtig te laten klinken, maar ze kon de teleurstelling niet helemaal verbergen.

'Ik weet zeker dat ik heel gelukkig met haar ga worden, Paulien. Ik hou al zo lang van haar, ook al leek ze lange tijd onbereikbaar. Maar nu ik weet dat ze ook van mij houdt, kan ik mijn geluk niet op.'

Hij legde voorzichtig zijn vingers onder haar kin en dwong haar om hem aan te kijken. Met zijn duim streelde hij haar wang. Zijn stem klonk fluisterend en hees toen hij zei: 'Ik hou al zo lang van je, Paulien, maar ik was zo bang om je te ontgoochelen, om je te kwetsen. En nadien, toen David je het hof maakte, had ik het gevoel dat hij je gelukkiger kon maken dan ik. Ik kon je echter niet van me af zetten, hoe ik ook mijn best deed. Je komst en je woorden maken van mij dan ook de gelukkigste man van de wereld.'

Ze keek hem even verward aan, maar toen het volledig tot haar doordrong wat hij had gezegd, werd haar blik omfloerst en vol van liefde. Dat zachte, warme, hunkerende waarop hij zo lang gewacht had, zag hij eindelijk weerspiegeld in haar grote bruine ogen.

Zonder verder nog een woord te zeggen werden ze onweerstaanbaar naar elkaar toe getrokken tot hun lippen elkaar raakten en ze verdronken in hun hartstocht.

Ze hadden elkaar eindelijk gevonden...

EPILOOG

Pauliens naaiatelier groeide uit tot een heus bedrijf waarin David voor de marketing zorgde en Paulien voor de productie en ontwerpen. De schuur werd al vlug te klein en David zorgde voor een andere locatie. Een leegstaande weverij in de omgeving van Aarschot die met wat kleine verbouwingen tot een kledingbedrijf werd omgebouwd, waarin meer dan zestig vrouwen hun dagelijkse kost verdienden. Naast dit bedrijf was een kleine woning gebouwd waarin Paulien, Nell en Mattijs konden wonen.

Mattijs bleek op wonderbaarlijke wijze teruggekeerd, verrezen uit de dood. Na zogenaamd een paar jaar ondergedoken gezeten te hebben bij een boerengezin ergens in een vergeten gat van de maatschappij, was hij nu eindelijk teruggekeerd. Voordat de autoriteiten daarvan op de hoogte gebracht werden, was Paulien al eenentwintig en hoefde hij niet meer bang te zijn om terug naar het weeshuis gestuurd te worden. Hij kon weer naar school en genoot van zijn herwonnen vrijheid.

Elias werkte zich op tot een van de stuwende krachten in het gestaag groeiende Van Hool-imperium.

Ze werkten beiden erg hard, maar de zondagen waren hun heilig. Dan maakten ze tijd voor elkaar, brachten met zijn allen Elias' familie en soms Gertrude een bezoek of genoten gewoon van hun samenzijn. Nu Elias een auto bezat, was de afstand goed te overbruggen en reed hij haast elke dag naar Paulien toe om met haar, Nell en Mattijs enkele uurtjes door te brengen.

Na enkele jaren verkocht hij zijn Bugatti en hij had een oude Mercedes-Benz opgelapt waarin wat meer zitruimte was zodat Paulien, Nell en Mattijs met hem mee konden. Nu hoefden ze niet langer de tram te nemen wanneer ze Betty en Florent een bezoek wilden brengen.

Nelis was bij Betty en Florent blijven wonen. Omdat hij helemaal niemand meer had die aanspraak op hem kon maken hadden zij hem geadopteerd. Hij voelde zich er goed en geborgen en was in de zevende hemel omdat hij nu eindelijk familie had. Maar regelmatig kwam hij Mattijs een bezoek brengen of zag Mattijs hem bij Betty en Florent.

Voordat ze naar Aarschot vertrokken, hadden ze van Gertrude vernomen dat Claudia door de winkelier was betrapt bij het beschadigen van de kleding. Ze werd door iedereen met de vinger nagewezen en kreeg bovendien met haar vaders woede te maken. Paulien had met haar te doen, maar ze voelde zich toch vreselijk opgelucht nu ze wist dat het ongemak eindelijk een halt was toegeroepen.

Paulien zag haar oom, tante en Claudia nog weleens wanneer ze, samen met Elias' familie, in het dorp naar de hoogmis ging. Maar ze draaiden steevast hun hoofden om en deden alsof Paulien voor hen nooit had bestaan. Paulien vond dat spijtig, maar ze liet haar geluk daardoor niet vergallen.

Claudia trouwde uiteindelijk dan maar met Edward Ipendael, wat de rivaliteit tussen de twee broers alleen maar vergrootte. Edward had intussen het werk van dokter Cambré overgenomen zodat deze laatste van een welverdiend pensioen kon genieten. Claudia was nu de vrouw van de dokter en ze liet dat ook goed merken. Haar neus stak ze in de lucht en ze was altijd volgens de laatste mode gekleed. Ze kregen een zoon, maar Claudia vond de baby alleen maar lawaaierig en vies en liet de opvoeding over aan een kindermeid. Ze had inderdaad geld in overvloed en kon doen en laten wat ze wou, maar echt gelukkig was ze niet. Ze hield niet van Edward, ze hield niet van haar kind, ze hield niet van haar moeder, zelfs niet van haar vader, ze hield van niemand, alleen maar van zichzelf.

David volgde ten slotte toch zijn moeders raad op en verloofde zich met Amélia, de mooie dochter van graaf en gravin Van Hemicksen-Van Hannover. Paulien en Elias werden uitgenodigd op het huwelijksfeest dat op het kasteel gevierd werd. De bruid zag er prachtig uit in een creatie die Paulien speciaal voor deze gelegenheid had ontworpen en gemaakt. Het aristocratische koppel kreeg een tweeling, twee jongens, exact negen maanden na hun huwelijk.

Elias en Paulien trouwden op haar eenentwintigste verjaardag. Ze was toen al een welgestelde vrouw die haar familie gul liet delen in haar rijkdom. Betty en Florent kwamen niets tekort, maar ze waren vooral gelukkig toen ook hun andere zonen trouwden en ze stuk voor stuk goed terechtkwamen.

In 1953 werd hun eerste dochter geboren en in 1955 hun tweede. Paulien gaf een groot deel van haar werk uit handen zodat ze kostbare tijd vrij had voor haar gezin. Elias was een warme, liefdevolle man en een ideale vader die – ondanks zijn drukke baan – toch veel tijd vrijmaakte voor zijn gezin, waartoe ook Nell, Mattijs en ook Nelis behoorden. Eindelijk ervoer Paulien ten volle de warmte, de genegenheid en de huiselijke gezelligheid waar ze heel haar jonge leven naar gestreefd had. Ze voelde zich gelukkig en gesterkt in de overtuiging dat dit geluk altijd zou blijven duren ...